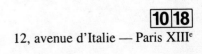
12, avenue d'Italie — Paris XIIIe

REPORTAGE CÉLESTE
DE NOTRE ENVOYÉ SPÉCIAL
AU PARADIS

PAR

FRIGYES KARINTHY

Traduit du Hongrois
par Judith et Pierre KARINTHY

Préface de François Fejtö

« Domaine étranger »
dirigé par Jean-Claude Zylberstein

LE PASSEUR

Titre original :
Mennyei Riport, 1934

© Éditions Le Passeur-Cecofop, 1998,
pour la traduction française et la préface.
ISBN 2-264-03064-X

PRÉFACE

« *Il a appris à rire à plusieurs générations, et cela dans un pays qui a vécu pourtant des temps bien tourmentés* » a dit de Frigyes Karinthy, le romancier-essayiste hongrois, Emil K. Grandpierre, à qui l'on doit l'étude la plus profonde sur la vie et l'œuvre de l'écrivain. Un demi-siècle après sa mort, Karinthy est reconnu comme le plus grand, le plus original humoriste de la littérature hongroise, pourtant riche en écrivains humoristiques et satiriques. Plusieurs de ses ouvrages continuent à être des best-sellers, et de son vivant, il était déjà l'un des auteurs les plus populaires dans son pays, ce qui ne l'empêchait pas d'être constamment en butte à des soucis matériels. Quant à sa vie privée, elle était plutôt malheureuse ; cela expliquait sa misogynie et servait de matière à des « humoresques » irrésistibles. Lui-même était-il triste, comme beaucoup d'humoristes que j'ai connus ? Rire et pleurer sont des réactions proches. Mais je n'ai jamais vu Karinthy triste. On dirait qu'il n'avait pas, qu'il ne se donnait pas le temps de s'attrister. Il avait, il paraissait avoir une nature fondamentalement gaie, un esprit créateur inépuisable et communicatif. « *Ce que je ne peux avouer à personne, je le dis à tout le monde* » écrivait-il

dans un de ses poèmes. Car il était aussi bon poète que nouvel-
liste et publiciste. Il écrivait des récits fantaisistes, des «sciences-
fictions» à la H.G. Wells à qui il adressa une lettre ouverte
célèbre, se solidarisant avec l'action humaniste et pacifiste du
grand utopiste britannique.

    Qu'est-ce qu'un humoriste? C'est quelqu'un qui a le sens de
l'humour plus que la moyenne des gens écrivait-il. C'est à dire,
une faculté quasi innée de voir les choses de travers. Ou bien
celui qui se rend compte que le monde est tout de travers. Cette
manière de voir apparente Karinthy aux «philosophes du
soupçon» : Nietzsche, Marx et surtout Freud, dont il a bien
connu la doctrine grâce au meilleur disciple du maître vien-
nois, Sándor Ferenczi, fondateur de l'école hongroise de la psy-
chanalyse, et qui fut son ami – ce qui n'empêchait pas
Karinthy de se moquer de son enseignement et de sa thérapeu-
tique. On pourrait dire que – en dehors des fanatismes de
toutes sortes, de l'hypocrisie et de la grandiloquence qu'il met-
tait une passion farouche à démasquer – Karinthy ne détestait
rien davantage que ce que Jean-Paul Sartre épinglera sous le
nom «d'esprit de sérieux».

    Je ne veux pas dire par là que Karinthy lui-même n'était pas
sérieux. D'un tempérament ludique, ce joueur passionné de
mots, de cartes ou d'échecs – combien de fois l'ai-je trouvé
plongé dans ce jeu au café Emke du Grand-Boulevard où il pre-
nait son café en général! – il prenait cependant son métier,
l'art d'humoriste très au sérieux. «En matière d'humour disait-
il, je n'admets pas de plaisanterie.» Mais l'humour de
Karinthy, fit remarquer Grandpierre, n'a rien à voir avec le
vieil humour populaire hongrois que l'on retrouve dans les

récits pleins d'anecdotes amusantes d'un Jókai, d'un Tömörkény ou d'un Mikszáth. C'est un humour moderne, métropolitain, cosmopolite, qui se nourrit des grands courants spirituels de notre époque. Il a un fondement métaphysique, comme le fit observer son collègue et ami, le romancier Mihály Babits.

Ce n'est point un hasard – mais le hasard existe-t-il ? – si Karinthy a choisi Diderot comme guide pour le voyage de son héros dans l'au-delà. Il se disait souvent descendant tardif des écrivains du Siècle des lumières. Le grand rêve de sa vie qui restera irréalisé, car sans doute irréalisable, a été d'écrire une nouvelle grande Encyclopédie moderne. C'est qu'il était animé par une curiosité sans borne pour les sciences naturelles – il avait fait des études de médecine – la technologie, la psychologie, l'histoire. Esprit toujours en mouvement, toujours en éveil, il ne cessait de produire des Ötlet, *mot hongrois quasi intraduisible : idée qui vient à l'esprit soudainement, imaginée et inventée plutôt que pensée. Il aimait inventer des machines compliquées, dont le mérite suprême était de ne servir à rien. Il se moquait de l'utilitarisme. Il s'amusait beaucoup – et fit amuser ses amis – avec ses calembours, un langage qu'il appelait* halandzsa *(blablabla, fait de charabias et de galimatias). «J'avoue d'aimer me servir des mots qui viennent à mon esprit, je les flaire, les lance en l'air, les laisse tomber – je joue avec eux comme le chat avec la souris.» Un soir, il nous a surpris au salon littéraire du baron Lajos Hatvany à Buda, où nous nous rencontrâmes souvent, grâce à sa découverte qu'avec la langue hongroise, on arrive à s'exprimer dans toutes les langues, uniquement en changeant d'accent.*

Ainsi koccint sunk csak, *(trinquons en hongrois)*, *devient en chinois* kotsine-tchoung-tchak, *et si* deszkáim, *si* léceim *(mes skis, mes bâtons de ski), devient en hébreu* chi-desskhaim, chi-létsèim.

Il jouait avec les mots, mais se méfiait du discours. Diderot, qu'au cours de son voyage dans le passé, le protagoniste du roman – le grand reporter Merlin Oldtime – revoit à Paris, dans un coin du café de la Régence le 14 juillet 1762, s'insurge contre « le discours considéré comme l'un des principaux obstacle à la diffusion de la pensée ». Puis parlant de son essai sur les aveugles, auquel il travaillait à l'époque, l'encyclopédiste lui explique que les aveugles ont une vision bien plus claire de la réalité que les gens qui regardent mais ne voient rien. Ne se cache-t-on pas quasi automatiquement les yeux quand on réfléchit profondément ?

Précurseur des écrivains de l'absurde de l'après Seconde Guerre mondiale, né en 1887 et mort en 1938, sans vivre la guerre, l'occupation allemande et toutes les horreurs qui s'abattaient sur son pays, Karinthy a résumé sa manière de voir le monde en disant : « Tout y est autrement. La réalité est tout à fait différente de ce que nous croyons, les vérités, les sens des mots, tout est différent. Le monde n'est pas ce qu'il est; il est autre. Si j'ai un miroir déformant, qui déforme toutes les choses, quelle folie serait de penser qu'il existe des choses que ce miroir n'altère pas ? Puisque la loi générale qui régit ce miroir – la tâche qui n'admet pas d'exceptions – est de déformer ? Tout est autre et ailleurs, le ciel, la Terre, les martiens. Notre meilleur ami nous aime autrement, nos ennemis nous haïssent

différemment et la femme, dont nous pensons qu'elle est diffé-
rente, elle est encore autre et autrement ».

Il se défendait cependant d'être sceptique. Et il ne l'était pas.
Comme les écrivains de l'absurde – Camus, Ionesco, Beckett –
il ne croyait pas à l'absurde, il était en révolte contre l'absurdité
du monde. Il était pacifiste, haïssait la guerre et la violence,
comme en témoignent les articles courageux qu'il avait publiés
au cours du premier conflit mondial, dans la revue Nyugat
(Occident) *dont il fut aux côtés d'Ady, Babits, Kosztolányi,*
Füst, Ignotus et Hatvany, le collaborateur assidu. « Il est inter-
dit de tuer, écrivait-il, à la guerre comme à la paix, sous aucun
prétexte, au service d'aucune idée, il est défendue de tuer c'est
la loi de la nature. » (En quoi il se trompait.) Il était ratio-
naliste, comme le Swift de Gulliver, *comme le Voltaire de*
Candide, *comme G.B. Shaw. Il était pour la justice sociale,*
sans être socialiste, car l'idée collectiviste d'après laquelle l'in-
dividu doit se mettre au service de la société lui apparut comme
la source possible de la plus grande tyrannie. Dans une de ses
dernières œuvres, inspirée par la guerre d'Espagne, dans
laquelle il a vu un prélude d'une guerre plus générale, il écri-
vait : « L'assassin n'est pas le seul responsable du meurtre. Est
responsable également la victime qui n'a pas su prévenir, empê-
cher la tuerie. La prévenir, s'il le faut, même en se suicidant,
avec cette force terrible, plus puissante que toutes les puis-
sances, que donne le courage à celui qui n'a pas peur pour sa
propre vie, qui n'a peur de rien. »

En méditant sur son œuvre, ses paradoxes, un mot de
Ionesco me vient à l'esprit. À la question de savoir s'il croyait
en Dieu, il répondit : « Je crois en Lui, mais j'aimerais qu'il
fût différent. » Karinthy a écrit que « le monde connu, les

conjonctions et les conséquences des choses sont suspendues au-dessus de nos têtes comme un jugement sans appel prononcé par des forces inconnues et si nous attendons quand même des miracles, cela ne s'explique que par le fait qu'ayant reçu quelques signes et indications, l'homme fait appel contre le verdict et essaye de le transformer. »

G.B. Shaw, à la question de savoir pourquoi, dans quel but il écrivait ses œuvres, répondait : « C'est pour inquiéter mes contemporains. » Karinthy lui, voulait les faire rire. Il a tout de même inquiété. Il était plutôt apolitique, mais les hommes au pouvoir ne l'aimaient pas. Ils craignaient sa plume. Ils sentaient instinctivement que s'il la retournait contre eux, la plume se transformerait en une arme aux mains d'un bon escrimeur.

Ses amis de la revue Nyugat, éminentes figures de la littérature hongroise, avaient pris grand soin de l'originalité de leur style. L'originalité de Karinthy était de pratiquer, dans presque toute sa prose, le style journalistique. Ce récit en est un exemple. Il s'est mis dans la peau d'un vieux reporter globe-trotter qui réussit à persuader le directeur d'un magazine populaire britannique, The New History, à lui financer un voyage dans l'au-delà, dont il aurait la clé, et qui est en réalité un « en-deçà » : le Passé irréversible, immortel de l'humanité. Une fois franchi la porte de la frontière de la quatrième dimension, Merlin Oldtime rapporte tout ce qu'il a vu, les conversations qu'il a eues avec les plus grands personnages du passé, dans un style objectif d'où toute recherche formaliste est absente. Dans le même style impersonnel, impassible, avec lequel, dans son livre le plus célèbre Voyage autour de mon crâne *il a rapporté dans tous ses détails l'opération du cancer du cerveau*

qu'il avait subie à Stockholm et qu'il avait suivie sans anes-
thésie générale, sur un écran, comme s'il s'agissait de l'opération d'un autre. *Tout près de la mort – car à cette époque
l'opération était plus risquée que de nos jours – il parle d'elle de
manière détachée, presqu'amusé. Il pense même – paradoxal
jusqu'au bout – et il le dit au chirurgien, qu'en fait, c'est la
tumeur qu'il faudrait libérer de l'homme et non pas l'homme de
la tumeur. « Ce disant il a caricaturé même sa propre objectivité »* notait Grandpierre. Karinthy plaisantait même face à la
mort.

Il a terminé son roman en faisant graver sur la pierre tom-
bale de son alter ego Merlin Oldtime, enterré dans le cimetière
de Chelsea, ces mots inspirés par un sage de l'Inde : *« Il fut,
donc il est, il est, donc il sera. »* Dans la littérature hongroise,
Karinthy sera certainement. Peut-être aussi dans la littérature
mondiale.

François FEJTŐ

AVANT-PROPOS

Cher Lecteur !

Il y a trois ans – je crois que c'était en décembre – un grand quotidien anglais a adressé une circulaire aux plus éminents représentants de l'aristocratie intellectuelle de l'Europe, à des écrivains, des philosophes et des savants, aux meilleurs et aux plus célébrés (ce ne sont pas forcément les mêmes). Il s'agissait de répondre à cette question : existe-t-il une vie dans l'au-delà ?

L'enquête n'a pas rencontré un succès particulier. Ces messieurs ont répondu poliment, chacun dans son style et selon son goût. L'intérêt suscité fut minime, il n'en est sorti aucun débat d'idées, le public ne s'est pas rangé en partis opposés, aucune nouvelle religion n'a jailli. Tout est rapidement tombé dans l'oubli.

Deux mois plus tard les vagues d'une autre enquête ont parcouru le monde de la culture. Y figuraient *grosso modo* les mêmes noms cultivés, provoquant cette fois un immense retentissement, pléthore d'interventions, d'opinions et de déclarations, conservant longtemps le problème à l'ordre du jour. Il s'agissait de savoir si les messieurs peuvent oui ou non se promener en bras de chemise en été dans les rues des grandes villes.

Sur ce dernier point ma modeste personne a également été interrogée. Je peux en être fier, les grandes nations occidentales s'adressent rarement à un écrivain hongrois.

En revanche, je n'ai pas été invité à participer à la première enquête.

J'ai toujours été têtu, ce qui n'est pas une bonne politique littéraire si l'on tient à réussir sur la carte intellectuelle de l'Europe. De plus j'ai fait une gaffe. À la question qui m'a été posée, je n'ai pas répondu, par contre là où on ne m'a rien demandé, s'il existe une vie dans l'au-delà…

J'ai pris ma plume et j'ai rédigé une réponse dense et concise. Contrairement aux déclarations prolixes de Bernard Shaw, Inge Dean et Chesterton, sur plusieurs pages dans les journaux, la mienne tient dans un tome minuscule ne dépassant pas seize feuilles in-octavo.

Mais je suis arrivé après la bataille. L'enquête, comme je l'ai dit, a vite quitté l'actualité, quand j'ai achevé ma contribution, cela ne valait plus la peine de l'envoyer.

Mais le livre est là.

Je l'offre donc au lecteur hongrois qui, de toute façon, a déjà l'habitude que je réponde à des questions qu'il ne m'a jamais posées. Malgré cela il m'a souvent fait l'honneur de m'écouter.

Je ne cherche pas à me justifier. Je me contente de braver la mode et de défendre la pertinence de mon livre.

transsubstantiation? Va-t-on édifier le dogme sur la Sainte-Trinité ou bien sur l'Unité? – a une importance tout aussi vitale pour l'homme médiéval qu'est d'une importance capitale et d'une nécessité brûlante pour l'homme d'aujourd'hui de savoir si le parlement ou la session de la Société des Nations va voter je ne sais quoi, mettons, l'union douanière ou le désarmement. Ce iota tant incriminé entre l'*homoousion* et l'*homoiousion* a bel et bien représenté toute la différence, il n'est pas si aisé de décider de s'en passer comme l'affirme le *Tancrède* d'Imre Madách, du temps des Croisades la présence ou l'absence de ce iota pouvait décider d'existences humaines, de la vie et de la mort de nations, de déplacements de frontières, d'élans ou de décadences de cultures et de civilisations, d'écroulement ou de renaissance de royaumes. Il est facile de comprendre que ceux qui dans les conciles avaient vocation de décider – par exemple de questions telles que la communion sous les deux espèces ou sous une seulement, c'est-à-dire s'il faut servir l'âme du Christ à la fois sous forme de pain et de vin ou bien seulement sous forme de pain, ou encore seulement sous forme de vin – ces représentants patentés du monde d'alors, ont ressenti très naturellement l'importance de leur fonction : ce pain et ce vin symboliques signifiaient vraiment en ce temps-là du pain et du vin dont on dispose ou dont on est privé.

En mille cinq cent trente et un, lorsqu'il s'est agi de décider si l'on allait admettre les idées de la Réforme – bien que ces idées ne se fussent préoccupées que de questions apparemment transcendantes telles que la nature humaine et divine du Christ, l'interprétation de l'au-delà, etc. – les puissants représentants du concile étaient très bien en mesure de pressentir les guerres et les tournures catastrophiques qui par la suite, dans la lutte entre le protestantisme et le catholicisme, le dépérissement et la naissance d'états, ont pu légitimer qu'en effet, à la diète de Worms il s'était bien agi de choses d'importance vitale lorsqu'on débattait de la question de la communion sous les deux espèces ou sous une seulement dans les cérémonies du culte. Il s'agissait de vrai vin et de vrai pain – du pain et du vin des prêtres et de ceux des foules immenses des fidèles tout autant qu'il s'agit aujourd'hui du vin et du pain des bourgeois et des banquiers et des ouvriers lorsqu'un ministre présente dans un parlement un projet de loi proposant par exemple un numerus clausus.

De nos jours, contrairement à autrefois, le pouvoir n'est plus entre les mains d'hommes chargés des choses de l'âme. Si les prêtres du monde moderne, les écrivains, les savants et les penseurs, représentants de l'aristocratie intellectuelle, étaient en même temps les ministres ou chefs d'État ou rois (comme il conviendrait, dans une société résolue, à une humanité logique et conséquente), l'attention accordée à l'enquête londonienne aurait sûrement reflété plus fidèlement l'importance de la question posée. Enfin, si l'on y pense (mais justement, toute la question est là !), savoir s'il existe ou non une vie dans l'au-delà n'est pas tout à fait négligeable pour décider comment je dois vivre, ce que je dois faire, à quoi m'en tenir dans ce monde, dans ma vie ici bas.

En l'état ac:uel de cette affaire, le débat moderne et la décision quelle qu'elle soit, donc prise avec la coopération et la collaboration de la logique affective et intellectuelle ainsi que des sciences expérimentales (je pourrais presque dire : dans l'harmonie de la religion et des sciences, de la foi et du vécu), pourrait bel et bien entraîner des conséquences révolutionnaires, d'une importance réelle, si le crédit temporel et le pouvoir de ceux qui sont censés mener cette réflexion à terme pouvaient faire prévaloir et garantir un crédit à leurs résolutions.

Mais naturellement il ne peut pas en être question.

Mais comme il ne peut pas en être question, il est sorti de l'enquête de Londres ce qui, en de telles circonstances, devait en sortir. La volonté d'une nouvelle façon de voir, responsable, sérieuse et inspirée, conforme à l'esprit du temps ? La création d'une nouvelle optique capable de tout remettre en cause ? Le goût de l'entreprise ? Non. Au lieu d'une telle volonté, ce moderne concile de Trente a accouché du mode de pensée de nourrissons hydrocéphales qui mélangent le vieux fumier en décomposition de cosmogonies vides de sens, ossifiées en boniments loqueteux, avec les oripeaux de quelques inepties pseudo-scientifiques affublées de modernisme ; tout ce salmigondis est nappé de superstitions, de foie de crapaud et de poils de mésanges empruntés à des guérisseuses.

Après tout, cela n'est que trop naturel. Étant donné que chaque penseur savait fort bien que son opinion sur la vie dans l'au-delà ne transformerait en aucun cas

le monde, que le lendemain les tramwàys continue-
raient de circuler comme avant et que le «Journal
Amusant» serait toujours lu par cent mille fois autant
de lecteurs que l'œuvre d'Einstein, il aurait été vraiment superflu de se torturer les méninges à propos de
l'existence d'un au-delà ou de sa non existence.
L'excellent et très spirituel Chesterton, décédé depuis
peu (par ailleurs explorateur sérieux et inspiré de cette
grande question) a démontré très plaisamment à titre
de moralité pour la malheureuse enquête que notre
époque est celle du dernier sursaut de la pensée
humaine et que, même en comptant la préhistoire, il
n'y a pas eu d'autres temps où l'on aurait répondu
autant de fadaises et de niaiseries à la question posée :
tout le monde a complètement et désespérément
échoué à l'examen, sans même s'inscrire à la session de
rattrapage.

Moi, la seule chose qui m'a étonné est que cela ait
étonné Chesterton. Car l'explication est extrêmement
simple. Si la pensée se meurt en ce monde, si les gens
ne réfléchissent plus, c'est parce que de nos jours la
réflexion ne vaut plus la peine, le fruit de la pensée ne
pourrait pas mûrir, impossible d'en tirer aucune
conclusion, la réflexion n'est pas un modèle pour la vie
puisque ce monde n'est pas gouverné par la pensée
mais par quelque chose de tout à fait différent; ou plutôt rien ne le gouverne, il évolue de lui-même, dans la
tempête des passions et des désirs. Et si quelqu'un se
laisse quand même aller à toucher du bout des doigts
aux idéaux rouillés délaissés au grenier, il se retrouve

terriblement isolé, sans aide ni soutien, à tailler et
façonner seul dans son atelier secret, à porter sa brique
aux sciences exactes que ces idéaux ont après tout
engendré.

Du temps des alchimistes la Science était contrainte
de se cacher de la Pensée religieuse : alors la religion
régnait. Aujourd'hui la pensée est devenue orpheline ;
on peut comprendre que ce qui en reste est aussi naïf et
maladroit que l'étaient jadis les éprouvettes, les alam-
bics et les mixtures des alchimistes à la lumière des
sciences exactes.

En toute objectivité, donc à l'attention d'autrui, les
quelques spéculations qui me sont alors venues à l'esprit, non pas des théories, ni des hypothèses régulières
non plus – il convient d'appeler théorie ou hypothèse
uniquement une construction de la pensée dont le
résultat peut être contrôlé en le comparant à la réalité.
Ici il ne pouvait en être question puisque jusqu'à nouvel
ordre nous n'avons jamais reçu de message fiable de
l'au-delà.

Ces quelques notions avaient le même rapport à la
vérité que la cabale des alchimistes à la théorie moderne des particules, dernièrement justifiée par le
microscope.

Je devais rester aussi modeste que le rêveur qui commence à se douter qu'il ne fait que rêver ; qu'il existe un
état de veille par rapport auquel notre vie idéelle n'est
pas plus que le rêve par rapport à notre vie présente…

Car généralement dans le rêve aussi nous croyons que nous vivons et nous prenons nos rêves pour de la réalité ; et si d'aventure nous sommes pris pour un instant du soupçon (la plupart du temps au milieu d'une expérience onirique insupportablement horrible ou incroyablement enchanteresse) que ce n'est qu'un rêve, nous ne pouvons quand même pas dire davantage que ceci : ce sentiment existe pourtant. Dans mon rêve je me promène dans une prairie et brusquement je réalise que je ne fais que rêver, que cette prairie, ces arbres, le reste, ne sont donc pas vrais ; mais alors qu'est-ce qui est vrai ? À supposer que je ne sois pas dans cette prairie, où suis-je alors réellement ? Suis-je couché chez moi dans mon lit en train de ronfler, ou me suis-je endormi dans une autre prairie, mais réelle celle-là ? – impossible d'en décider dans le rêve, je ne m'en souviens pas, pour y parvenir je dois d'abord me réveiller.

Mais se réveiller, comment ?

Généralement à ce moment-là le rêveur fait quelque effort dans son rêve, pousse un cri inarticulé ou éclate de rire, fait un geste psychique contraire à la logique de son vécu onirique, en sentant avec un instinct très juste que s'il essayait de déchiffrer sa réelle position parmi les choses avec sa raison et sa logique du rêve, il ne ferait que s'enfouir encore plus profondément dans le monde du rêve. Du point de vue du rêve, pour se réveiller, il doit réfléchir contre toute logique, alors il aura raison. Par exemple je rêve que quelqu'un me rentre dedans et veut m'assommer avec une hache. Selon la logique du rêve je devrais fuir ; de nouvelles images de rêve plus profondes en seraient générées, une poursuite obsessionnelle d'un horrible contenu. En revanche, si je me rappelle que je rêve, tout simplement et sans logique aucune, je placerai ma tête sous la hache de rêve de l'assassin de rêve, me doutant bien que non seulement je n'en mourrai pas mais au contraire cela me réveillera, autrement dit je vivrai beaucoup plus sûrement que je ne vis ici dans le monde onirique.

Je veux seulement dire par là que celui qui veut imaginer l'au-delà doit d'abord bien scruter ce monde-ci sous nos pieds. Il doit d'abord faire face à la réalité de ce monde tel qu'il se reflète dans la conscience, et alors il ne tardera pas de découvrir avec étonnement dans son for intérieur une dualité incompatible, nette et catégorique. Cette dualité consiste en ce que je veux sentir le monde physique comme une réalité cohérente et compréhensible, sous la contrainte, indépendamment de la réalité, inspiré par un instinct intérieur; mais cette compréhension et cette cohérence, malgré tous mes efforts je n'arrive pas à les trouver, ni à les déduire de mon expérience. Pour ne citer qu'une chose : l'idée incontournable de l'infini, le fait que je n'arrive pas à concevoir la totalité, trouble tout et rend tout invraisemblable; car si une partie de quelque chose (de l'univers) figure au milieu des images que je me construis sous la forme d'une chose impossible, illogique et inconcevable, alors la partie de cette entité, moi-même et le monde que je connais, je ne peux pas les prendre non plus pour une réalité définitivement compréhensible, logique et acceptable.

Par contre existent en moi l'instinct et la volonté de les percevoir comme tels.

Que cela pourrait-il signifier d'autre que le fait que ce n'est pas au dehors que réside la contradiction mais en moi, en fait dans l'état de mon être?

La réalité est floue parce qu'un brouillard recouvre mon esprit.

Un brouillard recouvre mon esprit, je rêve.

Y a-t-il un au-delà? Cette question correctement posée sonne comme ceci : que se passerait-il si le brouillard ne recouvrait pas mon esprit, si brusquement tout ce qui fut et ce qui est me revenait à l'esprit et si, je me réveillais au sens absolu du terme, où me retrouverais-je?

Autre part que là où je me trouve.

Je ne perdrais pas non plus ce monde-ci pour autant, seulement la lumière serait faite sur tout; je ne quitterais pas ma place et pourtant je serais autre part. Comme le rêveur qui se trouve dans le lit où il s'est endormi alors que l'instant précédent il se promenait dans une forêt.

Par conséquent l'au-delà, à supposer qu'il existe, peut seulement être imaginé s'il existe perpétuellement, il a existé avant ma naissance, il existe durant ma vie, il existera après ma mort. Un au-delà après la mort – cela n'a aucun sens.

Dès ici et maintenant, dans ma vie présente, je dois me trouver dans cet au-delà, s'il existe, seulement je l'ignore, ou plutôt je ne le perçois pas dans mon état d'âme actuel appelé la vie.

L'au-delà n'est donc rien d'autre qu'un état inconnu, infiniment plus vaste et plus complet que l'état
connu de la même âme dont une partie contient actuellement la totalité des conceptions et des perceptions
appelées la vie.

Cela signifie qu'en réalité notre âme est constituée,
pour ainsi dire, de deux parties : l'une, la partie abso-
lue, se trouve constamment dans l'au-delà, et l'autre,
celle que nous connaissons ici, dans notre vie, fonction
de la précédente, elle est quelque chose de relatif
comme le rêve, une âme dont tout le vécu dépend de
l'état de l'esprit éveillé. C'est une confusion entre la
question de la vie dans l'au-delà et la question de l'immortalité qui a été la source de tous les malentendus :
on a mis en rapport l'au-delà avec le temps, or l'au-delà,
comme il n'a rien à voir avec l'espace, n'a rien à voir
avec le temps non plus.

C'est une chose.

*

L'autre chose importante qui exige qu'on y voie clair
c'est que l'au-delà est l'affaire intime de l'homme.

C'était un malentendu dans l'interprétation précise
de l'au-delà que de l'identifier sans cesse à la notion du
divin.

Dans mon article intitulé « À la découverte de Dieu »
j'ai déjà évoqué les deux acheminements possibles qui
peuvent mener à Dieu : par nous-mêmes, par le biais de
la foi en lui, et au-delà de nous-mêmes par le doute de
lui. (Ce dernier chemin, plus lent et plus complexe,

mène tout aussi sûrement à lui parce qu'on cherche partout celui que la foi situait dans l'au-delà.)

Dieu est ici, il est aussi dans l'au-delà. Mais la notion de Dieu est du ressort de la métaphysique, or il découle de ce qui précède que pour nous l'au-delà ne peut être une question de métaphysique mais seulement de psychologie, ici, dans cette vie présente.

Nous ne pouvons construire sa notion qu'à partir de notre âme, nous devons examiner nous-mêmes si nous doutons de la possibilité de son existence.

Nous devons observer notre âme, prudemment, modestement, dans le silence du recueillement, en faisant taire pour un temps le cliquetis de la logique du rêve.

Et si nous écoutons bien, nous entendons alors au fond de nous-mêmes le doux et constant tambourinement d'une grande, irrépressible inquiétude.

Nous entendons une constante tension, une inquiétude, une insatisfaction. La raison a essayé d'y apposer des noms multiples : le plus souvent on l'appelle instinct vital.

Soyons plus modestes. Appelons la simplement inquiétude. Mais quelqu'un d'inquiet est inquiet parce qu'il ne se sent pas bien dans sa peau – il veut autre chose que ce qui est.

L'inquiétude est mauvaise.

L'instinct vital serait-il mauvais ?

Nous ressentons effectivement la vie comme mauvaise dès que nous pensons à la mort. Et la mort comme mauvaise si nous aimons la vie.

Voilà deux mauvaises choses. La vie est mauvaise à cause de la mort et la mort est mauvaise à cause de la vie.

Pourtant aucun mauvais sentiment ne serait possible sans l'existence de quelque chose de bon – le mauvais est négatif, le manque de quelque chose de bon. Inimaginable en soi.

Par conséquent, si la vie et la mort sont de mauvaises choses l'une à cause de l'autre, il doit y avoir un troisième état, référence des deux précédents.

Voilà le maximum d'exactitude pour nous aider à définir la notion de l'au-delà.

Maintenant, pour décrire la nature de cet au-delà, de ce troisième état, il faudrait d'abord nous réveiller. Ou, à la manière de l'artiste, il faudrait l'imaginer. Ce roman est une tentative dans ce sens.

Une chose est probable et découle de la nature même de l'âme, c'est que l'au-delà est le contraire de tout ce que nous considérons comme mauvais. C'est le désir qui crée l'au-delà, le même désir qui ressent tout obstacle entravant son assouvissement comme souffrance, douleur, mort, prison de la vie et de la mort.

L'au-delà signifie liberté, assouvissement illimité de tout désir. Et comme le désir est une chose personnelle et individuelle, l'au-delà ne peut pas être autre que le paradis d'une âme unique, un cosmos dans lequel tout se passe comme cette âme le souhaiterait, déjà ici, dans cette vie onirique ; un cosmos dont cette âme unique, qui jusqu'à présent n'a fait qu'observer et subir le monde, deviendrait par la suite le dieu créateur, recréant à sa propre image.

Il est probable qu'en réalité l'au-delà n'est autre que la prise de conscience du fait que c'est nous-mêmes qui créons le monde, et nous le créons conforme à l'image du bonheur désiré.

On dirait que deux hommes ont déjà deviné quelque chose : Mahomet et Socrate. L'un a eu le courage d'affirmer que l'au-delà et le Paradis ne peuvent être que l'endroit où Allah, bien sûr, mais surtout lui-même, Mahomet, se sent bien. L'autre a eu le courage de déclarer qu'ils n'existent pas pour tout le monde, c'est le privilège des seules âmes capables de les créer à partir de rien.

*

Voilà les pensées qui captivaient mon esprit lorsque la vision du « reportage céleste » a pris corps en moi.

Qu'est-ce qui en est passé dans ce livre, je l'ignore ? C'est au lecteur d'en juger. Pour rendre raison à la vérité historique – et un peu à la symbolique historique – j'ajoute seulement que peu après avoir écrit mon livre j'ai eu personnellement l'occasion de vérifier la matérialité des faits du « reportage céleste », tout au moins dans la mesure où il est possible se forger une idée sur un pays quand on s'est approché de sa frontière. Comme on peut le lire dans le roman *Voyage autour de mon crâne* que j'ai écrit sur ma fameuse opération du cerveau à Stockholm.

Frigyes KARINTHY

CHAPITRE INTRODUCTIF

Genèse du Reportage Céleste

refusé de communier avec eux; si ceci ne ressort pas à l'évidence des circonstances (et du «reportage» lui-même), j'espère que l'esquisse de la personnalité de l'excellent journaliste que je vais dessiner dans ce qui suit le rendra suffisamment crédible.

J'ai fais la connaissance de Merlin Oldtime à Venise, par hasard, mais pas fortuitement : comme nombre de ses lecteurs, j'appartenais moi-même au cercle de ses admirateurs, nous avions aussi échangé quelques lettres dans lesquelles il m'avait cordialement remercié pour une information qui l'intéressait, et il avait envisagé de me rendre visite lors de son prochain passage à Budapest. Je ne le connaissais pas encore, à bord du *vaporetto* il m'apparut comme un personnage qui ne passe pas inaperçu. Il se tenait debout au bastingage en compagnie d'une sémillante personne d'apparence espagnole qui lui parlait doucement mais avec vivacité. C'était un homme petit, grassouillet, d'une mollesse presque comique, avec des gestes invraisemblablement ronds et maladroits. Tout sa personne était d'une blondeur transparente, non seulement ses cheveux mais aussi son cuir chevelu, son regard : blond apeuré et inquiet; ce regard distrait perçait le flot de paroles qui l'assaillait et se pointait sur Murano où une véritable voie nationale conduit par la mer, avec ses bornes kilométriques, ses poteaux télégraphiques, des gondoles nonchalantes et des radeaux à foin. Nous apprîmes plus tard que la dame était sa femme (curieusement, j'ignorais qu'il était marié), lui-même me fut révélé par une connaissance commune, l'attaché de presse italien nous étions pressés l'un contre l'autre à la sortie, et mon ami B. le salua d'un retentissant *Hello, Oldtime!* Puis il fit les présentations : je me dis très honoré, il prétendit lui aussi connaître mon nom, d'ailleurs il se souvenait de notre correspondance. On s'assit pour prendre une cassate au Florian et je me mis immédiatement à louanger sa grandiose série d'articles sur le tremblement de terre en Chine : ces articles avait été publiés au printemps dans le *Daily Telegraph*, ils avaient fait grand bruit dans le monde entier, un journal budapestois en renom en avait reproduit quelques extraits. Oldtime se réjouit visiblement de sa renommée journalistique, il nota les références du journal hongrois, il pesta contre son agent qui ne lui disait jamais rien et, en mots enjoués prélevés au lexique de l'argot du journalisme international, il le soupçonna de le tromper sur les comptes. Mais cela ne lui ôta nullement sa bonne humeur, il riait de bon cœur, cinq minutes plus tard il m'appelait *old pickpocket*, il me tapait sur l'épaule, il m'étreignait avec ce tempérament infantile que les romanciers aiment obstinément présenter comme le caractère méditerranéen, or je l'ai beaucoup plus souvent rencontré en compagnie de globe-trotters anglo-saxons, suédois ou norvégiens.

Je vis d'emblée qu'il adorait son métier.

Il ne faisait pas du tout le modeste, et si l'on pense que tout au long de ses vingt années de carrière il avait nécessairement abordé des questions professionnelles avec énormément de gens, la complaisance avec laquelle il était prêt à répéter de vive voix, colorer, rendre tangibles ses expériences jusqu'aux moindres détails face à n'importe quel interlocuteur, était surprenante. Pourtant elles auraient valu leur pesant de dollars pour n'importe quel grand quotidien d'Europe et même d'Amérique s'il les avaient publiées sous forme de reportage.

Pour parler aussi de ces « pesants de dollars », j'ai dès le début ressenti (ceci s'est révélé exact par la suite) que Oldtime était un très médiocre représentant de l'art de gérer ses propres affaires. Quand à Budapest on imagine un journaliste mondialement célèbre, on suppose que pendant tout ce temps il a amassé au moins une petite fortune ; or son bavardage juvénile et sincère trahit bientôt qu'il ne connaissait que trop la fatalité qui frappe les bohémiens : dans sa vie, le globe-trotter par vocation a souvent été contraint de rencontrer le vagabond. J'ai même été amené à supposer, quoique ceci parût surprenant de la part d'une telle célébrité, que ce « petit voyage de noce » à Venise comme il disait, il le finançait avec les ruines des honoraires de ses articles sur la Chine, et pour la tournée en Russie qu'il projetait à l'automne il aurait recours, au-delà du régime ordinaire, à l'avance proposée par un magazine anglais au cas où il voudrait bien vendre ses comptes rendus à venir comme reportages exclusifs d'envoyé spécial. Mais cela ne l'inquiétait pas le moins du monde : en pur artiste qu'il était, il était enclin à sacrifier sur l'autel de la joie de la création ce qu'il avait gagné avec cette création même, ou comme il disait : « Le joueur de carte impénitent que je suis ne s'opposerait pas à tricher pour se procurer l'argent que la minute suivante je risquerais dans d'autres jeux de hasard. »

Quant à tricher, c'était bien sûr exagéré : le temps que nous avons passé ensemble, je me suis convaincu que Oldtime était le journaliste le plus consciencieux que j'aie rencontré de ma vie. Même là, dans cette Venise complètement dévalorisée pour un collectionneur de sensationnel, trop connue, usée jusqu'à la corde, dont selon son propre aveu il connaissait chaque pierre, et où de toute façon il était en vacances, même là et sur le moment il ne cessait jamais de prendre des notes, de tracer des esquisses, de photographier, de se faufiler, de flairer, d'interroger, selon des critères inaccessibles au profane : seul un expert pouvait reconnaître le plan du maître de l'*observation*, tout au moins quant à la forme ; de la même façon, il n'y a jamais que deux personnes qui comprennent les questions du juge d'instruction, le procureur qui *connaît* le crime et l'accusé qui l'a *commis*. Il devait mijoter quelque chose, qui sait quel reportage d'Afrique ou du pôle Nord, peut-être pas une matière *directement* communicable, il avait peut-être besoin de données vénitiennes ayant valeur de comparaison, de métaphore ou simplement d'épithète, qu'il extrairait de ce matériau chaotique, un minuscule grain de radium dans le minerai goudronneux de cette masse d'observations, pour qu'il finisse par rayonner à sa vraie place, perçant la grise superficie du sujet d'actualité.

Nous avons passé trois jours à Venise, presque continuellement ensemble, et je peux dire sans forfanterie qu'une amitié chaleureuse, de bon goût, s'est installée pendant ce temps-là dans notre petit cercle. Avec sa femme il était tendre et aimable, toutefois il ne cachait pas qu'elle l'énervait de temps à autres : c'étaient les secondes noces de ce quinquagénaire, une sorte de mariage improvisé sur un coup de tête. Il s'étaient connus à Barcelone et il l'avait épousée trois jours plus tard. Elle se prénommait Concepcion, elle écorchait encore l'anglais, elle prononçait étrangement le nom de son époux, qui, sans aucune raison l'appelait Dizzy. Je me rappelle que pendant que nous riions des bizarreries de sa mauvaise prononciation, nous évoquâmes le prénom inhabituel de Oldtime, Merlin, d'après l'enchanteur légendaire, il nous confia qu'au temps de sa naissance son père s'adonnait à la magie.

Nous n'eûmes qu'une seule fois pendant ces trois jours une conversation sérieuse et quelque peu sentimentale, un soir, en tête-à-tête à la terrasse de l'hôtel ; Dizzy était couchée et nous avions éteint la lumière, seuls irradiaient les lampions des gondoles et le Rialto, et peut-être encore la mémoire admirable et sans pareille de Oldtime ; il parlait de Venise en piquant ses arguments dans une masse incroyable de données historiques et contemporaines, pour étayer ses affirmations. S'analysant lui-même il essayait de trouver une explication à un souvenir singulier : pourquoi la première fois qu'il avait débarqué à Venise, celle-ci lui avait-elle paru *mieux connue* et plus familière que n'importe quand par la suite quand il lui arrivait d'y repasser ? Il en était quasiment stupéfait, il avait eu l'impression d'être capable de zigzaguer dans ses ruelles les yeux fermés par-dessus les canaux nauséabonds, comme quelqu'un qui serait retourné chez lui ou qui aurait pris conscience de l'environnement oublié de sa naissance. Il prétendait que la cause de cette impression singulière que par ailleurs d'autres lui avaient également avouée, est à chercher dans l'histoire extraordinaire de l'origine de cette ville : la naissance non planifiée, capricieuse et plusieurs fois séculaire de Venise sortie de l'onde, sa parturition organique et quasi vivante sur un drap écumant, dans le sang et la souillure, dans le lit barbare pourpre doré de la Renaissance et après quelques siècles de pulsations et de pullulations, sa momification dans une mort brutale, comme celle d'un animal vivant surpris par une coulée de lave dont les gestes ultimes les plus saisissants seront fixés pour l'éternité. Venise est le Souvenir figé, le Passé s'engouffrant dans le présent, le Non-sens et l'Anachronisme devenus réalité, et c'est la raison pour laquelle nous la ressentons comme notre mère patrie, celle d'où nous sommes tous originaires.

Ce même soir Merlin Oldtime me parla aussi de son premier amour.

2

JEUNESSE DE MERLIN OLDTIME

Aux temps de la rencontre que je viens de décrire, en 1932, Merlin Oldtime avait quarante-cinq ans, et l'image que l'on en percevait, même sincère et esthétique, ne rend pourtant pas inutile quelques informations supplémentaires.

Celles-ci proviennent de certaines connaissances, des relations personnelles qui se souvenaient de Merlin chez lui.

Son père, ou peut-être seulement son tuteur, Antony Oldtime, directeur de la bibliothèque de Chelsea, était déjà décédé à l'époque où sa *disparition* aurait pu attirer l'attention sur lui. Nous savons par sa famille que Merlin n'a pas connu sa mère, c'était apparemment un enfant adopté. Avec son père il est resté en bons termes jusqu'au bout mais ils se voyaient peu après ses vingt ans : Merlin parcourait le monde, et ses lettres qui dépassaient rarement les comptes rendus conventionnels ne témoignaient pas d'une relation affective particulière. Il était bon élève, il s'est même inscrit à l'université, il suivait des cours d'archéologie, et ce n'est pas faute de diligence ou de capacités qu'il n'a pas achevé ses études. À l'âge de vingt ans et quelques *il s'est passé quelque chose* dans la vie de Merlin. Il ne s'en est pas beaucoup vanté plus tard et les fidèles du journaliste ne l'ont pas trop évoqué ; ceux qui tentaient de donner un arrière-plan mystérieux et captivant en matière de morale religieuse à sa malheureuse aventure le colportaient d'autant plus. Une chose est sûre : Merlin a passé six mois dans une institution psychiatrique, et quand il en est sorti, il ne s'est plus réinscrit à l'université pour y obtenir son titre de docteur.

De sa maladie nous ne connaissons que quelques symptômes. Les qualifier, c'est une question d'humeur ou de goût.

Voici ce qui s'est passé. Ce jeune homme sobre et très comme il faut par ailleurs faisait durant une certaine période des visites dont il ne voulait pas et même ne pouvait pas avouer le but.

Il faut comprendre cela à la lettre, sans quoi on aurait tendance (comme cela s'est produit après le premier cas) à penser à une farce de potache ou à une quelconque excentricité pas si rare de la part des dandys de la société anglaise.

Un jour, Merlin monta dans son immeuble du numéro 47, il sonna au troisième et il demanda à la bonne qui lui avait ouvert avec qui il pourrait s'entretenir dans la maisonnée. La bonne appela sa maîtresse.

Mrs Sheldon, épouse du sous-directeur d'une entreprise de pompes funèbres, conduisit ce jeune homme convenablement vêtu dans la pièce intérieure et lui demanda poliment ce qu'il souhaitait, et à qui elle avait l'honneur.

Merlin déclara n'avoir rien de particulier à dire, d'autant qu'il n'avait pas la chance de connaître la dame ; mais dans la mesure où Mrs Sheldon, s'il avait bien compris son nom, désirait lui demander un renseignement qu'il serait à même de lui fournir, il serait volontiers à sa disposition. Lui-même, Merlin, avoua qu'il goûtait peu les privautés, donc, selon lui il serait plus correct qu'ils bavardent de quelque sujet neutre comme par exemple de l'enfance de Pline le Jeune ; il venait justement de lire plusieurs livres d'histoire sur le premier siècle après Jésus Christ, il s'intéressait particulièrement aux sources premières, et l'opinion de Mrs Sheldon l'intéresserait également ; est-ce-que d'après elle il avait vu juste ? Car à son avis, contrairement au jugement de l'histoire, Pline était un jeune homme menteur et de caractère flagorneur, et si Mrs Sheldon ne le croyait pas, il était prêt à appuyer ses dires sur des faits concrets.

Mrs Sheldon recula jusqu'au mur mais ne fut pas vraiment tentée de tirer le cordon de la sonnette car Merlin changea immédiatement de ton, il assura très gentiment à la dame qu'il n'avait pas du tout l'intention de la contrarier par une conversation qui lui serait ennuyeuse ou désagréable, Mrs Sheldon pourrait peut-être plutôt raconter quelque chose d'elle-même, de son passé, de ses projets, de ses problèmes, de sa famille, après tout il ne voulait rien de spécial à propos de Pline, c'était un sujet comme un autre pour alimenter la conversation.

À la question péniblement prononcée par Mrs Sheldon, de savoir pourquoi il voulait s'entretenir justement avec elle, d'où il la connaissait, qui l'avait envoyé et plus généralement qui il était, il haussa les épaules. Il se présenta mais immédiatement après il se mit à expliquer que Mrs Sheldon l'avait totalement mal compris ; la substance et le sens de sa visite résidaient justement là, dans sa nature d'inconnu, donc dans la possibilité pour lui d'écouter des réactions impartiales à ses observations, c'était beaucoup plus intéressant et instructif que l'attention à l'avance influencée, convenue, des connaissances. Avant de sonner il n'avait pas l'ombre d'une idée de la personne qui allait ouvrir la porte : un homme, une femme, un enfant ou même la bonne si vous voulez. Mais si Mrs Sheldon n'y tenait pas, il vaudrait mieux abandonner cette idée et jouer, si elle le souhaitait, une partie de poker, ou bien s'il y avait un gramophone dans la maison, il était aussi à sa disposition comme danseur tolérable.

Enfin, Mrs Sheldon ne souriant toujours pas bien qu'il eût fait cette dernière proposition avec beaucoup de gentillesse et d'affabilité, Merlin se leva et déclara fermement mais sans grossièreté qu'au nom de la très renommée hospitalité anglaise il se serait attendu à ce qu'on lui offrît au moins quelque chose, comme même les peuples les plus primitifs s'en font un devoir quand survient un visiteur. Quant à lui, si Mrs Sheldon ou son mari lui avaient rendu visite, il les aurait reçus avec plus d'égards. Ceci dit il s'inclina fraîchement et prit congé.

Cette aventure, au demeurant assez désagréable, ne porta pas à conséquence, mais par la suite Merlin rendit plusieurs visites analogues dans des maisons complètement inconnues prises au hasard, parfois on l'accueillait volontiers, on en riait et on se séparait en amis, mais à la fin un colonel porta plainte pour violation de domicile, il le soupçonna même d'espionnage, il y eut une enquête, toute une affaire, si bien que le jeune homme crut mieux faire de prétexter un état nerveux dépressif, pour preuve il demanda lui-même son internement dans l'institution psychiatrique déjà évoquée.

Des choses semblables ne se reproduisirent plus par la suite ; de cette inclination subsista sa facilité et sa rapidité pour lier amitié. C'est sans doute ce trait de caractère qui fut décisif pour sa carrière ; on peut sans crainte la qualifier de réussite.

En tant que journaliste, il fut d'emblée apprécié par son premier rédacteur qui l'employa d'abord comme critique musical, puis, ayant remarqué sa culture peu commune et son ouverture d'esprit, l'envoya couvrir des conférences scientifiques, dont il rapporta des comptes rendus intéressants et tout à fait excellents, il faisait brillamment la synthèse des points essentiels. Vu son succès, le rédacteur lui confia définitivement la rubrique, et Merlin fit rapidement pousser ses griffes de grand fauve.

Son principe de base était d'*agir soi-même*, il détestait le reportage *au pif*, même présenté dans un langage artistique. Merlin, qui dans sa prose acquit rapidement un style personnel et concis, et c'est précisément ce qui lui a valu ses plus authentiques fidèles, a souligné à plusieurs reprises que les grands maîtres de la prose, les écrivains célèbres, l'ont toujours laissé indifférent. Il ne lisait pas de romans, il n'était pas trop sensible à la poésie non plus, c'est pourquoi il était un peu méprisé dans les milieux littéraires, on évitait tout au moins de discuter sérieusement avec lui. Son imperfection ou son insensibilité en la matière ont été plus tard à l'origine de nombreuses interrogations sur l'être poétique, métaphysique, ou tout au moins spirituel de Merlin pour tous ceux qui auraient aimé s'expliquer le sujet de ce livre, cette merveilleuse entreprise. Cela était hors de question. Merlin n'était intéressé que par la réalité, par le *roman de la réalité* comme il disait, il dévorait goulûment les livres de sciences naturelles, il lisait toute la presse spécialisée qui lui tombait sous la main, mais non au nom de quelque idéal moral ou esthétique élevé; la *vérité*, but final de toute connaissance ou soif de connaissance, en tant que notion philosophique, ne signifiait rien pour lui; un jour que la conversation portait sur ces questions il développa qu'à ses yeux le mensonge n'était nullement immoral seulement sot : la réalité non encore découverte est un terrain tellement plus riche que ce que notre petite *imagination* est capable de combiner à partir du matériau déjà connu, que tout simplement cela *ne vaut pas la peine* de mentir ou de fantasmer, ni même de spéculer. Nous ne sommes pas nés pour comprendre le monde mais pour le découvrir et pour en révéler les tenants et les aboutissants. Et cela demande de se lancer, d'aller près des choses, de les prendre en main, de les tester, de les expérimenter, autant que nous le permet notre vie corporelle limitée dans le temps et dans l'espace.

Son premier succès mondial dans le genre du reportage, il le dut à sa méthode de *vivre l'événement*. Le grand public n'a vu à admirer dans l'entreprise que la fascinante performance du courage personnel : il est par exemple effectivement exact qu'un jour il s'en est fallu de peu que Merlin ne fut *réellement* pendu, il avait déjà la corde au cou et il trépignait encore pour qu'on ne cherche pas à le sauver, il se brouilla sérieusement avec son compagnon de voyage, son secrétaire, qui à la dernière minute réussit non pas à *prouver* mais à *trahir* ce que Merlin appelait son innocence, lui il aurait aimé vivre l'instant où il perdrait connaissance, dès lors qu'il était allé jusqu'à assumer le rôle du condamné à mort pour la cause d'un reportage authentiquement vécu, au prix de quelle sueur et de quelles démarches ! (l'accumulation des laissez-passer et des autorisations était une de ses idées fixes).

Cette méthode, *vivre l'événement*, est restée jusqu'au bout sa principale ambition. Apparemment il est arrivé sur ce point à la limite de l'exagération, à la plus grande joie des humoristes (sans compter les chasseurs de sensationnel) qui ont écrit des quantités de caricatures imitant le style de Oldtime, sous des titres comme « J'ai été toute une nuit la bonne de Marlène Dietrich », ou « Je me suis fait assommer par Carnera revêtu de sa panoplie de champion du monde », ou bien « J'ai été une baleine harponnée dans l'océan Atlantique », ou encore « Un après-midi dans la peau d'un nouveau-né du jour ».

Mais ces moqueries n'accordaient pas leur vraie valeur à l'essence même de l'art du reportage à la Oldtime, ce qu'un critique avisé a défini dans les termes suivants : l'effet et le mirage de cet art ne résident pas dans l'*expression* mais dans la perfection de la *communication*.

En effet, le lecteur vivait *lui-même* la même chose que le reporter ; par la concision de sa méthode, *photographier* sans se soucier ni des couleurs ni des nuances, grouillait la vie : il n'offrait pas une image stationnaire mais un *film* animé.

Un jour, à un jeune journaliste qui au bout d'une demi-heure passée ensemble lui avoua vouloir écrire un article sur le célèbre reporter et lui demandait un entretien à cette fin, il répondit : «Si vous n'avez pas achevé votre article *jusqu'à maintenant* tant que *j'ignorais* l'objet de l'entretien, vous n'avez qu'à jeter votre crayon parce que ce que vous apprendrez *par moi sur moi*, ne vaudrait pas plus qu'une grimace dans un miroir.»

3
ENNEMIS ET LUTTES

Telle était en effet sa méthode.

Avant que son envie et son ambition ne l'aient amené sur le terrain des grands *événements* (révolutions, campagnes, catastrophes naturelles) Merlin s'intéressait le plus au monde clos de la personnalité humaine : là bien sûr où cette personnalité se révélait effectivement singulière et fascinante dans ses manifestations extérieures, dans le petit microcosme pas toujours distingué, des soi-disant célébrités. Comme tant de ses prédécesseurs, il a lui aussi commencé dans le genre de l'interview, sinon sans sélection, tout au moins capricieusement, selon une classification très personnelle. Dans sa fameuse série de portraits, qui cette fois-là a rendu populaire le supplément hebdomadaire d'un quotidien français, la succession des modèles stupéfia même les lecteurs habitués à ce qu'on nomme des *esquisses colorées*. Une semaine un leader politique, un chef de gouvernement ou le meneur d'un mouvement victorieux, la semaine suivante la femme à barbe ou le vainqueur d'un marathon de danse ou carrément l'ennemi public numéro un.

Rien de particulier jusque là, on pouvait tout au plus constater le large champ d'intérêt du journaliste. Ce qui a vraiment produit l'effet de nouveauté, c'est le *point de vue* si changeant et si multiple à partir duquel il observait ses modèles, et la bizarrerie que le modèle ne voyait en aucun cas son dessinateur.

Merlin ne s'est jamais présenté devant une célébrité désignée pour être sa prochaine victime avec le prétexte qu'il allait bavarder avec elle, faire une interview ou une enquête ou qu'il lui demanderait son opinion ou son avis. Il se munissait de tout l'attirail nécessaire à d'éventuels contacts directs, tantôt grâce à ses excellentes relations, tantôt grâce à la bonne volonté de la rédaction qui mettait à sa disposition les documents les plus variés : lettres de recommandation, références (nous avons déjà mentionné plus haut que c'était un collectionneur passionné de *justificatifs*) ; il n'y a pourtant jamais eu recours sauf les très rares fois où il a été obligé de se sortir d'une situation délicate, d'échapper à un problème que lui avait attiré le rôle qu'il s'était donné dans l'intérêt de la cause.

La victime ne se doutait pas le moins du monde qu'elle avait affaire à un journaliste, et encore moins que celui-ci n'était autre que Merlin.

C'est ainsi que fut préparé son premier portrait, celui de l'empereur Guillaume en 1912, il l'attendait pourtant, il avait accepté sa demande d'audience, considérant le prestige du journal qu'il représentait. Une semaine avant l'audience le maître de la barbe et du bain de l'empereur tomba malade, le valet des appartements proposa un remplaçant, mais celui-ci n'arriva pas à temps, et un Anglais de confiance, recommandé par la camériste, fut engagé pour quelques jours. L'empereur prit en affection ce singulier jeune homme peu militaire qui entreprit les soins des ruines mortelles de l'empereur avec le tact qui convenait mais d'une manière foncièrement personnelle : il brillait par sa compétence surtout pour le traitement spécial du bras paralysé, au-delà même de la prescription médicale, si bien que l'empereur entama avec lui une conversation, mais tout à fait unilatérale ; il alla jusqu'à faire des confidences très intimes sur des membres de sa famille, il donna également son opinion sur le président français. À la fin il voulut le retenir à la place du barbier malade, mais Oldtime déclina cette offre en prétextant sa famille londonienne. L'empereur était très amusé par son apparence corporelle, c'est précisément pour cette raison qu'il l'invita à s'engager dans l'armée allemande en s'étranglant presque de rire. Le maître de bains demanda un temps de réflexion, et quand celui-ci fut écoulé, il ne revint plus, sauf à l'audience prévue sous son véritable aspect de Merlin Oldtime. L'empereur le reconnut, d'abord il fut immensément courroucé puis, fervent lecteur des romans policiers à la mode de ce temps, il éclata de rire, il tapa l'épaule du hardi journaliste, et comme contrairement à son amour-propre sa mémoire n'était plus sans défaillance, il l'autorisa à écrire toute cette aventure.

Pour justifier cette méthode Merlin a invoqué son expérience ou plutôt sa théorie selon laquelle plus on se place dans une situation *inférieure* pour observer un personnage dans la perspective des couches sociales, plus authentique est l'image que nous en percevons ; « personne n'est nerveux avec ses supérieurs », aimait-il dire, et lui il était précisément intéressé par l'affrontement des nerfs. Pendant des semaines il a par exemple importuné un milliardaire célèbre pour son avarice sous le déguisement d'un artisan à la recherche de travail, il utilisa les même lettres de recommandation grâce auxquelles il aurait été reçu dans son salon par le personnage vaniteux s'il avait décliné son identité. Il est vrai en revanche qu'auprès d'une jeune paysanne italienne il se fit passer pour Garibaldi, mort seulement en apparence (ce qui demandait tout de même pas mal de culot vu les portraits notoirement connu du héros national), afin soi-disant d'étudier l'effet psychologique des légendes.

Il est probablement superflu de rappeler qu'il a élaboré la plupart de ses reportages datés des fronts les plus importants de la guerre mondiale sur la base d'expériences vécues. Ceci est d'autant plus surprenant que lors d'une vaccination contre le tétanos il faillit s'évanouir de peur. Évidemment on a chaque fois reconnu après coup que s'il a *réellement participé* à des batailles c'est seulement parce qu'il voulait les observer de près ; il a pourtant placé fréquemment le commandement de l'armée devant un sérieux dilemme : fallait-il célébrer en lui un héros fort estimable sur le plan militaire, ou bien tout faire pour l'éloigner d'urgence comme un quelconque importun insolent et indiscret ; il est même arrivé qu'on l'ait proposé à la fois pour une distinction militaire à l'occasion d'une action particulière et que, dans la même affaire, le service de presse déclenche une procédure contre lui. (L'affaire d'espionnage date également de cette période-là.) Par contre c'est en simulateur impudent qu'il échappa à un de ses ordres de mobilisation, pour pouvoir se mêler au front des *insoumis* et des clandestins dont par la suite il a rendu compte dans de brillants articles.

Une fois Bernard Shaw fut tourmenté tout un été par un auteur dramatique inconnu ; ce *would-be-writer* obstiné n'était pas du tout intéressé par la personne de l'écrivain, il ne parlait que de lui-même, il essayait de convaincre le vieux maître que sa plus grande action, le sens de sa vie, sa vocation, son titre à l'immortalité ne pourraient être que de le découvrir lui, à la manière d'un saint Jean-Baptiste, et de l'introduire dans l'histoire universelle. Il n'y avait rien à faire, il se débrouillait toujours pour s'insinuer auprès du maître, et c'est bien à son propos que l'on raconte cette célèbre anecdote : l'écrivain piégé finit par s'abandonner à son destin, il consentit à subir la lecture de la pièce de son tortionnaire, mais il revêtit auparavant une chemise et un bonnet de nuit sous prétexte qu'un gentleman ne dort pas dans ses habits de ville, surtout en présence d'un invité. Alors Merlin, puisque c'était lui, fit lecture d'une comédie de Calderon que par hasard Shaw ne connaissait pas ; qu'il soit dit en son honneur qu'il se réveilla à la fin du premier acte, il secoua le lecteur et déclara qu'il le tenait en effet pour un talent hors du commun et qu'il le présenterait au directeur du théâtre, à condition qu'il lui permît d'écouter la suite plus tard, jouée sur scène.

D'ailleurs, Merlin ne manqua pas de louanger Bernard Shaw dans le compte rendu d'une cinquantaine de lignes qu'il a publié sur cette aventure estivale.

Déguisé en débutant il parcourut les rédactions berlinoises avec une nouvelle de Thomas Mann, véritable chef-d'œuvre ; or la plupart du temps on le refoulait comme sans talent. Une seule rédaction accepta tout de même son écrit mais lui demanda son accord pour que le rédacteur de la rubrique économique puisse le *retoucher* un peu, pour en améliorer le style.

Chez un cancérologue prix Nobel il se présenta pour une transfusion sanguine ; il y fit la connaissance de gens intrépides qui pour de la menue monnaie proposaient leur corps à des expériences scientifiques ; il dévoila les mystères des laboratoires, et plutôt que celui du grand savant, il dressa un portrait brossé de main de maître du comédien dévoyé qui avait vendu à plusieurs reprises son propre squelette : l'imagination débridée du corps médical y avait repéré une malformation intéressante. Comme malgré tout Merlin ne put tout de même pas se transformer en chien, il observa les expériences pavloviennes comme soigneur; dans la cage aux fauves par contre, c'est dans une véritable peau de lion qu'il effraya à en mourir un dompteur intrépide, célébrité mondiale, par son comportement hystérique et par ses numéros d'imitations fantaisistes, passant brusquement du rugissement du lion au chant coloratur des oiseaux.

Au cours d'une compétition de ski à Saint-Moritz il faillit se rompre le cou : il eut le front, sans entraînement préalable, de se présenter au championnat du monde de saut à ski.

Par sa faute, tout le peuple d'un petit village provençal sombra dans une hystérie religieuse : un jour en effet, au son des cloches de midi, du plein milieu d'un cumulus dense et lumineux flottant au-dessus de l'église apparut un gros ange, d'ailleurs en culotte de cheval et bombe sur la tête; il surgit du nuage, descendit presque jusqu'au clocher, il resta là suspendu pendant quelques minutes, puis actionnant les mâchoires et gesticulant des bras et des jambes comme les nageurs débutants il reprit de la hauteur et s'enfonça en marche arrière dans le même nuage. Le long câble avec lequel le pilote de louage en position au dessus du nuage faisait descendre et remonter Merlin était suffisamment fin pour rester invisible, assurant une illusion complète. Une petite heure plus tard celui-ci, dans ses habits de marcheur, gémissait et se pâmait parmi la foule bouleversée, et il y *étudiait* l'âme du peuple.

Encouragé par le reportage de Maryse Choisy intitulé «Un mois chez les filles», s'il n'a pas recherché la compagnie de mauvais garçons, il a en tout cas passé un mois dans la section des agités d'un célèbre asile d'aliénés où il a rendu fous deux soignants, et où à la fin il a révélé que le directeur qui se prenait pour un psychiatre en renom y avait moins de droit que le laveur de voitures soigné dans l'institution n'en avait à sa prétention délirante d'être Napoléon. La visite qu'il rendit dans un observatoire américain se solda également par un scandale retentissant : il s'était présenté comme employé de l'entreprise de nettoyage, et il vit de ses propres yeux ce qu'il soupçonnait déjà grâce à certaines informations : que dans le télescope construit pour des millions de dollars, «le plus grand appareil astronomique du monde», l'épouse du président entreposait le linge sale de sa famille présidentielle ; depuis trois ans en effet, les vieux directeurs refusaient d'avouer leur incompétence à manier cet instrument et ils utilisaient toujours l'ancien à la place.

Oldtime se fit beaucoup d'ennemis avec tout cela, il y eut des moments où il fut contraint de se cacher et de fuir. Il se mit ainsi, à l'âge de quarante-cinq ans, malgré sa popularité, dans une situation matérielle désastreuse, l'énervement et les tentatives désespérées qui en découlaient mirent pour quelques années cette popularité à l'épreuve, ils la compromirent même dans une certaine mesure.

C'est probablement pendant cette période qu'il a vécu toutes ces transformations intérieures dont la source était peut-être, au-delà des soucis et des échecs concernant l'amour-propre, quelque expérience touchant la vie sentimentale.

C'est dans ces conditions qu'il se retrouva dans la société des savants occultistes.

4

DÉCLIN

Mais nous y reviendrons.

L'avalanche fut déclenchée précisément par la farce d'aviateur évoquée dans le chapitre précédent. Le public se divertit fort, mais un homme d'église de haut rang trouva scandaleux d'abuser la confiance de paysans crédules, et bien que Oldtime se défendît d'avoir songé à offenser les sentiments religieux de quiconque, certains journaux, ardents pionniers de la lutte contre les superstitions, exigeaient des sanctions contre cette frivolité.

L'affaire alla devant les tribunaux. Bien qu'il y fut relaxé à défaut de preuves (il n'était pas possible de prouver qu'il avait eu des intentions allant au-delà de la bravoure acrobatique), une atmosphère hostile, un boycott silencieux, s'éleva contre Oldtime dans les milieux bourgeois ; il dut bientôt en ressentir l'effet.

Le plus grave était que Merlin avec la morgue d'un moderne Cyrano ne se résignait pas à l'ordre normal et évident des choses selon lequel toute personnalité originale, remuante et surtout active provoque nécessairement de l'hostilité, se fait des ennemis dont l'ire ou la haine contrebalancent la vanité hypertrophiée suscitée par les admirateurs et les thuriféraires, à la manière d'un lest pour une montgolfière, et par là même elles stimulent de façon fort utile et salutaire la probité dans le travail.

Merlin était incapable de s'y faire, il surestimait l'hostilité de ses adversaires, il voulait convaincre de sa vérité un public qui dans des luttes de cette sorte s'intéresse tout au plus au combat, en spectateur du tournoi, et jamais ne se demande qui a véritablement raison dans l'affaire.

Ses articles firent une chute indéniable au hit-parade.

Les sujets étaient toujours bons, comment aurait-il pu en être autrement puisque ses relations, son expérience, son flair de reporter ainsi que sa capacité à prendre en flagrant délit sur les lieux, en temps quasiment réel tout événement digne d'intérêt brillaient de tout leur éclat.

En revanche il avait perdu la netteté exemplaire et la densité de cette machine à photographier qui voyait les événements et *seulement* les événements, à laquelle même un profane pouvait autrefois reconnaître la trace de sa plume. Ses phrases courtes, ses métaphores, les substantifs sans épithète dont chacun de ses reportages vibraient comme s'ils avaient été arrachés de frais à la racine de l'histoire en train de se produire, en pleine respiration (chacun de ses comptes rendus projetait le lecteur en plein milieu de l'histoire qui se déroulait, même s'il n'utilisait pas le temps présent habituel), cette prose pétulante s'étirait, s'aplatissait, devenait flasque. Le malentendu auquel il s'était une fois heurté avait gâché la confiance qu'il avait dans la clairvoyance du lecteur, il devint tatillon, soucieux, il expliquait tout surabondamment, il voulait être *présent* à toutes ses évocations, il se faufilait entre l'objet représenté et l'observateur tel l'instituteur qui empêche de jouir de l'œuvre, qui remâche chaque mot trois fois à ses élèves.

Et qui plus est, chose qu'il ne faisait jamais autrefois, il tirait des conclusions.

On le voyait venir avec ses gros sabots, on comprenait pourquoi il avait choisi *précisément* ce sujet plutôt qu'un autre. Il voulait prouver quelque chose, justifier son hypothèse, ou une théorie dont l'intéressé sans méfiance ne se doutait pas, et qui ainsi désappointé et contrarié apprenait que le sujet lui-même était secondaire, on l'avait seulement cité à titre d'illustration, exemple ou argument dans un débat où le lecteur n'avait aucune part.

Dans un reportage sur les lieux d'une sensationnelle découverte scientifique il mena une attaque frontale, mais pas même contre un représentant d'une *autre* conception scientifique (ce qui après tout aurait pu être intéressant), mais contre un innocent et médiocre auteur dramatique qui dans sa dernière œuvre passablement mièvre, en accentuant la qualité béatifiante de *l'introspection*, avait selon Merlin trompé et perverti son spectateur ; l'auteur en fut par ailleurs très reconnaissant à Merlin car sa pièce, un four au début, renaquit de ses cendres par la publicité involontaire.

À l'occasion d'un vol réussi à bord d'une fusée (natu-rellement Merlin se trouvait dans la fusée) il fit une sortie contre les psychanalystes freudiens qui situent l'origine du plaisir de voler dans les souvenirs de la vie du nourrisson, voire de la vie intra-utérine, le tout lié à la sexualité, or d'après Merlin cette sensation de plaisir n'était nullement une réminiscence de choses *passées* mais au contraire le résultat de la conscience d'événe-ments *à venir*. (D'ailleurs cette idée fixe revenait sou-vent chez Merlin : il trouvait des gens sympathiques ou antipathiques, non pas parce qu'il *avait eu* mais parce que selon lui il *aurait* un jour des satisfactions ou des désagréments à les fréquenter.)

Il eut également maille à partir avec le monde de la publicité.

D'un voyage en zeppelin au pôle Nord il revint en prétendant que toute cette affaire avait été ennuyeuse et totalement dénuée d'intérêt; en revanche il consacra une colonne et demie à encenser une terrine qu'on lui avait faite goûter chemin faisant : il jura par le ciel et la terre n'avoir jamais dégusté une spécialité aussi savou-reuse, et il tenta une description de la sensation nonpa-reille provoquée à son palais par cette exquise bouchée, cette composition de saveurs, ce concours de goûts.

Il fut alors soupçonné par le rédacteur d'être stipen-dié par la firme de charcuterie qui commercialisait la spécialité en question, or en fait Merlin était totalement irréprochable, il avait été sincèrement enchanté. Très en colère, il repoussa une approche ultérieure, flat-teuse et encourageante, de la firme, et il rompit du même coup avec le journal sous prétexte que la fois suivante, s'il lui arrivait de citer *Hamlet* de Shakespeare, on le soupçonnerait de n'être qu'un agent de publicité ou de propagande : puisque de toute évidence il est de l'intérêt des fabricants de savon de faire mousser l'intellect, tout comme Hamlet.

Néanmoins Merlin sentait lui-même que son horizon basculait.

À la tête du journal italien, où il travaillait depuis quelques mois peinant sang et eau avec son traducteur (il parlait couramment l'italien mais n'écrivait pas dans cette langue), survint un nouveau patron qui lui dit sans ambages que même du point de vue publicitaire sa contribution ne méritait plus les honoraires élevés auxquels pourtant Merlin tenait fermement, il ne lui signerait un contrat même d'un montant moins important qu'à la condition qu'à l'avenir il aurait son mot à dire dans le choix des sujets et qu'il pourrait raturer dans ses articles ce qu'il jugerait bon.

Merlin qui, en raison de sa position sur les événements irlandais, se tenait loin de l'Angleterre dans un exil volontaire, souffrait alors de soucis matériels. Durant son séjour en Italie il s'était plongé avec une passion dévorante dans des études d'histoire de l'art, il se consacrait surtout au douzième et au treizième siècle, en singulière contradiction avec les aspirations révolutionnaires, technocratiques et utopiques dont il s'était imbibé à l'occasion de son voyage en Russie ; c'était peut-être une renaissance de l'ambition de ses années d'étudiant. Il travaillait toujours énormément mais négligeait sa vocation; les reportages tiédasses qu'il envoya en Norvège et en Amérique lui firent perdre d'anciens commanditaires. À ses amis il commença à laisser entendre que s'il arrivait à mettre de l'ordre dans sa vie de bâtons de chaise, il abandonnerait peut-être le journalisme et se consacrerait à la recherche dans le domaine de l'histoire des civilisations. Mais il ajoutait aussi qu'il ressentait ce désir comme un signe de vieillissement et il trouvait encore plus suspect sa nostalgie brusquement ressuscitée pour la musique; lui qui jadis était incapable de supporter un numéro de piano intercalé dans un spectacle d'amateurs, passait maintenant de longues soirées au parterre de la Scala ou du Fenice pour écouter en deuxième distribution *Carmen*, *Aïda*, ou son opéra préféré, *Faust* de Gounod, pas vraiment apprécié par les experts musicaux.

Par conséquent, il accepta cette offre humiliante à son corps défendant, sous réserve de n'être pas obligé de signer tous ses articles, seulement si l'intérêt de la chose l'exigeait.

Il semble qu'il jugea préférable de se faire partiellement ou complètement oublier par le monde dans l'espoir d'une résurrection ultérieure, plutôt que de se montrer dans sa mauvaise forme du moment, de détruire son renom de jadis et compromettre par là même la possibilité de cette résurrection.

De ce temps-là il ne nous reste qu'une seule image nette de la personne de Merlin Oldtime : un tableau de genre de style impressionniste dans lequel Orsiani, un jeune nouvelliste talentueux, rend compte de sa rencontre *fortuite* avec le journaliste aventurier naguère célèbre. Si nous avons mis le mot « fortuite » en relief c'est parce qu'Orsiani, nouveau disciple de l'ancien Merlin, selon son propre aveu, utilisa volontiers par la suite cette sorte de composition théâtrale de son maître.

Sur l'image Merlin, gras, la peau du visage un peu chiffonnée, la chevelure rare mais les yeux juvéniles et incandescents, ressort sur le fond : la fenêtre d'une auberge sur la rive du Tibre où, auréolé du soleil couchant, Orsiani l'aperçut et fit sa connaissance.

Ils boivent du *chianti* et ils bavardent. La voix de Merlin est inchangée, caverneuse, son rire irlandais s'impose aux matelots.

— Ne parlons pas de moi, Mister Oldtime…

— Pourquoi, mon garçon ? Tes écrits me tombent souvent entre les mains… De la bonne prose. J'aime l'élan juvénile avec lequel tu écorches, pétris, transformes et attrapes la matière accessible… C'est ainsi que c'est bien… Il faut regarder avec ces yeux-là, toucher avec ces mains-là… le monde doit ressembler à la découverte d'une nouvelle planète… Tu vois, je ne suis encore jamais allé sur Mars, si je me rappelle bien, mais je peux le dire, si cela devait se faire je rechignerais à y aller, désormais trop d'yeux se sont déjà collés sur les télescopes… à mon âge nous n'aimons plus enquêter dans le lit de canaux découverts par d'autres depuis longtemps…

— Je comprends, Mister Oldtime. Vous voulez dire que si nous, les jeunes, nous pouvons dire tant de

choses nouvelles sur la vie ancienne et éternellement
répétée, c'est parce que nous prenons l'invention de la
poudre pour la pierre philosophale. Je sens cela moi-
même en lisant les auteurs anciens. C'est bien pour cela
que les écrivains d'aujourd'hui sont délibérément
incultes, la culture nuit au talent.

— Pas si vite. Quoiqu'il n'y ait rien de nouveau sous
le soleil, le soleil lui même est toujours nouveau... Il ne
s'agit pas que de cela.

— Je sais, Mister Oldtime. Cela ne tient pas uniquement à ce que nous avons découvert, ce qui compte
c'est la personne qui a fait la découverte... C'est vous
qui me l'avez appris.

— En d'autres termes : si Christophe Colomb n'avait
pas été l'élu chargé de la trouver, à la place de l'Amérique les flots de l'océan Atlantique se mêleraient
aujourd'hui à ceux du Pacifique. Pourtant il ne cher-
chait même pas l'Amérique.

— À vous écouter, Mister Oldtime, on dirait que les
choses de ce monde que nous avons apprises grâce à
vous, vous passionnaient moins que nous.

Merlin regarde bizarrement l'Italien.

— Bravo, jeune homme. Cette conjecture, on ne l'a
pas encore invoquée. Donc vous croyez que pour moi
l'expérience n'a été que prétexte.

— Ou rencontre inattendue.

— Alors que je cherchais autre chose. Tel le cher-
cheur d'or j'ai fait sauter la poudre sur mes pas.

— En tout cas une cause inconnue, personnelle, a
dû jouer.

Merlin se penche tout près, mystérieux.

— Peut-être que toutes mes pérégrinations n'ont été qu'un alibi pour dissimuler un crime affreux.

— Je ne serais pas étonné en effet si à la fin il y avait une révélation sensationnelle de ce type.

Merlin fait un geste impatient.

— Je sais. Quand il s'agit de moi, plus personne ne s'étonne de rien.

— Comprenez-moi, Mister Oldtime, si je me remémore votre vie et vos écrits, je ne trouve aucune corrélation entre vos différents centres d'intérêt, sinon votre goût de l'aventure, ce qui pour un profane peut fournir une explication satisfaisante, mais qui est un peu insuffisant pour moi. Il *faut* que quelque part *à l'intérieur* il y ait à tous vos mobiles une source commune que vous êtes seul à connaître. Votre itinéraire est constitué de points distincts, mais ces points ne sont pas encore reliés entre eux.

Merlin rêvasse en regardant la fenêtre.

— Dans tout homme il y a quelque chose qu'il n'avoue pas; est-ce que c'est cette chose qui sera décisive dans sa vie ou non, c'est une autre question... Je n'ai jamais été intéressé par les affaires privées.

— Cela dépend de ce que vous appelez affaires privées.

Oldtime ferme un œil, et il cligne de l'autre en biais.

— Sous un certain angle et dans certains cas, même un meurtre peut être une affaire privée, aussi bien pour le meurtrier que pour la victime. En revanche le nez de Cléopâtre... mais tu sais cela fort bien. J'ai bien connu

Landru et Haarman, assassins multiples, nous avons discuté durant des heures en prison. Je n'ai jamais écrit un seul mot ni sur l'un ni sur l'autre, j'ai trouvé ce matériau sans intérêt, dans les deux cas j'ai eu l'impression que les victimes souffriraient davantage de la publicité que les criminels : c'étaient ces meurtriers qui étaient indiscrets, claironnant le sang ; ce sang ne criait pas vengeance au ciel, mais il préférait s'infiltrer, se dissimuler doucement dans le sol où il se sentait à sa place. Je me souviens, en Haarman il restait une certaine modestie, il m'a même dit en posant sur moi ses tristes yeux qu'il était malade : dites-moi, monsieur le rédacteur, pour cette misérable serveuse syphilitique aux jambes torses, n'était-il pas mieux de mourir ? Je la plaignais plus vivante que… Je n'ai jamais fait de mal à des gens heureux, monsieur le rédacteur, mes mains n'ont jamais fait perdre un cheveu à quelqu'un dont la vie n'allait pas se perdre d'elle même dans la mort… Quant à Landru il croyait obstinément dans l'amour de ses victimes au-delà de la tombe… que puis-je faire avec des sentimentaux comme ça ? Pas intéressant. Vois-tu, Matuska, le terroriste qui a fait sauter le train, lui oui, il avait en lui quelque chose… te rappelles-tu qu'il s'était référé à l'esprit de Léo ? Ce Matuska n'avait rien à faire des victimes, il était habité par une sorte de possession… Quel dommage, je n'ai pas réussi à retrouver ce Léo, il paraît qu'il est mort, ce qui n'aurait pas dû être un obstacle…

— Pas un obstacle ?

Merlin hausse les épaules.

— Et les spiritistes, qu'est-ce que tu en fais ?

Orsiani s'étonne.

— Vous ne vous y êtes jamais intéressé à ma connaissance, Mister Oldtime.

— Parce qu'ils n'ont jamais été suffisamment d'actualité, disons : à la mode, au point de pouvoir attirer l'attention d'un journaliste digne de ce nom… chasse gardée de vieux ânes pédants, d'ergoteurs à l'esprit confus qui s'y adonnent corps et âme… Ils n'ont jamais pu produire quelque chose d'aussi concret que les convulsions des cuisses de grenouille de Volta… or pour moi, le miracle commence là où il cesse d'être un miracle en devenant une chose toute simple, ordinaire et évidente comme l'électricité et la radio… Je n'aurais pas été attiré par les alchimistes, même si j'avais vécu à leur époque… j'aurais préféré…

— Vous auriez sans doute préféré les luttes de l'Église qui étaient d'actualité à cette époque-là, Mister Oldtime.

Merlin s'assombrit. Et à partir de ce moment-là la conversation tourne court. Merlin évoque ses préoccupations en ronchonnant, il refuse de se mêler des affaires publiques. Brusquement il sursaute, il hèle le garçon pour réclamer l'addition. Puis, victorieusement, il se tourne vers Orsiani :

— Alors, merci mon petit. Tu es un habile *pickpocket*, mais tu n'es pas encore à la hauteur pour en remontrer au vieux Merlin. Je voulais seulement te prévenir que *Popolo d'Italia* paraît une demi-journée plus tôt que vous. Mes salutations à ton rédacteur qui t'a dépêché

sur mes talons et dis-lui de lire d'abord ce que, signé M.,
je vais écrire sur toi et sur Pappini, puis s'il en a toujours
envie, il pourra aussi faire paraître les élucubrations par
lesquelles tu t'efforces de m'offrir en pâture aux curés.
Buona notte, cavaliere.

Durant des années après cette conversation, aucune
trace de la personne de Merlin dans les journaux. Puis
un bref entrefilet : Merlin aura un malaise, il s'affalera
dans un café, on le transportera chez lui, c'était probablement une attaque cérébrale. Dans sa main paralysée
il serre convulsivement une page arrachée d'un journal
étranger sur laquelle un rapport officiel énumère la
liste des morts et des blessés d'une catastrophe de chemin de fer.

Et cinq années durant, plus aucune autre information.

5

MERLIN DÉVOILE SON PLAN

Dans le courant du deuxième mois de l'Exposition
universelle de Londres, un an après la paix de Rome,
une enquête organisée par un magazine bihebdoma-
daire n'ayant que deux années d'existence, mais attei-
gnant déjà un énorme tirage, provoqua une assez
grande sensation. La rédaction interpellait les plus éminents savants, écrivains, penseurs du monde, avec la
pathétique question suivante : «Y a-t-il un au-delà?»
Les organisateurs veillèrent à donner la parole à des
points de vue aussi extrêmes que possible : toutes les

tendances furent représentées, allant du matérialisme le plus strict jusqu'au mysticisme le plus embrouillé.

L'enquête approchait de sa fin, deux des intervenants s'accrochaient ardemment, tandis qu'un troisième, le charmant Bryan, se faisait fort dans son deuxième article de démontrer par ses paradoxes raffinés que la question avait été mal posée.

Un après-midi de septembre vers cinq heures, Mr Smith, le rédacteur en chef, était occupé à répartir les illustrations quand le téléphone sonna. La standardiste s'enquit si monsieur le rédacteur en chef aurait une demi-heure pour recevoir Mr Merlin Oldtime.

Mr Smith, le téléphone à la main, s'adresse au rédacteur adjoint :

— Oldtime… Merlin Oldtime… s'agirait-il du grand reporter des années trente… en personne ?

— Il vit encore, Oldtime, s'étonne le rédacteur adjoint ? Je te jure que je ne le savais pas. Je me souviens, il y a cinq ans il a été question d'un voyage, en Inde je crois, il s'était proposé au *Times* mais les pourparlers n'ont pas abouti… Justement, l'autre jour quelqu'un a prononcé son nom, Billy prétendait qu'il avait péri dans la bataille de Bagdad…

Le chef du département photos intervient :

— Mais non, Oldtime doit avoir tout au plus soixante ans, je garde tout un tas de prises de vues sur lui dans les archives.

Le rédacteur en chef reprend le téléphone :

— Priez Mister Oldtime de venir à six heures et demie.

À six heures et demie précises l'interphone retentit demandant si Mr Oldtime peut se présenter.

Mr Smith sonne son secrétaire pour qu'il fasse immédiatement entrer Merlin. Plus tard, au cours des débats qui suivront, lorsqu'on interrogera Mr Smith, il se rappellera que tout de suite après avoir sonné il s'est probablement penché au-dessus du manuscrit qu'il était en train de corriger. Ce n'est pas de sa part une manière de se donner des airs pour montrer au visiteur combien il est occupé, pour que celui-ci ne surestime pas l'importance de sa visite. Mr Smith a pensé reposer le manuscrit dès l'ouverture de la porte et aller amicalement à la rencontre de Merlin. Peut-être justement parce qu'il attend fortement l'ouverture de la porte et l'annonce du secrétaire, il se laisse immerger dans une phrase du manuscrit dans laquelle il n'arrive pas à bien trouver la juste place du prédicat; il biffe le tout pour la troisième fois, il essaye de l'insérer entre d'autres mots, le malheureux prédicat oscille au-dessus et au-dessous de la ligne comme la tête échappée d'une note de musique. Dans ces conditions il ne trouve rien d'étonnant à ce que l'annonce du secrétaire et l'ouverture de la porte échappent à son attention, il y a une forte chance qu'il ait d'ailleurs prononcé le *come in* habituel, mécaniquement, et s'il l'oublie plus tard, cela ne signifie rien. Toujours est-il que lorsqu'il lève son visage, étonné que le secrétaire n'arrive toujours pas, Merlin se tient déjà là, devant le bureau. Mr Smith n'a absolument pas l'idée de s'inquiéter, tout au plus se sent-il un peu gêné de sa distraction.

Au demeurant il n'a pas le temps de se poser des questions, tellement il est surpris de l'excellente condition physique de ce revenant des temps anciens. Merlin a maigri, ses gestes sont juvéniles, son doux visage est bronzé, seuls ses yeux se sont un peu enfoncés dans leurs orbites, faisant apparaître par instants l'éclair de son regard attentif comme un lampadaire de jardin derrière un grillage vu par la fenêtre d'un train.

Smith sursaute immédiatement, en se justifiant :

— *Oh… dear Mister Oldtime… excuse me…* voyez-vous j'étais plongé dans ce maudit… merci de votre bienveillance… mais je vous prie de prendre place, par le Ciel…

Il s'approche de Merlin mais celui-ci n'attend pas, il s'enfonce rapidement dans le siège placé du côté droit, même dans ce geste il y a une sorte de refus, ce qui arrête Smith. Apparemment Mr Oldtime souhaite prendre un ton un peu moins intime, par conséquent Smith retourne à son bureau et s'assoit.

— Je n'ai pas eu encore l'honneur, il me semble… commence-t-il tout de même, aimablement.

— Non, en effet, répond aussitôt Merlin, puisque depuis dix ans je ne suis pas passé à Londres.

Puis, reposant ses bras sur les accoudoirs, il se penche en avant et de sa voix de fausset et son *staccato* caractéristique il se met à parler rapidement.

— Je ne voudrais pas trop longtemps abuser de votre patience, mon cher rédacteur. Si vous êtes intéressé par mon offre, je serai de toute façon amené à faire des comptes rendus plus détaillés, et dans le cas contraire je n'ignore pas ce qu'on entend dans une rédaction par une aimable invitation à prendre place.

— Je vous écoute, Mister Oldtime.

Smith fait un geste prévenant, cependant il calcule déjà ce que pourrait valoir pour le journal l'exhumation de l'ancienne célébrité déchue. Il a l'air d'avoir apporté quelque chose du front chinois-mandchoue. L'Asie n'intéresse plus beaucoup le public ces temps-ci, depuis que nous avons définitivement perdu les Indes Occidentales. Le patron ne refuserait quand même pas totalement, il en gardera bien une bricole, ne serait-ce que par compassion, qu'il la publie ou non.

— Je suis attentivement cette enquête de l'au-delà qui est en cours chez vous, c'est ce qui me conduit ici.

Smith s'étonne.

— Ce n'est tout de même pas dans ce dossier que vous voulez intervenir, Mister Oldtime ? À ma connaissance la métaphysique ne fut jamais pour vous…

Les lèvres de Merlin se tordent en une soudaine grimace de mépris.

— Intervenir ! Intervenir sur quelque chose n'a jamais été ma tasse de thé, sinon pendant une certaine période de mes années de crise, et encore par pure autodéfense… Bien au contraire, Mister Smith. J'espère que si mon offre est acceptée vous trouverez le moyen de balancer en toute hâte cette salade de concombres sucrée de votre journal, ne m'en veuillez pas. Écoutez, vous devez connaître à fond le goût de vos lecteurs, et par ailleurs cette enquête obtient un grand succès ; mais à moi elle me donne la nausée…

Smith rougit imperceptiblement. D'un sourire courtois mais un peu forcé il encourage Merlin à surtout ne pas se gêner et à bien vouloir développer à sa guise son opinion personnelle très chère et très honorée.

— Donc, poursuit Merlin, il ne s'agit aucunement d'intervention. Le seul rapport que mon offre présente avec cette macédoine c'est que celle-ci en est le prétexte : l'autorité de votre entreprise et la réputation des participants ont suscité l'intérêt du public ; jusqu'à un certain point et pour quelques semaines il est devenu à la mode dans les salons des gens bien de se chatouiller et de se gratouiller avec des questions métaphysiques. Je pense ne pas me tromper en supposant qu'un reportage original, disons, une série de reportages sur le site même dont parlent ces élucubrations romanesques ferait sensation dans cette atmosphère et contribuerait même à augmenter le tirage. C'est un reportage, ou plutôt une série de reportages sur les lieux que je vous propose de faire, si vous m'en donnez les moyens, et si vous me donnez de la place dans votre journal.

Smith hausse les sourcils, il porte les paumes de ses mains aux oreilles.

— Reportage sur les lieux… je ne comprends pas de quoi vous parlez, mon cher collègue.

Merlin sourit amèrement.

— Autrefois Merlin Oldtime se faisait plus vite comprendre, je me souviens du jour où je n'ai même pas pu terminer l'annonce de mon projet de descente dans le cratère du Hekla : le rédacteur topa là et passa aussitôt aux conditions financières. Je regrette que la confiance que j'inspire ait fondue, mais j'espère que je saurai vous prouver que c'est à tort. Voici de quoi il s'agit, Mister Smith. Je passe un certain temps dans cet au-delà dont vous n'arrêtez pas de causer, j'y passe; j'enverrai à mes commanditaires, des lieux mêmes, de là-bas, les papiers originaux «de notre envoyé spécial».

Mr Smith s'enfonce lentement dans sa chaise. Il sourit avec aigreur. Il n'est pas d'humeur à batifoler, tout particulièrement avec l'homme auquel il a prévu de rendre un service. Mais une fois qu'il est sur sa lancée, il faut faire bonne figure à la mauvaise plaisanterie.

— Je comprends, Mister Oldtime, quoique votre critique à l'égard de notre enquête me semble un peu trop sévère. Votre façon de me communiquer votre idée est… est très… habile, mais j'aurais aussi bien compris votre proposition… sans cette façon habile de me la communiquer… je veux parler de l'offre… En somme vous songez, n'est-ce pas, à notre supplément humoristique dans lequel vous souhaitez écrire une caricature de notre série d'articles sérieux… sa parodie en quelque sorte…

Merlin lève la main, sans comprendre, Smith poursuit.

— Une seconde, s'il vous plaît. Cela ne me surprend nullement, je ne prétends aucunement impossible que vous sachiez produire des choses remarquables dans ce genre pour vous nouveau, le croquis fantaisiste, surtout s'il touche à votre métier… d'autant plus que ce genre de velléités ne manquait pas dans vos travaux de jadis… Et ce n'est pas si inhabituel que cela de voir un jour un grand tragédien se produire dans un rôle comique…

jouer Falstaff après Roméo. Vous avez dû envier les lauriers de vos plaisants caricaturistes qui ont excellé autrefois dans l'imitation du fameux style Oldtime, et vous
vous dites : pourquoi eux plutôt que moi, n'est-ce pas…

Il ne peut pas achever son badinage qui prend même
une tournure franchement railleuse. Merlin tape impatiemment du pied.

— Voyons, Mister Smith, laissez cela. Pardonnez-
moi, mais j'avais compté sur une discussion un peu plus
intelligente. Être confondu avec un humoriste débutant
ne m'offense pas, seulement je trouve cela caractéristique de l'esprit qui règne de nos jours dans la nouvelle
presse. Ne vous fatiguez pas, votre supplément humoristique ne m'intéresse pas. Pour la troisième et dernière fois je résume mon offre : il s'agit d'un voyage dans
l'au-delà, d'un déplacement réel dans l'autre monde,
en partant de cette vie terrestre et en revenant ici même,
ce sont les expériences et le vécu de ce voyage que j'offre
à votre journal pour publication sous forme de feuille-
ton. Si vous êtes prêt à discuter avec moi précisément
de ce projet, je suis volontiers à votre disposition, dans
le cas contraire, ne m'en veuillez pas, je ne suis pas moi
non plus d'humeur à badiner…

Pendant cette tirade le sourire mécanique de Mr Smith
vibre toujours là sur ses joues mal rasées, mais il se tord
comiquement de travers, et en gros plan il ressemble
davantage au rictus effaré de Buster Keaton quand, du
plat dont il a soulevé le couvercle avec un appétit plein
d'espoir sort en sifflant la tête d'un serpent python
adulte, la bouche béante et les yeux injectés de sang.

Smith pâlit légèrement, rentre la tête, puis une demi-octave plus haut que son registre normal et imitant involontairement la voix de Merlin, il répond très doucement et très sérieusement, pendant qu'inquiet, il regarde constamment vers la porte et tâtonne de la main le pourtour de la sonnette.

— Allons, allons, Mister Oldtime... pardonnez-moi... je ne voulais pas vous offenser... je vous prie de vous calmer... bien sûr, naturellement... Mais vous comprenez, n'est-ce pas, un peu inhabituel... Toutefois j'ai très bien compris l'essentiel, naturellement... Alors, où en étions-nous?... euh... vous êtes donc de retour de l'au-delà et... euh...

Merlin fixe le bégayeur. Lui aussi très doucement, de façon presque apaisante, il dit, tout en observant Mr Smith attentivement et presque avec compassion :

— Non, ce n'est pas là que nous en étions. Excusez-moi si j'ai été un peu brutal et moi aussi je vous demande de vous calmer. Donc, je ne suis pas en train d'en revenir, mais au contraire sur le point de vouloir y aller.

Dès lors la conversation se poursuit sur le même ton, ils se renvoient des réponses avec une bienveillance et une prudence réciproques, s'étant avisés tous les deux que l'autre, le pauvre, a brusquement perdu l'esprit et qu'il ne faut surtout pas l'irriter.

— Bien sûr, très bien... Donc vous, vous passez dans l'autre monde, n'est-il pas vrai... et de là-bas... Bref, vous vous êtes convaincu que l'au-delà existe bel et bien.

— Naturellement. Sans cela, ce ne serait pas chose facile. On ne peut pas aller dans ce qui n'existe pas.

— Et si vous me permettez la question, de quoi il a l'air cet autre monde, tout de même?

— Je le saurai une fois arrivé là-bas. De la planète Mars aussi, je sais qu'elle existe mais je ne peux pas dire comment y sont, mettons les institutions administratives, puisque je n'y suis jamais allé.

— C'est clair... Mais vous vous êtes tout de même convaincu de son existence... Pourrais-je savoir comment vous vous êtes convaincu de l'existence de l'autre monde... ne vous méprenez pas, je suis moi aussi croyant, vous pouvez me voir à la messe tous les dimanches... mais étant donné que vous n'êtes pas venu me trouver en cette qualité... ou serait-ce cela le vrai sujet? pour une collecte?... car dans ce cas, très volontiers...

— Non, non bien sûr... Mon offre est de nature commerciale... Quant à votre question comment je m'en suis convaincu... permettez-moi de ne vous le révéler que si notre négociation aboutit. La seule chose qui importe pour vous en ce moment même c'est de savoir si je peux vous offrir des garanties, si je suis en mesure d'accéder...

Smith fait un geste horizontal de ses mains.

— Voyons... cela ne demande pas de garantie. Nous tous, nous y accéderons un jour, n'est-il pas vrai?

— Naturellement, mais tâchez de comprendre une bonne fois qu'ici il ne s'agit pas d'un mort mais de l'accès dans l'autre monde d'un homme bien vivant, ce qui aurait un double avantage, un du point de vue du journal et l'autre de celui du correspondant. En effet, d'une part un homme vivant a le moyen de rester en contact avec ses congénères, ce qui me paraît pour le moins assez difficile pour un mort, et d'autre part, c'est le plus important, il aura la possibilité de revenir et de confirmer personnellement ses comptes rendus. C'est ce que en l'état actuel des techniques on n'est pas encore parvenu à réaliser, il est vrai qu'on ne s'est pas beaucoup fatigué ; et c'est à ce propos que je viens justement d'avoir l'honneur de présenter ma modeste entreprise. Et puisque votre méfiance à l'égard d'une annonce aussi exceptionnelle et, je le reconnais, surprenante, est tout à fait compréhensible, j'ai apporté un certain nombre de certificats dont l'authenticité est peut-être un peu compliquée à établir avec les méthodes de contrôle de nos fonctionnaires, mais j'aurai l'occasion de prouver que je les ai obtenus le plus légalement du monde.

Merlin fouille dans ses poches. Smith l'observe, les yeux exorbités, tout en jetant des regards impuissants vers la porte. Merlin en retire une grosse enveloppe, de cette enveloppe il exhibe des documents, il les pose sur ses genoux et en prend un dans la main.

— Pardonnez-moi si je ne peux pas vous le mettre en main… non pas que je redoute que vous… mais la substance dont le papier de ce document est fabriqué… comment dire… par la nature de la chose… ne permet pas de… disons, de le mettre entre les mains d'un profane… il y faut certaines conditions préalables… je vous expliquerai plus tard… Pour le moment je vais simplement vous montrer le document lui-même… ayez l'obligeance de vous approcher… vous pourrez vérifier que je le lirai mot à mot.

Smith se penche en avant. Devant ses yeux éberlués, un parchemin ordinaire, jaunâtre, un manuscrit, avec une date en haut et un cachet en bas. Merlin lit le texte à haute voix :

Certificat,

à l'attention de Mister Merlin Oldtime, collaborateur du journal référencé en annexe, par lequel nous reconnaissons l'authenticité du passeport avec photo en sa possession, établissant son identité. Ce passeport donne droit au bénéficiaire de franchir le Quatrième Poste Frontière de la Cinquième Dimension, et l'autorise à pénétrer en franchissant expressément la septième voie ferrée d'évitement près de Dünkirchen, il est valide jusqu'au 31 décembre 1874 inclus, il n'est pas transférable et ne peut être cacheté qu'accompagné du présent certificat.

Le 7 juin 1871.
Bismarck, signature autographe

C'est avec un tantinet d'amour propre que Merlin fait lecture du nom du signataire, il lève la tête et attend l'effet produit. Comme il ne voit devant lui qu'une figure pâle et défaite, il commence une explication hâtive.

— En effet, le passeport avec le visa qu'il contient, ou plutôt, précisément à cause du visa, compte tenu de sa forme et de son matériau particuliers, je ne peux pas le porter sur moi dans un local éclairé, c'est pourquoi je me suis procuré cette sorte d'attestation. J'espère que le nom du rédacteur constitue une garantie suffisante, regardez la signature, une telle signature est infalsifiable, faites-vous apporter le tome B du grand *Webster*, un fac-similé doit certainement illustrer la biographie de Bismarck, je m'en souviens très bien, son écriture n'a guère changé jusqu'à sa vieillesse, regardez cette lettre « B ». En un mot, le passeport est régulier comme vous le voyez. Le fait qu'il contient également un permis de voyage de retour, jusqu'à la même station, vous devez le croire sur parole, pour le moment cela importe peu pour vous de toute façon. Mais rassurez-vous, j'ai encore ici des certificats, des attestations, des autorisations spéciales, des annexes donnant droit à des compartiments individuels, des papiers, tickets, jetons, tout ce que vous voulez, vous me connaissez, je prends ces choses-là très au sérieux. Moi, je traverse la neuvième dimension avec une aisance totale ; j'ai aussi dit à mon protecteur, Ben Bariban, que je me fiche du reste : je suis persuadé que seule cette sacrée quatrième dimension a été difficile, ensuite tout ira comme sur des roulettes. Qu'en dites-vous ? Il sait en faire des choses, le vieux Merlin ?

Smith agrippe des deux mains le bord de la table. Dans sa figure livide il allonge la bouche presque jus-

qu'aux oreilles pour que son sourire paraisse aussi miel-
leux que possible.

— Félicitations. Sincères félicitations. Vous me voyez
convaincu. Me permettez-vous une seule question : je
n'ai pas tout à fait saisi cette histoire de voie ferrée
d'évitement… avec le franchissement… et avec ce…

— Dünkirchen…

— C'est ça… Dünkirchen… je ne suis pas très calé
en géographie… mais autant que je m'en souvienne…
l'entrée de l'autre monde ne se situe pas exactement à
cet endroit… d'habitude on parle d'une sorte de
porte… et d'un nommé Pierre qui est là pour faire
entrer les gens…

Merlin fait un geste de dédain.

— Je n'ai pas le temps d'expliquer. Naturellement,
cela est aussi possible, mais de nos jours il y a déjà des
passages plus confortables. Il faut s'y connaître, moi, je
connais toute la carte comme ma poche, depuis le
début… Mais vous lirez tout cela dans mes reportages,
dans les moindres détails… Maintenant ce qu'il s'agit
de savoir c'est : est-ce qu'on le fait ?

Smith répond aussitôt :

— Cela va de soi ! Quand partez-vous ?

— J'attends encore un document. Je serai prêt dans
trois jours.

— Et quand recevrons-nous le premier compte
rendu ?

— Le lendemain. Mon secrétaire, Jubashat, à qui je
les dicterai directement, pourra confortablement vous
apporter les manuscrits entre trois heures et six heures

chaque après-midi. À partir de ce jour le matériau pourra vous parvenir sans interruption.

— Et… à combien de livraisons vous engagez-vous?

— Cela dépend. J'aurai le moyen de vérifier si le sujet intéresse le public. En ce qui concerne les honoraires…

— C'est pas trop tôt! hurle Smith.

Merlin, surpris, l'observe, et il se retourne pour suivre son regard dément.

Le secrétaire du rédacteur se tient dans l'embrasure de la porte, stupéfait.

— C'est pas trop tôt! hurle Smith. Cela fait une heure que je sonne.

6

LE *NEW HISTORY* PREND UNE OPTION

Affolé, Mr Tyler, le secrétaire, se confond en excuses.

— Je vous demande pardon! J'ai dû faire un saut au standard… ils avaient un dérangement… Que s'est-il passé?

Mr Smith hurle comme un gentleman offensé qu'on aurait arrêté par erreur et gardé en prison pendant une demi-heure, voyant le détective survenir avec ses excuses pour le libérer.

— Ce qui s'est passé? Il s'est passé que j'ai beau presser le bouton de la sonnette, tout le personnel est sourd et me laisse seul, enfermé avec un fou dangereux!

Le secrétaire regarde le visiteur, ahuri. Merlin se lève lentement, il pousse sa chaise en arrière et lui-même il recule. Il s'exprime d'une voix douce et bien articulée, mais sur le ton aigu de l'amour propre offensé.

— Ah… bon. En somme vous ne traitiez pas sérieusement avec moi… vous me prenez pour un échappé du cabanon, et vous me parlez comme à un petit morveux… Vous m'en rendrez compte, Mister Smith. Dans ces conditions je retire évidemment mon offre, je choisirai des partenaires plus sérieux. J'ai bien l'honneur.

Il hoche orgueilleusement la tête mais reste sur place. Mr Smith, brusquement redevenu vif et courageux, fait de bruyantes excuses.

— Mais non, mon cher collègue, que vous êtes-vous mis en tête?… Si j'ai appelé mon secrétaire c'est pour mettre notre accord par écrit… Il va falloir naturellement mettre mon secrétaire au courant, n'est-ce pas… Vous savez, monsieur le secrétaire, Mister Oldtime va partir dans l'autre monde et il nous enverra des correspondances de là-bas… Il dispose d'excellentes recommandations, de personnalités non moins éminentes que Bismarck lui-même, il la lui a fait parvenir directement du siècle dernier, n'est-ce pas Mister Oldtime? Auriez-vous l'amabilité de montrer ce certificat, Mister Oldtime…

Pendant ce temps Mr Smith envoie des clins d'œil secrets dans la direction de Mr Tyler, il lui donne même un coup de pied en cachette en désignant le téléphone.

— Le certificat?

Merlin se calme soudain. Il sourit, se rassoit sur sa chaise, il la fait rouler près de la table. Il pose ses documents, il en sort le parchemin jauni.

— Si vous voulez à tout prix le prendre en main, faites donc. Mais je vous préviens, vous devrez rester aussi placide que je le suis maintenant.

Il lui donne le papier. Mr Smith le prend dans sa main… ou plutôt il prend dans sa main quelque chose qui n'est plus ce même objet que Merlin lui a passé. Dès qu'il l'effleure avec deux doigts il sent encore une sorte de papier, mais quand il veut le toucher avec les autres doigts aussi, le papier disparaît… Un instant il tente de rattraper le vide, ensuite il regarde effaré la paume de sa main : c'est une coccinelle rouge qui s'y promène, arrivée au bord elle bat des ailes.

Merlin se penche en avant, intéressé.

— C'est curieux… En projection tridimensionnelle la coccinelle est le reflet de mon passeport… Ce n'est pas si mal. En soixante-dix ans il s'est peut-être transformé, moi-même je ne m'y connais pas suffisamment… Hop là ! faisons attention, elle pourrait s'envoler… je pourrais toujours la poursuivre en l'air après…

Il rattrape avec deux doigts l'insecte qui prépare son envol, et le document jauni se trouve de nouveau dans sa main : la coccinelle n'est plus nulle part. Merlin explique en souriant.

— Habile manœuvre de prestidigitation, hein ? L'explication est très simple. Moi-même je suis dans la quatrième dimension, donc tout ce qui m'appartient ou tout ce qui me tombe entre les mains se déplace dans le temps par rapport à son environnement… il est bien clair que ce morceau de papier a été une coccinelle… au moins partiellement…

Sur le moment les deux hommes sont incapables de réagir, le secrétaire rit nerveusement. Merlin se tourne vers lui, un peu impatient.

— De quoi riez-vous? Vous n'êtes jamais allé au cinéma? Là vous n'y voyez aucune sorcellerie : les projections vivent leur vie comme si ça se passait au présent, pourtant tout ça est fini depuis longtemps. Évidemment la technique rend tout compréhensible dès qu'on fait les choses soi-même, sauf ce qui justement rend la technique possible...

Mr Smith n'entend pas un traître mot de tout cela, il fixe les mains de Merlin bouche bée, comme un enfant de cinq ans. Puis complètement *transfiguré*, pris d'un enthousiasme fiévreux il lâche péniblement ces mots :

— Extraordinaire!... C'est vraiment extraordinaire, Mister... euh... Comment faites-vous cela?... Je n'ai jamais rien vu de pareil, pourtant je suis membre du...

Merlin en colère lance un coup de tête dans sa direction.

— Du club des acrobates amateurs, hein? Incroyable naïveté, incroyable manque de culture! Un tour de carte au siècle de la radio!

Mr Smith rougit légèrement.

— Cher Merlin... j'ai vraiment honte... pour tout à l'heure... Si j'avais su que vous aviez ce genre de capacités... Ne voudriez-vous pas recommencer?

Merlin reste impassible, figé.

— Mister Smith, je ne suis pas venu chez vous pour vous amuser de quelque production. J'aurais souhaité négocier sérieusement. Comme vous ne m'en avez pas

donné l'occasion et que de plus vous paraissez légèrement distrait… je ferais peut-être mieux de revenir une
autre fois… Par téléphone vous pouvez toujours me
joindre, il suffit d'appeler Mister Bariban au 38422…
mais je vous préviens, je ne resterai que trois jours à
Londres… et comme maintenant j'aimerais me mettre
à lire et que de toute façon mes yeux supportent mal
cette obscurité et cette monotone lumière pourpre… si
vous n'y voyez pas d'inconvénient, je vais allumer… et
de nouveau je vous souhaite le bonsoir !

Merlin hoche la tête une nouvelle fois.

— Pas question !… crie Smith, nous ne vous laissons
pas partir, n'est-ce pas Tyler ?

— Non, non, balbutie le zélé Tyler.

Merlin, glacial, hausse ses sourcils couleur paille.

— Vous ne me laissez pas partir ?… Vous êtes tombés
sur la tête ? Comment pensez-vous vous y prendre ?

Smith essaye de plaisanter :

— On pourrait très bien fermer la porte à clé.

Merlin, furieux, agite ses bras courts.

— Au nom du ciel, misérables myopes que vous êtes,
est-ce que vraiment vous en êtes encore à vous figurer
que moi, Merlin Oldtime, je suis planté effectivement et
en personne sous votre nez ? Quelle débordante imagination ! Même si vous ne voyez pas le sofa sur lequel je
suis allongé et la chambre dans laquelle je me trouve,
au quarante-sept *Trafalgar street*… vous pourriez tout de
même faire l'effort de les imaginer ! Bon, adieu, j'allume
la lumière.

Cette dernière phrase résonne de loin, comme si elle ne venait pas de la pièce, comme si la pellicule était cassée, comme si dans le noir on continuait à entendre la bande son… La chaise sur laquelle Merlin était assis à l'instant est vide, Merlin n'est nulle part. Les murs du bureau de rédaction, le mobilier et l'éclairage, dans un immuable silence, une totale indifférence et pour ainsi dire avec ennui, tout contemple les deux hommes qui se tiennent là, devant le bureau, transformés en statues de sel.

Smith réagit le premier. Il se racle la gorge, jette un regard soupçonneux sur Tyler.

— Hum… euh… comment? Vous avez dit quelque chose?

Tyler, rapide et toujours aussi zélé :

— Moi?… Moi, rien, monsieur le rédacteur… de quoi s'agit-il?

Smith est irrité par cette promptitude.

— De quoi s'agit-il, de quoi s'agit-il… Pourquoi il me regarde comme un crétin, celui-là?… il n'y a rien à regarder, vous vous imaginez peut-être que je n'ai plus toute ma tête? Je disais donc… où j'en étais déjà… je disais que… ce Oldtime… c'est bien comme ça qu'il s'appelle?

— Merlin Oldtime, oui, monsieur le rédacteur.

— «Oui, monsieur le rédacteur», bon… il s'est fait annoncer cet après-midi, à mon avis c'est un homme de talent… quelle est votre avis?…

Tyler, prudemment :

— Je le crois également… néanmoins…

Smith hurle :

— Il n'y a pas de «néanmoins…» à vous entendre personne ne peut avoir du talent si momentanément il n'a pas de succès… un homme vidé, on ne connait ça que trop bien !… C'est un homme de grand talent, c'est moi qui vous le dit… il est un peu bizarre, mais… Que faites-vous ? Vous êtes fou, que faites-vous pendant que je vous parle ?

Pendant ce temps, Tyler tournoie comme un somnambule en contournant le bureau, d'abord très prudemment, puis de plus en plus hardi et de plus en plus étonné il commence à tapoter la chaise sur laquelle peu avant encore… Il y enfonce le bras, il caresse soigneusement le dossier… puis il se porte la main au visage, il touche son nez, ses oreilles, il se secoue… Il prend soudain conscience de la question, se redresse et pâle, au garde-à-vous, regarde Smith dans les yeux.

— Pardon, monsieur le rédacteur, mais je ne me sens pas bien. J'ai des vertiges.

Smith tressaille un peu, puis il se reprend et il apostrophe Tyler :

— Vous ne vous sentez rien du tout, vous avez compris ? Vous n'avez pas de vertiges… vous ne vous tripotez pas comme… comme si vous n'étiez pas sûr… quand je vous parle… Mais que vous soyez sûr ou pas… même en admettant que vous rêviez… quand même… même dans vos rêves… vous, vous êtes le secrétaire et moi le rédacteur en chef… et quand je vous parle… aïe…

Il s'écroule sur la chaise, s'essuie le front. Tyler accourt.

— Mister Smith, au nom du ciel…

Smith geint. Puis, silencieux, complètement abattu, en plein désarroi :

— Tyler… vous êtes éveillé ?

Tyler, frissonnant :

— Je ne sais pas… Je crois…

— Dites-moi, c'est vrai ? Vous l'avez vu, vous aussi ?

— Je l'ai vu.

— Vous l'avez entendu parler ?

— Je l'ai entendu.

— Euh… c'est vrai que… que vous ne vous sentez pas bien ?

— Je ne sais pas… j'ai peut-être des hallucinations…

— Oui… c'est pareil… on pourrait peut-être faire quelque chose… tous les deux ensemble nous pourrions pousser un grand cri… ou encore, je pourrais lancer des cocoricos… ça pourrait nous réveiller… vous ou moi… éventuellement tous les deux… Mais non, mais non… ça ne se fait pas… en plein jour… nous pourrions ne pas nous réveiller et tout resterait en l'état… et alors… quelque chose de terrible pourrait se produire… Le mieux c'est de rester ensemble et de bavarder… comme si c'était une chose toute naturelle… Qu'en pensez-vous ?

— J'ai pensé quelque chose, monsieur le rédacteur… Peut-être que ce… ce… bref, il nous a peut-être administré quelque chose… à tous les deux… un gaz… ou n'importe quoi d'autre… une chose indienne… et maintenant, tous les deux nous sommes ivres… et nous croyons…

Smith se frappe la tête.

— Vous devez avoir raison… Et alors…

— Voilà… et alors rien… ou un trucage avec des projections… un jeu de miroirs… De quelque part il s'est fait projeter ici… il a même parlé de cinéma…

Smith sursaute.

— Tyler! Vous avez raison! Ce n'est pas possible autrement… Quel homme!… Mais comment fait-il cela?

Tyler fait un geste de doute, on voit qu'il n'a pas vraiment confiance dans sa théorie.

— Attendez un peu… Avez-vous retenu le numéro de téléphone qu'il nous a donné?

— Parfaitement. 38422… Je le saurais même la nuit…

Smith est déjà au téléphone, il compose le numéro.

— Allô, allô!… Ici la rédaction du *New History*… Comment? Mister… comment? Ba… Bariban… ah oui, ça me dit quelque chose… je vous en prie… pourrais-je parler à Mister… à Mister Oldtime… est-il là? Depuis quand?… Pardon?… Depuis midi… il n'est pas sorti de chez lui?… Hum… Dans ce cas… ne le dérangeons pas… Veuillez lui dire que Mister Smith… attendez… je voudrais discuter avec lui des… des prises de vue… à propos du reportage que… qu'il nous a indirectement proposé… merci…

Il repose lentement le combiné, il se tourne vers Tyler. Il chuchote, pensif, de façon bien articulée :

— Tout… l'après-midi… il était chez lui…

Et il retombe dans son fauteuil.

7

MERLIN PREND LA ROUTE

Le dix avril, trois heures de l'après-midi.

Lumière radieuse, printanière, transparente, l'air est frais et odorant avec un petit arrière-goût salé. L'haleine de la mer, peut-être.

Le gardien du cimetière de Chelsea sort de sa cabane, il se dirige vers le vieux portail. Un Hindou basané, enturbanné, le regard triste, bien vêtu, se tient devant le panneau d'informations.

— Vous cherchez quelque chose ?

Les bras croisés, l'homme salue.

— Je consulte le tableau des enterrements.

— Il n'y en aura qu'un, à quatre heures.

— Celui de Jushni Jubashat ?

— Oui… Un nom étranger, difficile à déchiffrer.

— Est-il déjà arrivé ?

— Il est dans la salle mortuaire.

— Puis-je y entrer ?

— Monsieur est de la famille ?

— Je suis un parent.

— Je l'ai deviné… Vous pourriez me dire comment ça se passera pour l'enterrement ?

— Comme d'habitude… Pourquoi cette question ?

— À cause de la religion du défunt. On n'a pas encore vu cette religion dans ce cimetière.

— Jushni Jubashat est de confession brahmanique. J'ai un permis d'inhumer. Le prêtre brahmane, lui, sera à quatre heures ici. Il n'y aura guère d'autre personne que moi pour l'accompagner, le défunt ne connaissait personne à Chelsea.

— À moins que des curieux ne viennent aussi…

— Je ne compte sur personne. Nous n'avons rien mis dans les journaux. Vous devez savoir que nous, brahmanes, nous n'enterrons pas.

— Alors, quoi ?

— Nous incinérons nos morts.

— Et alors ?

— Jushni Jubashat sera également incinéré. Mais cela ne peut pas avoir lieu maintenant, nous avons dû demander le consentement de la famille en Inde pour le faire incinérer au crématorium de Londres. Si nous le recevons, avec l'autorisation de la direction nous devrons exhumer le corps et le transporter à Londres.

Le gardien se gratte la tête.

— Un cas bien compliqué. Le temps que ce consentement arrive…

— Il n'y aura aucun problème, le corps est embaumé.

— Ah… bon ! Et qu'est-ce qu'on mettra sur la stèle de bois ? Car la stèle est déjà arrivée.

— Rien. Juste une date : celle d'aujourd'hui. J'ai l'autorisation de…

Le gardien hausse les épaules.

— Ces messieurs, ou plutôt monsieur, a des autorisations pour tout si je comprends bien. Cela ne me regarde pas après tout… Je demandais simplement pour l'entretien. Y aura-t-il de l'entretien ?

— Bien sûr que oui… Veuillez noter, s'il vous plaît, le nom de ces fleurs exotiques que vous devrez ensuite commander chez le fleuriste et dont vous devrez couvrir la tombe… Je vous donne une avance d'une demi-guinée…

Il donne l'argent, le gardien murmure quelque chose, gêné. Puis il demande avec vivacité et courtoisie :

— Monsieur souhaite-t-il que je l'accompagne ?

— Non, merci, je trouverai le chemin.

Il s'éloigne sur l'allée caillouteuse parmi les croix et les colonnes silencieuses. Il cherche, consulte ses notes, s'arrête devant une stèle. Il se penche en avant, lit l'écriteau. Il se prosterne par deux fois, les bras croisés. Il poursuit sa marche, les cailloux crissent doucement.

Les alentours de la salle mortuaire sont déserts. Le gardien est affairé ailleurs. À l'intérieur la pénombre, une odeur lourde, quatre chandelles dans des candélabres. Une unique couronne, sans mention sur le ruban. Le corps gît allongé dans le cercueil noir, le couvercle est appuyé contre le mur : toujours pas de mention distinctive. Un linceul de brocart, lourd, sobre.

Au moment où l'homme s'approche du catafalque, une voix fâchée, haut perchée, chuchote sous le linceul :

— À la bonne heure… Tirez le rideau au cas où quelqu'un aurait quand même la malencontreuse idée de passer par ici… Aïe, j'ai le dos en capilotade…

Le linceul glisse, le corps haletant s'assoit. Il se tâte les flancs.

— Quelle ânerie c'était de me faire transporter ici si tôt… Mais j'étais trop content que tout se soit bien passé… je craignais que le *coroner* change d'avis et revienne sur sa décision… Enfin, l'essentiel c'est qu'il a signé le permis d'inhumer… C'était dur, si vous voulez savoir… j'ai complètement perdu la main depuis que nous sommes en Europe. Je ne pourrais plus gagner ma vie comme fakir. Quoi de neuf, Bariban ?

— Tout va pour le mieux.

— Mes bagages ?

— Tous les trois. La grande valise qui contient la culotte de cheval, le docteur Scholtz l'a configurée en géranium, les deux petites, je les ai confiées à Angéla, elle en a modelé des canaris, une couple. Je les ai placées toutes les trois dans l'embrasure de la fenêtre, ce soir nous ferons tracer le cercle par deux amis sûrs, ils les transféreront, vous les aurez à la frontière.

— Avec les documents ?

— Avec les documents.

— Quoi de neuf au journal ?

— J'ai signé l'accord définitif en votre nom, *Sahib*. Ils ont pris note de la procuration, après chaque article ils me remettront vos honoraires en mains propres ; je les déposerai à votre nom à la Banque nationale. Mister Smith réceptionnera un jour sur deux les manuscrits authentifiés par un code. Ce Mister Smith m'a interrogé pendant une demi-heure.

— Pour vous faire avouer le truc. Je m'en doutais.

— Oui. Ils tiennent avec acharnement au méca-
nisme de téléprojection que nous aurions inventé et
dont nous ne voudrions pas céder le brevet.

— *Sancta simplicitas*! Si tu leur montres une
machine, tout va bien, ils sont prêts à gober que j'ai fait
engager la grand'mère du diable à Hollywood comme
prima donna; ils croient tout d'une machine mais rien
de l'esprit qui l'a inventée! Durant six mille ans ils ont
trouvé tout naturel que le mâle du grand paon de jour
trouve sa femelle à cent miles de distance, mais ensuite
est venu le télégraphe; alors là ils ont bonne mine : les
papillons auraient-ils eu le télégraphe, eux? À ces gens-
là on pourrait faire avaler que les Égyptiens connais-
saient le téléphone sans fil puisqu'on n'a pas trouvé de
fil dans les pyramides; qu'est-ce qu'on peut y faire? Ils
sont incapables de s'abstraire de l'écoulement du
temps dans leur réflexion. La pendule, la pendule, la
pendule remontée a arrêté leur entendement.

— Tout le monde n'a pas la chance que nous avons
eu, *Sahib*.

— Là, tu as raison. Mais même toi et moi, sans nos
yeux ouverts et sans le refoulement de la logique tem-
porelle nous n'aurions pas découvert l'essence de l'Instant Éternel. Sur le mont Horeb – tu t'en souviens? –
quand apparut le petit enfant et qu'il s'avéra que c'était
moi. À partir de ce moment tout est devenu facile, bien
sûr. Encore que je dois t'avouer, Bariban, que je n'aurais pas eu le courage de sauter dans l'Instant Éternel si
je n'avais pas été hanté depuis l'enfance par un problème étrange : je t'en ai déjà parlé une fois mais tu l'as

peut-être oublié. Personne ne s'en préoccupe, pourtant c'est une chose bien connue : un bruit extérieur nous fait rêver une action antérieure ; une pierre dégringole près de ta tête pendant que tu dors, et tu achèves un long rêve dans lequel l'adversaire de l'action préalable te frappe à mort à l'instant même où la pierre fait sa chute. Tu sais, Bariban, j'ai toujours eu le vague soupçon que les choses ne se produisent pas les unes après les autres mais les unes à côté des autres, que l'Espace existe mais que le Temps n'existe pas. Voilà pourquoi il a été possible de retrouver la voie à travers l'étroit sentier où conduisait l'enfant, vers la vaste étendue intemporelle extérieure. Tu comprends, Bariban ?

— Tu t'exprimes avec des notions européennes, *Sahib*. Le disciple de Brahma comprend ta pensée mais ne comprend pas tes mots. Tes concitoyens comprennent tes mots mais ils ne comprennent pas ta pensée.

— Peu importe, Bariban, qu'ils le comprennent ou non, le principal est que nous avons conclu l'affaire. Alors, écoute-moi maintenant parce que l'heure tourne et nous n'avons plus beaucoup de temps pour parler.

— Je sais tout, *Sahib*, mais redis-le si tu le désires.

— Après l'enterrement tu retourneras à Londres, tu régleras un mois de loyer pour l'appartement de *Trafalgar street*. Chaque soir à six heures précises vous vous réunirez, Kammon et Angéla et toi, vous tracerez le cercle. Vous réglerez le récepteur (à propos ! N'oublie pas de régler scrupuleusement les redevances radio !) sur la longueur d'onde convenue (elle figure dans ton agenda), c'est sur elle que je dicterai. C'est

Angéla qui prendra ma dictée, si je ne suis pas trop fatigué je conduirai aussi sa main, j'aimerais que cela ressemble à mon écriture. À huit heures du matin le manuscrit doit être précisément déposé à la rédaction contre un reçu. Vérifie soigneusement les épreuves, veille à ce qu'ils n'y ajoutent pas quelque bêtise et qu'ils n'enlèvent rien d'important. En cas de besoin tu auras des instructions spéciales sur la façon de me contacter, je tiens à veiller à ce qu'il n'arrive rien de désagréable dans l'au-delà à cause de vous. N'essaye pas de me contacter sans y être invité.

— Sois tranquille, *Sahib*.

— Avant mon retour je vous ferai savoir exactement où et quand je traverserai la frontière. Alors tu pourras tout préparer. Tu ordonneras l'exhumation du corps, tu examineras soigneusement son état, je tiens absolument à ce que ce soit un médecin qui procède à cet examen : toi, tu n'y connais rien. Tu le feras transporter au crématorium de Londres. Dès que j'aurai franchi la quatrième dimension, tu feras la piqûre pour qu'au réveil je ne sois pas trop hébété ; le pantin destiné à l'incinération, monsieur Jushni Jubashat, nous pourrons déjà le transmettre ensemble aux autorités compétentes.

— C'est bien entendu, *Sahib*.

— Parfait. Nous prenons donc congé, Bariban. J'avoue que je suis un peu nerveux. Alors que l'expérience la plus risquée a été mon premier passage dans la quatrième dimension, c'est maintenant que ma curiosité va découvrir la véritable nouveauté. Je n'ai pas la moindre idée de ce qui m'attend dans la cinquième dimension et dans les autres; tu sais fort bien que les connaissances que j'ai rencontrées dans la quatrième n'en savent guère plus que moi-même. Ils tournoient eux aussi devant les frontières, envieux et affamés, sans pouvoir les franchir, et ils m'ont regardé avec une jalousie non dissimulée, quand je leur ai montré mon autorisation de passage. Celui qui a le plus hoché la tête c'est le vieux Clemenceau, il n'en revenait décidément pas; tu vois, Bariban, il vaut mieux être journaliste.

Il se recouche et se tait pendant quelques minutes.

Puis, ensommeillé :

— Passe moi le flacon, Bariban.

Bariban le lui passe.

Il le soulève, l'examine d'un œil scrutateur à la flamme de la chandelle. Puis il le débouche et il avale le contenu d'un trait.

Bariban se penche sur lui.

Le visage blond roux grimace un rictus. Le nez s'aplatit, la convulsion des lèvres atteint un point haut puis se relâche, les deux lèvres s'écartent, les dents se découvrent, le menton s'affaisse. Sous les paupières palpitantes les globes oculaires se retournent puis s'immobilisent, ensuite c'est fini : tout mouvement a cessé, l'expression se transforme sans frémir en une sorte d'extase stupéfaite, transportée.

Le visage d'un nouveau-né, dans le ravissement de la découverte de la lumière du Soleil.

Lentement Bariban se lève, sur la pointe des pieds il atteint le rideau, il l'ouvre. Le prêtre brahmane se tient déjà là.

Quand il parvient à la porte du cimetière, ses oreilles perçoivent un bruit lointain. Des crieurs de journaux dévalent la rue.

L'un d'entre eux le heurte presque.

Il se retourne furieux, puis poursuit sa course avec une pile de journaux sous le bras et, petit ange poisseux, il braille sa déclamation :

« *Édition spéciale !* »

Dans son prochain numéro The New History *commencera la publication du reportage de Merlin Oldtime dans l'autre monde !*

« *Édition spéciale !* »

CHAPITRE MÉDIAN

Reportage dans l'au-delà

En d'autres termes :

communications originales de Merlin Oldtime,
correspondant du *New History,* au Royaume
de la Dimension Intemporelle.

PREMIÈRE COMMUNICATION

JE PASSE LA FRONTIÈRE

Temps terrestre, le 10 avril.

Je requiers une attention toute particulière de la part du lecteur. J'en ai besoin, tout au moins au début. Pas tellement à cause du sujet. Tous les sujets se ressemblent : des événements et des impressions. Je n'ai rien à craindre quant au sujet une fois que vous aurez pris le journal en main. Vous êtes probablement intéressé par la Possibilité de l'existence du Lieu d'où je parle.

Je dois vaincre une certaine difficulté, cette difficulté rappelle surtout celle que présente la transcription des différentes langues les unes dans les autres.

À la différence près qu'ici il ne s'agit pas de transcrire des mots mais des notions.

Je dois également recourir à l'aide du lecteur.

Je m'efforcerai de transposer la communication de mes expériences dans le langage des notions coutumières de mon lecteur. J'aurai souvent besoin d'utiliser des comparaisons. En tant que journaliste (mes lecteurs d'autrefois le savent), j'essayais de les éviter. Pour ce qui est des «reportages colorés», la réalité bien observée est habituellement plus colorée que la sauce de fades impressions qu'on y ajoute.

Je pense que cette fois ma tâche sera inverse. Je serai amené dans une certaine mesure à estomper les contrastes. Les couleurs sont trop prononcées. Bizarrement, elles sont trop claires. Elles risqueraient d'éblouir le lecteur qui ne distinguerait pas les formes. Il faudra éviter de surexposer.

J'ai besoin de chercher des comparaisons prises dans le milieu où séjourne mon lecteur, sous un éclairage plus terne. Mais j'y pense, quelqu'un a déjà évoqué quelque chose de ce genre, Gœthe sans doute. Je le cite peut-être approximativement : *Alles Vergängliche ist nur ein Gleichnis*, «Toute chose passagère n'est que comparaison ».

Je suis tenté d'ajouter : «une mauvaise comparaison ».

C'est pourquoi je demande au lecteur une patience exceptionnelle. Moi je m'exprimerai dans son langage. Cependant s'il trouve mes comparaisons forcées ou affectées, cela ne sera pas de mon fait, cela sera dû à la singularité de ses notions à lui. Mes comparaisons sont bonnes, c'est lui qui voit mal l'objet que je compare. Qu'il essaye de regarder le modèle différemment qu'il ne l'a fait jusqu'alors (peut-être de côté ou d'au-dessus), il verra ainsi que le portrait est fidèle à la réalité. Ce qui me préoccupe c'est que l'on trouvera ridicules certaines de mes désignations d'objets. La raison en est que ce que l'on connaît là-bas comme par exemple, une brosse, est en réalité (disons plutôt pour le moment : est ici) de la confiture d'abricots, ou inversement. Moi, bien sûr, je m'efforcerai d'appeler la confiture d'abricot une brosse, en torturant fortement ma mémoire pour me rappeler ce que c'était déjà là-bas, néanmoins il se produira des cas où votre désignation ne me reviendra pas à l'esprit, ce qui sonnera dans votre… (ça y est, je sais) *oreille* ridiculement ou bêtement, et certains de mes lecteurs m'accuseront de baragouiner.

Il me serait peut-être plus aisé d'utiliser la méthode et la forme d'expression d'un de mes collègues bien connus, un certain M. Dante Alighieri. Lui en effet, a écrit ses rapports *a posteriori*, il n'avait donc pas à se forcer, il était de nouveau sur son terrain, il parlait couramment votre langue, tout au plus était-il encore un peu exalté, ce qui n'a été que bénéfique car cela lui a fait morceler les mots en fragments rythmés ; les mots se terminant par des sons identiques lui ont été aussi d'une aide précieuse pour prendre conscience des corrélations intrinsèques entre ces mots, corrélations expérimentées dans la réalité (disons : expérimentées ici).

Comme ce serait facile pour moi aussi.

Qu'il soit dit à ma décharge que moi je parle d'*ici*.

Essayez d'imaginer quelqu'un qui, pendant sa chute du haut de la tour Eiffel, communiquerait aux badauds son état physique et psychique, craignant qu'une fois arrivé au sol, il verrait les choses différemment, ou qu'il ne pourrait plus du tout exprimer sa manière de les voir.

Autre chose.

La difficulté que je dois surmonter est à peu près celle d'un voyageur qui dans une chambre commune (retenez bien ceci !) se réveille avant son compagnon.

Il aimerait bien lui communiquer qu'ils arriveront bientôt (cette chambre commune pourrait être une cabine de bateau ou un compartiment de wagon-lit), mais l'autre à l'air de dormir d'un si bon sommeil qu'il n'a pas le cœur de le réveiller. Pourtant il parle en dormant, et il semble murmurer des propos relatifs à l'arrivée. Donc le voyageur s'adresse au dormeur, il lui dit ce qu'on peut dire à quelqu'un qui murmure en dormant, en essayant de deviner ce qu'il peut bien rêver à ce moment-là. Le dormeur acquiesce comme s'il comprenait, il se retourne et répond.

Imaginez un tel dialogue.

Il est certain en tout cas que la tâche la plus ardue incombe à celui qui se réveille, c'est lui qui doit s'adapter.

J'espère donc que le lecteur est en train de rêver une histoire dans laquelle moi-même je joue un rôle et je tenterai de raconter comment s'est déroulé mon départ.

Encore une remarque. (Heureusement que j'y ai pensé !) Dans mes comptes rendus j'utiliserai la forme grammaticale que vous appelez le temps présent. Pour moi c'est plus facile, et autant que je puisse m'en souvenir cela ne vous est pas désagréable. Je chercherai des mots simples. J'ai toujours méprisé (et je sais enfin pourquoi) les mystérieux, ceux qui éclairent l'obscur de propos obscurs.

On n'en a nul besoin.

L'instant de mon départ est relativement simple. Voici comment cela se passe.

Je suis couché.

Mes bagages se trouvent encore chez moi, mais j'ai donné des instructions pour qu'ils soient portés au train.

J'ai mon billet en main.

Conformément aux instructions je le porte à ma bouche, il se liquéfie.

Étant donné que je sais que je dois quitter mes vêtements (chez moi, dans les trois dimensions, on les qualifie de corps en phase solide), afin de revêtir mes habits de voyage de coupe similaire mais de quatrième dimension, je devrais plus correctement dire : de quatrième phase (qui suit les phases gazeuse, liquide et solide), je m'étire tranquillement comme quelqu'un que l'on habille.

Je lève un peu les bras, puis je les abaisse quand je sens des fourmillements.

Goût légèrement amer.

Tambourinement dans les oreilles.

Je tente d'observer ce qui se passe.

À ma grande surprise le bruit me rappelle celui de la salle d'opération le jour où j'ai été chloroformé.

J'espère que cette fois je ne perdrai pas connaissance comme la fois où j'ai été pendu à une potence : je serais incapable de me défendre et on risquerait de me faire descendre du train comme autrefois de la potence.

Par bonheur, il n'y a pas de risque.

Je suis parfaitement conscient, je dirai même un peu trop.

Ce sont les impressions nouvelles qui s'imposent, je crains qu'elles l'emportent sur la transition que j'aimerais pourtant bien observer. Une volonté farouche est à l'œuvre en moi, non pour hâter, mais bien au contraire pour ralentir le processus : je m'efforce de me souvenir à tout prix de ce qui vient de se passer l'instant précédent.

Cela est pénible. Je crains que si je perds la dernière image, la dernière pensée ou la dernière parole, je couperais l'attache qui me lie aux trois dimensions, et je ne pourrais plus garder le contact avec ceux pour lesquels j'ai entrepris toute cette aventure. Si cela se produisait je serais menacé de ne pas me souvenir après mon retour des événements que j'aurais vécus entre-temps.

Des problèmes de ce genre, j'en ai rencontré plusieurs fois sur les champs de bataille : des blessés à la tête, alités durant des jours et des semaines, inconscients, ne gardant aucun souvenir de cette période.

Je me rappelle, quand je passais mon baccalauréat, qu'au milieu d'une déduction mathématique brillamment construite j'ai perdu le petit bout de papier sur lequel était marqué ce qu'il fallait démontrer. Un véritable supplice.

Je dois me concentrer. Je dois voir simultanément les deux images et celle qui disparaît, et celle qui prend sa place.

Comme au cinéma dans ce qu'on appelle le fondu enchaîné.

J'y parviens plus ou moins. À grand-peine je me remets en mémoire que je me trouve dans la salle mortuaire du cimetière de…, mon secrétaire se trouve quelque part à proximité, et qu'il s'agit d'un certain voyage auquel je me suis engagé. Je suis incapable de me souvenir de l'aspect matériel du contrat, néanmoins le lien existe toujours.

Cette prudence était très nécessaire, cela s'est confirmé plus tard, sans elle j'aurais eu les pires ennuis, je me trouverais maintenant perdu dans la quatrième dimension, sans du tout savoir ce que j'ai à y faire, et pour les beaux yeux de qui je baguenaude par ici. Je serais ballotté par les événements dans une situation extrêmement délicate, sans savoir à qui j'appartiens, qui je dois contacter, et d'une façon générale ce que je deviendrais. En d'autres termes je ne saurais plus quel est mon métier dans le monde de la réalité.

Je dois à ma constante concentration que durant mon séjour ici l'engagement contracté envers vous me revient de temps en temps à l'esprit (j'espère que c'est aux échéances précises selon votre monde).

À ces occasions-là j'évoque devant mes yeux fermés l'image de la salle mortuaire. En tendant au maximum mon imagination, la salle mortuaire m'évoque le secrétaire et le secrétaire m'évoque les autres circonstances. Alors le travail progresse.

(À ce propos je remarque dès ce point ou plutôt je signale dès à présent, qu'à cause de vous j'ai pas mal de pépins comiques dans mon environnement actuel, je pourrais dire des désagréments. Chaque fois qu'il me prend de faire un rapport, je déconnecte, je n'écoute plus, je deviens distrait, je dis des âneries, et on me regarde de travers. Pourtant certains prétendent qu'ils comprennent pourquoi je me comporte de cette façon.

Mais mes lecteurs, eux, doivent comprendre que les personnes que je rencontre ou que je rencontrerai encore ici ne se souviennent absolument plus, pour la plupart, de leur état d'esprit au temps où elles-mêmes étaient (ou sont encore) en trois dimensions. Ou bien si elles s'en souviennent, elles n'y attachent aucune importance et pour elles cela ne constitue pas un sujet digne d'intérêt. Précisément pour cette raison, ils méprisent un peu ma profession que j'ai d'ailleurs facilement tendance à dissimuler ; comme on le verra par la suite, ici aussi je séjourne incognito, comme de coutume lorsque je suis en tournée de reportage. Je dois en fait me réjouir de cet état de choses parce que c'est l'indifférence des gens d'ici à l'égard de l'existence en trois dimensions qui peut expliquer que jamais encore, sinon extrêmement rarement, on n'a cherché d'ici le contact avec vous ; et de cette façon ils m'ont laissé beaucoup à vous faire découvrir de ce que l'on ignore encore dans votre monde.)

Pour mieux vous faire comprendre tout cela j'invoque une comparaison déjà utilisée. Ils vous est probablement arrivé de penser que vous rêviez au cours de votre rêve et vous voyiez même ce rêve (rêve dans le rêve).

Pour résumer : au moment de mon départ ainsi que depuis, chaque fois que j'y reviens, je ressens la pénible responsabilité de quelqu'un qui rêve être assis en agréable compagnie, il joue éventuellement aux cartes, ou il récite quelque chose, ou il écoute quelqu'un, et alors il doit se réveiller, et cette personne s'inquiétera ensuite pendant de longues minutes de ce que peuvent bien faire les protagonistes de son rêve qu'il a bel et bien plantés là sans prendre congé, et qui regardent maintenant bouche bée dans sa direction et le trouvent probablement mal élevé, et mon adversaire aux cartes qui avait un bon jeu en main n'a qu'à le balancer contre le mur ; le récitant en arrivait justement au clou de son histoire mais il lui reste à travers la gorge ; mon partenaire qui était tout ouïe reste sur sa faim.

Vous devez vous convaincre que ma comparaison n'a rien de frivole car il s'agit d'une chose d'autant d'importance que l'au-delà lui-même. Les exemples que je viens de citer et qui sont des choses très humaines, existent aussi ici, mais un peu autrement...

À l'instant où je vous parle, il me plaît de me rassurer que cette mauvaise éducation ou ce manque de tact ne peuvent nullement m'être reprochés puisque je vous ai prévenus que j'allais vous quitter.

Je me réjouis d'avoir le moyen de me justifier et de prouver que je n'ai pas oublié votre sympathique compagnie.

J'en reviens aux impressions relatives à mon départ.

Depuis que je me suis convaincu que j'ai réussi à retenir et qu'en cas de besoin je saurai me remémorer le dernier souvenir de mon existence tridimensionnelle (à partir de là les autres aussi), je n'hésite plus à me laisser aller à de nouvelles impressions qui auraient risqué de les effacer.

Il est temps.

Le bruit s'intensifie.

Je dois d'abord me frayer un chemin à travers des ténèbres.

C'est la partie la plus déplaisante de l'affaire.

Heureusement cela ne dure pas trop longtemps.

Mes organes tridimensionnels font un raffut épouvantable, surtout mes poumons et mon cœur, cela effraye mes nerfs tridimensionnels au point de provoquer dans ma cervelle tridimensionnelle le plus grand des chambardements.

Par suite de l'inertie normale de leur état, tous ces organes sont habitués à leurs trois dimensions et au moment dont je parle ils ne ressentent pas les opportunités que leur offre l'existence dans une quatrième dimension.

Comme s'ils s'imaginaient qu'ils n'auront plus l'occasion de bouger, de battre, de respirer, de vivre, dès qu'une certaine phase cesse d'exister (ce qui bien sûr entraîne l'abandon d'une forme qu'ils confondaient avec l'essentiel), ils s'affolent désespérément et se mettent à s'agiter convulsivement.

Il en résulte que la cervelle tridimensionnelle tente au prix d'un effort démesuré de tout remettre en ordre, autrement dit de s'agripper à la forme (je crois que c'est ce que vous appelez l'agonie) jusqu'à ce qu'à la fin, très difficilement elle revienne à elle.

Elle découvre qu'elle existe, ou plutôt qu'elle est consciente de l'existence, tandis que les poumons et le cœur qu'elle sent encore pendant quelques instants en trois dimensions, ne bougent plus.

Ou plus exactement...

Ils bougent bel et bien, ils palpitent et ils respirent, à leur manière, mais pas à l'endroit où elle les cherche (compte tenu de l'orientation des synapses tridimensionnels).

Quelque part ailleurs.

Dans la quatrième dimension.

Après une rotation du plan de projection.

Sentiment très étrange.

Je me rappelle, par exemple : la jambe de quelqu'un qui s'endort.

Corps étranger. Il est bien quelque part, mais la question est : est-ce que je me trouve au même endroit ?

Ou encore : la douleur persistante d'un bras amputé. C'est effrayant. Imaginez maintenant qu'on ampute le corps tout entier. Il reste douloureux un instant – nous ne savons pas où nous sommes – à la source de la douleur ou à l'endroit où nous la ressentons ?

C'est ainsi que le condamné à la décapitation essaye de rattraper sa tête.

Tout vient de cette stupide représentation du Moi. Cause de tous les malentendus.

Nous voulons à tout prix la fixer.

Cette lâche obstination est la source de combien de souffrances et d'égarements !

La fixer à l'être qui se trouve le plus à proximité.

Quelque chose fait mal. C'est-à-dire, très près, il y a là quelque chose.

Rien de plus simple : c'est moi qui ai mal. C'est à moi que ça fait mal.

Corps. Main, jambe, poumon, cœur. Mouvement. *Matière*.

Évidemment. Tout cela existe – existe bel et bien – existe beaucoup plus, plus réellement, mille fois plus réellement que tu as jamais pu l'imaginer, cher lecteur!

Et évidemment qu'est-ce qui t'épouvante? le Moi existe également, et comment! Toi-même tu l'as affirmé, tu l'as senti, tu l'as nommé, mais il existe beaucoup plus, plus réellement, mille fois plus réellement que tu as jamais pu en être conscient.

Mais pourquoi as-tu voulu, pourquoi veux-tu à tout prix fixer ce moi là où tu en prends conscience, auprès des autres réalités?

Parce que c'est le plus proche, n'est-ce pas. Tout est à ta portée, main, jambe, poumon, cœur, à quoi bon te fatiguer à le lier à des objets plus lointains, même si ces objets plus lointains et ton moi font éventuellement mieux, plus parfaitement, un tout?

Pardonnez ma faiblesse, c'était plus fort que moi : arrivé à ce point, j'ai ri de bon cœur de l'expression stupéfaite et légèrement offusquée de votre visage tel que je me l'imaginais après mon discours.

Comme si je vous entendais : vous avez perdu la tête, cher Merlin. Si je suis assis ici, au café Piccadilly, je ne vais tout de même pas intituler Moi le monsieur qui se promène dehors, et encore moins, si vous préférez, l'immeuble d'en face, rien que parce que, fabriqué de matériaux plus solides, il durera probablement plus longtemps que ma modeste personne à laquelle il vous plaît de faire allusion. Peut-être que je ne durerai pas aussi longtemps, il est même possible que cela ne me fasse pas plaisir, mais ce n'est pas une raison suffisante pour moi de décider qu'à partir de cet instant mon Moi sera l'immeuble d'en face qui, avec ses yeux fenêtres grands ouverts et sa bouche portail béante, fixe l'objet étranger qui est assis ici au café.

Je ne polémique pas avec vous, monsieur Lecteur, vous avez parfaitement raison.

Je voudrais simplement et modestement vous rappeler que vous avez déjà plusieurs fois commis ce genre de galéjade et vous n'avez pas du tout cru qu'il s'agissait de quelque pouvoir surnaturel.

Vous, à l'instar du jeune et blond Carnegie, vous vous prélassiez en compagnie de la belle Charlotte Corday sur le littoral norvégien, et dans la conscience béate de votre Moi vous vous y sentiez fort bien, vous flirtiez et vous jouissiez du magnifique coucher de soleil.

Or l'instant suivant, par suite de certains événements par ailleurs insignifiants, intervenus entre temps, vous vous êtes convaincu que vous ne vous appeliez pas Carnegie, que vous n'étiez ni jeune ni blond, mais vieux et chauve, que vous ne vous prélassiez pas sur le littoral norvégien mais que vous étiez couché dans un lit, et que vous deviez vous presser de vous habiller, pour ne pas rater le train.

En somme, même si vous ne comprenez pas, vous devez me croire.

C'est quelque chose d'analogue qui m'est arrivé.

Avec un peu plus de vivacité peut-être.

Je pense encore savoir que mon nom est Merlin Oldtime, je pense encore savoir que je suis couché dans cette salle mortuaire, je pense encore savoir que mon cœur et mes poumons ne fonctionnent plus et que donc tout est fini, qu'il n'y a plus de Merlin Oldtime, qu'il n'y a donc plus de salle mortuaire, il n'y a plus de monde, il n'y a plus rien.

Mais en même temps, quasi simultanément, je commence à savoir autre chose aussi.

Qui plus est, plus puissamment, plus sûrement et plus évidemment qu'auparavant.

Qu'est-ce que cette chose, qui est cette personne? Pour le moment, vous le dire serait peine perdue, vous hausseriez les épaules ou vous penseriez que je plaisante.

C'est pourquoi je me limite à vous relater la découverte elle-même, le sentiment *physique* comme vous l'appelez.

Le reste se révélera de toute façon plus tard.

D'abord et en premier lieu : je ne suis pas couché dans une salle mortuaire.

Deuxièmement et en second lieu : non seulement mon Moi ne souffre de rien, bien au contraire, j'y crois plus fermement que jamais, pour la simple raison que j'en sais infiniment plus sur ce Moi que j'en savais dans la salle mortuaire et tout au long des événements qui l'ont précédé. Jusqu'à un certain moment.

Les images viennent et se suivent, les choses me reviennent successivement à l'esprit alors que je n'en avais pas la moindre idée pendant le cours des événements.

Ainsi par exemple.

Ce certain moment par lequel la série des événements a commencé (et qui a pris *fin* par la salle mortuaire), je le vois également clairement devant moi.

Je sais bien que j'étais de mauvaise humeur et très fatigué.

Je venais d'avoir une furieuse scène de ménage avec madame, je lui ai même dit : « fiche moi la paix, j'en ai par dessus la tête ». En outre j'avais trop mangé, je voulais ne *penser* à rien, je voulais pour quelques minutes au moins qu'on ne me pose pas de question, point.

Et point, et vraiment point et un peu d'obscurité, et l'instant suivant le soleil est à un tout autre endroit que là où il éclairait l'instant d'avant, et le cœur, les poumons, les nerfs, etc, normaux, quadridimensionnels commencent à étouffer, à gesticuler, à regimber, ils ne veulent pas passer par cet espace étroit et inconfortable en trois dimensions, et pourtant tout d'un coup ils s'y trouvent, et moi je m'acharne férocement, la lumière entre par le côté opposé, je n'arrive pas à retrouver les organes qui m'appartiennent, et à ma plus grande indignation et pour ma plus grande contrariété une vieille sorcière décatie me secoue, me bat, me projette en l'air, je suffoque, elle m'immerge dans de l'eau chaude, elle m'en retire et à la fin elle me flanque dans une sorte de berceau. Et ce qui est le plus désagréable, c'est que je ne peux pas protester, je ne peux pas leur expliquer qu'ils me fichent la paix, que je n'en veux pas de tout cela,

que je ne suis pas présent, que je suis tout autre part,
que je veux rentrer, qu'ils ne bougent pas jusqu'à ce
que je retrouve mon chemin car chaque nouveau geste
m'enfonce plus profondément dans ce processus, en
vain ! Je suis incapable d'arrêter cet engrenage tortueux
pour la simple raison que je ne sais plus moi-même qui
je suis ni où je suis en fait ; dans la réalité ? Faute de
mieux je suis contraint d'admettre que je suis ici et que
c'est ici la réalité.

Bien que péniblement, mais je m'y résigne et par
cette résignation même j'assume une montagne de
choses ultérieures, relatives à cet état extravagant, simplement parce qu'une image provoque et attire les
autres, toute une armée d'images délirantes, insensées
et inutiles qui ne jouent aucun rôle dans ma vie : jusqu'à la salle mortuaire.

Tout cela me parcourt, condensé bien sûr, puis immédiatement après apparaît frais et dispos le désir sain de
passer enfin d'urgence à l'action.

Tout d'abord, regardons autour de nous.

Le train avale gaiement les distances avec moi, je
dégourdis mes membres endoloris, et je regarde par la
fenêtre.

Je vois encore, au loin, entre les rails qui se rapprochent, le Panneau que nous venions d'atteindre et de
dépasser au moment précis où je suis revenu à moi.
Dessus on lit : Quatrième Dimension.

DEUXIÈME COMMUNICATION

Temps terrestre, le 11 avril.

Quelques minutes de plus et je me sens tout à fait chez moi.

La mue a eu lieu.

Je me trouve ici dans la quatrième dimension, c'est une parfaite certitude.

Je sais maintenant qui je suis (nommément), et pourquoi je me trouve dans ce train et où je me dirige.

Mais c'est secondaire.

Ma situation et ma position sociales (disons : antérieures), affaire personnelle, ne rentrent pas dans le cadre du présent reportage, donc je ne veux pas en charger mon lecteur. Je ne dévoile pas non plus mon véritable nom, bien que ce nom soit connu de nombre de gens cultivés.

D'autant moins qu'en même temps je me rappelle fort bien que là-bas où se trouve mon lecteur, mon nom est Merlin Oldtime (j'ai une excellente mémoire, il faut le reconnaître! D'ailleurs je ne peux pas résister à l'envie de rire de ce nom étrange, il se trouve que je sais pourquoi on me nomme ainsi chez vous!), que je suis collaborateur du *New History*, mais si, c'est comme je vous le dis, collaborateur du *New History*, n'est-ce pas

magnifique? Et que j'ai pour tâche urgente de maintenir le contact avec les abonnés du journal.

Je poursuis donc les communications que j'ai arrê-
tées la dernière fois à l'esquisse de la sensation subjec-
tive de la projection dans la quatrième dimension.

Encore un dernier mot sur ce point.

J'en étais à ce que moi, Merlin Oldtime, je constate,
c'est une agréable surprise, que rien ne cloche en
matière de respiration, de battements de cœur et autres
importantes fonctions vitales, comme je le craignais de
l'autre côté.

Je respire très régulièrement, mon pouls est impec-
cable, mon état général est satisfaisant.

J'aurais envie d'ajouter tout de suite que j'ai faim,
mais le lecteur risquerait de s'imaginer que je me per-
mets des plaisanteries frivoles une fois de plus.

Avant donc de faire cet aveu, j'emploie des comparaisons pour essayer de lui faire comprendre les deux
points essentiels qui rendent notre contact d'une part
plus difficile, d'autre part, tout de même possible : c'est-
à-dire en quoi se ressemblent et en quoi diffèrent les
existences en trois ou en plus de dimensions.

Je dois vaincre la partialité du lecteur avec laquelle
(je m'en souviens très bien!) ces paroles : l'au-delà,
l'autre monde, existence après la vie, âme, immortalité,
âme immortelle et d'autres encore, sont énoncées par
le lecteur à lui-même ou devant autrui (en paroles ou
en pensée).

S'il y croit, il attache à ces termes certaines charges
d'émotion et de recueillement; pour le moins il les

détache de tout le reste, et dans une certaine mesure (à juste titre) il considère comme sacrilège que quelqu'un, dans son monde, confonde ces notions avec ce qu'on appelle des phénomènes physiques.

C'est pourquoi je dois m'exprimer avec prudence.

Premièrement : c'est désormais d'ici que je m'exprime. Ici les sentiments tels que émotion, recueillement, existence après la vie ont un tout autre sens.

Je rassure le lecteur. Une forme différente du recueillement et de la piété existe ici aussi, elle n'y est pas opposée, c'est seulement que l'idéal recherché se situe plus haut et plus loin.

Deuxièmement : en matière de différence et de similitude.

Le plus simple est peut-être si je dis que les deux notions résident dans le degré et non dans la substance.

Tout au moins pour l'instant.

Seulement ce degré, ou plutôt cette gradation prend, il me semble, l'orientation exactement contraire à ce que vous supposeriez.

Je dois sourire quand je repense aux séances des adeptes du spiritisme auxquelles j'ai participé pendant mes recherches (essentiellement afin de me faire des relations).

Des configurations nébuleuses tournoyaient en volutes dans l'air, elles impressionnaient la plaque photographique ; cette *matière* dont ils parlaient, *l'ectoplasme, le photoplasme, le corps astral* et d'autres formes dans lesquelles leurs fantômes se manifestent – et c'est bien compréhensible ! – ressemblent beaucoup plus à des manifestations d'une existence se disloquant en brouillard et en nuée, cherchant à retourner au néant ou plus encore au chaos (en réalité ils auraient beaucoup plus à voir avec le bouddhisme qu'avec notre spiritisme européen plus sain) qu'à des êtres de plus de trois dimensions, plus de trois! C'est ridicule! Alors que ces *esprits* supportent à peine deux dimensions, ils sont beaucoup trop amorphes, le plan bidimensionnel de la plaque photographique flotte sur eux comme un habit trop large, leur matière éthérée consiste en des points ou tout au plus des lignes, elle est à peine perceptible.

Je me rappelle avoir dit à ces spiritistes : vos fantômes ont peut-être bien existé jadis, à un degré primitif précorporel de la vie, mais à supposer que quelques spécimens archaïques subsistent encore, ces derniers ne méritent sûrement pas que nous les évoquions, le corps tridimensionnel était tout de même une solution supérieure et infiniment plus parfaite que ces êtres! (Au demeurant, on le voit bien à leurs manifestations : dans tout ce qu'ils *déclarent* par la voix des médias, ces ectoplasmes et corps astraux témoignent d'une moindre compréhension du sens de l'existence que l'intelligence élémentaire qui a permis au plasma initial ou à l'infusoire monocellulaire de s'adapter à l'existence terrestre!)

Comprenez-moi bien : vos *fantômes* représentés avec des draps blancs et de la peinture blanche translucide ou des voiles nébuleux n'atteignent qu'un degré de l'existence inférieur à un corps vivant.

Tandis que ce qui est ici : un degré supérieur. Je ne veux pas dire supérieur d'autant, car vous pourriez vous vexer, mais…

En bref, pour faire court : croyez-moi, en ce qui concerne mes poumons et mon cœur, ils fonctionnent ici aussi bien et dans un certain sens même mieux que les vôtres. Je dirais à peu près comme ceci : tandis que vous ne prenez conscience du fonctionnement de vos organes que de manière indirecte, en constatant leurs mouvements extérieurs et intérieurs, par le biais de vos sens, voire des capteurs de vos appareils dédiés exclusivement à cette fin (en gros de la même façon que vous n'enregistrez les phénomènes extérieurs que dans leur mouvement, pas autrement !), moi je vis dedans, je bats et je respire comme… mais à quoi bon l'expliquer ?

Votre corps serait plus compact, plus dur, plus solide ?

Absolument pas !

Pur mirage !

Vous portez la main à votre tête : oui, bien sûr, par rapport à vos mains, par rapport aux nerfs dont la terminaison touche le crâne osseux, l'os est dur et compact ; mais dès qu'il est traversé par un vulgaire rayon gamma, avec sa vibration plus dense, sa fréquence plus élevée que ce qui lie la matière dite solide, il se désagrège en une brume illusoire, une nuée cotonneuse. Pensez-y, et alors peut-être vous ne m'en voudrez pas si je vous assure que si je vous rencontrais sous la phase qui caractérise mon état physique actuel, si j'affrontais dans un combat même le plus brave gaillard d'entre vous, mettons Carnera aux poings d'acier, je traverserais ce champion du monde que par ailleurs j'admire infiniment, les yeux fermés et les mains croisées dans le dos, comme une balle de fusil traverse un bol de lait caillé, qu'il me pardonne de l'avoir pris comme exemple.

Enfin, pour ce qui est de ma *conscience*, de la conscience du Moi, de ma capacité d'observation et de compréhension, vu que celles-ci sont des conditions essentielles de l'aptitude du journaliste…

Écoutez, je ne peux pas vous dire autre chose que tout ce que je constate ici autour de moi, bien que pour la forme cela ressemble beaucoup à ce que vous voyez également, si je regarde le monde alentour, présentement je réalise son existence beaucoup plus sûrement et plus intensément que je n'avais coutume autrefois de le concevoir et de le fixer dans ma conscience.

À peu près aussi sûrement que vous, vous admettez les rayons gamma.

Ici, devant moi, près de la fenêtre du train, c'est un verre d'eau.

Un verre tel que vous les connaissez.

Mais ô combien plus explicitement, plus évidemment !

Ô combien j'en suis certain que c'est cela et rien d'autre !

Beaucoup plus de notions m'y rattachent.

J'en sais beaucoup plus à ce même instant.

Sa forme, son contenu, son matériau, son essence, sa composition, sa signification, sa relation à son environnement, son rapport à tout ce qui existe – tout cela se distingue nettement et indubitablement de mon Moi dans ma conscience, objet qui n'est pas en moi mais hors de moi et pourtant il existe !

En soi.

« Pour être soi », a dit quelqu'un, ça me revient !

Et si, ne m'en veuillez pas ! J'ai ressenti le besoin d'évoquer tout cela pour me faire excuser c'est pour ne pas heurter certaines âmes sensibles lorsqu'à propos de mon arrivée j'ai tout de suite commencé à mettre en avant des choses aussi *terre à terre* que ma faim.

Mais, fort heureusement, j'ai vraiment faim.

Je sais même de quoi j'ai faim.

Un jour, j'y pense encore en soixante et onze quand ce train passait par ici, j'ai rangé un morceau du meilleur fromage alpestre là-haut, dans le filet à bagage du compartiment. Maintenant ça tombe bien. L'eau m'en vient à la bouche.

Bouchée royale !

Il est difficile de décrire la saveur de ce qu'on mange quand on est parfaitement éveillé. En ce moment je pense savoir que je suis parfaitement éveillé. Et je le suis.

Je suis honteux et je me prends en pitié quand je repense à ce que signifiait pour moi manger du fromage dans votre monde.

La faim y jouait aussi un rôle, et même c'était le seul sentiment qui ressemblait substantiellement à la faim ressentie dans la réalité à quatre dimensions.

À propos du désir, certains poètes remarquent très justement qu'il oriente vers de plus hautes sphères.

« Tous tes désirs sont paroles de Dieu en toi », observe le poète et je me rappelle, dans le monde précédent cela me plaisait déjà. Qu'il soit dit à l'éloge de ce poète que même ici je ne sens pas ce dicton (traduit bien sûr en quatre dimensions) aussi comique que la plupart des citations qui proviennent de l'autre côté.

C'est seulement que tous les désirs je les ai emmêlés en une véritable mixture.

J'ai pris le vrai pour symbolique et réciproquement.

La faim en tant que désir est similaire là-bas aussi.

Mais quelle différence dans l'assouvissement !

Du morceau de fromage pris dans la main, j'ai d'abord dû constater qu'il était vraiment un aliment et non une notion abstraite.

Avec ma langue j'ai touché une forme et une matière : la première, il a fallu la transformer par un effort de mastication, la deuxième évoquait surtout des volumes lisses, émoussés, étrangers.

Dans une pâle lueur une sorte de saveur vaguement rappelée, plutôt le souvenir ou le pressentiment d'une chose à laquelle j'aspirais mais qui, à peine apparue, disparaissait, telle une hallucination de l'au-delà.

Ici seule la saveur existe, elle vaut celle de mes désirs.

La saveur elle-même, détachée de la matière, comme une réalité autonome et reconnaissable en soi.

Je ne dois la comparer à rien.

Je ne la confondrais avec rien, même si je n'avais jamais mangé de fromage. Le plaisir qu'elle procure ne se rattache à aucun souvenir contraignant. Il naît et il est.

La saveur se fait comprendre d'elle-même.

Ma langue et mon palais nommeraient le fromage, fromage, s'ils ne l'avaient jamais rencontré : c'est ma langue et mon palais qui le découvrent, pas moi.

Vraisemblablement c'est à des choses de ce genre que vous pensiez lorsqu'en soupirant vous évoquiez le nectar et l'ambroisie.

À propos du nectar.

Un verre d'eau de ma gourde y répondra.

Je comprends maintenant pourquoi j'avais toujours soif dans l'ancien monde.

Que de cocktails j'ai commandés, que de fois j'ai vitupéré le mauvais dosage d'un barman, je m'enivrais mais je n'étanchais pas ma soif ! J'ai bu mes larmes et si je me rappelle bien, j'ai même bu du sang.

Car j'avais oublié de boire ce petit reste d'eau avant de m'endormir.

La soif est comme emportée par le vent, et moi, désaltéré, je me tourne vers la fenêtre.

Un paysage hospitalier, vallonné, court au dehors, le soir tombe.

Je consulte mon plan de voyage : bientôt nous atteindrons la ville que, pour simplifier, j'ai appelé Dünkirchen de l'autre côté.

Je vérifie mes documents, je veux que tout soit en ordre au contrôle. Je ne sais pas pourquoi, mais je pressens que le contrôle aura lieu dans le train. Je suis très allègre et curieux.

Le train ralentit. Nous sommes apparemment arrivés dans une gare secondaire, attente excitée ; je vais peut-être savoir enfin à quoi ils ressemblent, comment vont se manifester les premières âmes que je rencontrerai.

Parce que jusqu'ici j'étais seul dans mon compartiment.

Comment est-ce qu'ils peuvent bien être? Ressemblent-ils à moi? Ou plutôt à l'image que je me suis faite d'eux autrefois?

Mon cœur bat la chamade.

Jusqu'ici je n'ai été entouré que d'objets et de la nature, des êtres vivants vont désormais venir, cent mille fois plus vivants que de l'autre côté puisqu'immortels.

Moi qui ne suis qu'un voyageur en transit, je sais bien que je ne le suis pas encore.

Pour la première fois une question me traverse : suis-je prêt pour ce qui doit venir?

Puis, je me ressaisis.

Je pense à mon devoir.

Le train ralentit, il s'arrête.

Je me lève, je me redresse, tendu, prêt à tout.

D'abord le silence, puis comme si un bruit lointain se rapprochait... Murmure étrange. Comme si on parlait. Comme si quelqu'un questionnait impatiemment. Je ne peux pas distinguer les paroles.

Les bruits s'intensifient. Ils se transforment en une sorte de grondement continu. Le train tressaille doucement. Comme s'il se soulevait.

Aïe!

Un instant, et le paysage crépusculaire extérieur s'illumine d'une lueur éblouissante. Au même moment le grondement *crescendo* se transforme en un bruissement, musique !

Musique ! C'est ça ! Quelle musique enchanteresse ! L'intensité grandit, bien au-delà de ce que mes oreilles terrestres auraient pu supporter. Déjà c'est sans oreilles que je l'entends, sourd, comme si mille cieux résonnaient ; par rapport à cela, qu'était-ce que la bataille de Gorizia ?

La musique devient si puissante qu'elle éteint la lumière de mes yeux, il fait nuit aux fenêtres et des éclairs fulgurent dans cette obscurité.

Il me semble que dans un instant je pourrais perdre le fil et retomber là d'où j'ai osé sortir, dans l'évanouissement des trois dimensions…

Je dois tendre toutes mes forces pour que la frayeur, une frayeur plus terrifiante que toutes celles que j'ai vécues, ne m'écarte pas de la réalité.

Je suis sur le point de défaillir, à moins que…

Rédemption !

Une voix issue du chaos de l'alternance étourdissante de l'ombre infernale et de la stupéfiante clarté.

D'abord de loin, puis de plus près.

— Allô ! Allô !

Puis très perceptiblement :

— Allô, Rameau ! (Voilà, le nom, je l'ai donc dévoilé.)

J'aimerais hurler.

— Allô ! j'essaye ma voix mais je suis amèrement déçu par mon faible miaulement. Aucune chance que l'âme charitable l'entende.

Par bonheur la Voix est déjà ici quelque part, sous la fenêtre.

— Allô, Rameau! répète la voix gaie, cuivrée, êtes-vous dans le compartiment?

Frissonnant, je miaule encore. Situation pitoyable.

La porte du compartiment se met à onduler à la manière d'un rideau.

Sa poignée monte et descend à plusieurs reprises, mue par une main impatiente. Ensuite la main en a apparemment assez... La matière supposée dure et opaque de la porte fermée flotte et ondule comme un liquide... Un liquide translucide... on croit apercevoir les contours d'un visage à travers... Il s'approche de la surface intérieure de la porte... déjà je le distingue assez bien...

Un visage que je connais...

Il me regarde lui aussi, son sourire m'encourage, je vois sa main me faire des signes.

L'instant suivant il surgit de la porte liquide.

Il se tient devant moi. Il sourit. Il se penche ample-ment en avant... je ne sens pas mais je vois qu'il m'étreint, il embrasse mon visage chaleureusement.

Dans ma torpeur je ne résiste pas, je m'efforce de réagir...

— Qu'y a-t-il, Rameau? Vous ne me reconnaissez pas?

Je bégaie. Je m'efforce.

Il rit de bon cœur, d'un rire sain, à plein poumons.

— Ce n'est pas très gentil de votre part... Je savais que vous veniez, j'ai fait le voyage pour vous accueillir, pour vous aider à traverser les premières difficultés... je me doutais que vous seriez un peu impressionné… c'est comme cela d'habitude…

J'hésite encore.

Cela ne le dérange pas, il bavarde avec vivacité, électrisé, manifestement très heureux de m'avoir trouvé et de pouvoir m'aider.

— Ne soyez nullement gêné, pour moi aussi c'est une surprise… Vous savez, je croyais que vous étiez venu pour de bon, c'est comme ça qu'on m'a informé… J'apprends à l'instant qu'il ne s'agit que d'une expérience et que vous voudrez repartir… Très intéressant ! Encore plus intéressant en tant qu'expérience… Mais bien sûr je ne l'avais pas prévu… dans ma distraction, vous avez pu le voir, j'ai commencé à secouer la porte, avant de comprendre que je me trouve dans la quatrième dimension, je peux la traverser sans y penser… Évidemment j'aurais pu me rappeler que c'est seulement dans la quatrième dimension qu'il est possible d'exécuter l'expérience si vous voulez vraiment retourner dans la troisième… De la cinquième où ma modeste personne se trouve ce n'est plus possible… ou plutôt, peut-être possible, mais cela ne vaut pas la peine… heureusement pour moi parce que, comme j'ai toujours la bougeotte, j'en serais bien capable… Mais je n'arrête pas de bavarder, j'ai dû vous effrayer… Mon pauvre ami, ce n'est pas un état confortable… de traîner en quatre dimensions, dans ce milieu dur, clair et bruyant où vous êtes tombé… vous êtes impressionné, non ? Il faut dire que vous avez très mauvaise mine…

ne m'en veuillez pas, c'est plus fort que moi... il faut que j'essaye.

De façon inattendue il tend ses bras en avant.

Je suis quasiment pétrifié, je suis de nouveau proche de l'évanouissement, de la dislocation, de l'anéantissement en nuée.

Eh bien, quelle honte !

Et c'est moi encore qui me suis vanté auprès du lecteur !

Toujours est-il que le poing de mon charmant compagnon de voyage a parcouru mon corps avec la facilité de la balle de fusil, évoquée plus haut, à travers le lait caillé auquel j'ai comparé le champion de boxe.

Il le parcourt et il se retire, sans que la main et le corps se touchent, sans qu'il provoque le moindre changement l'un sur l'autre, comme s'il avait pétri un nuage de brouillard, la projection d'une image vide, qui se recompose ensuite sans le moindre dommage...

Mon compagnon de voyage rit de bon cœur.

— Je le disais bien ! Quatrième dimension ! Image et ombre ! Fantôme ! L'esprit de Hamlet ! Mais vous m'êtes très cher tel que vous êtes ! Je suis ravi, j'aime beaucoup votre courage, j'apprécie l'idée, vous me plaisez jeune homme et ne craignez rien tant que vous me voyez, je vous guiderai dans ce monde pour vous éviter de vous perdre. J'ai parlé de vous à d'Alembert, il était très bien intentionné et pour m'être agréable il vous recevra. Je vous présenterai également à d'autres, il y aura quelques difficultés mais je ferai tout pour que... En somme, vous souhaitez recueillir des impressions… vous voulez les informer là-bas… C'est magnifique !

Je miaule encore, mon nom peut-être, tel qu'on m'appelle de l'autre côté : Oldtime.

— Oldtime ? Ce n'est pas mal. Cela m'est égal. Mais le café de la Régence, vous ne l'avez pas oublié, j'espère ?

Comme frappé par la foudre, je le reconnais enfin. Je crie, libéré :

— Monsieur Diderot !

— Denis Diderot, à votre service… comment m'avez-vous appelé au fait ?… du dix-huitième siècle. L'auteur du Paradoxe, à votre service. Vous n'auriez pas pu trouver un guide plus agréable. Ici, où nous venons d'arriver, vous ne trouveriez que peu d'esprits compréhensifs sachant apprécier votre entreprise… Vous aurez besoin d'une protection, j'ai d'utiles relations… qui aimeriez-vous rencontrer ?… Je vous préviens, vous devrez être prudent, vous devrez suivre mes conseils en toutes choses, ne faites pas un pas sans moi car cela pourrait vous jouer un vilain tour… ou bien on pourrait vous refouler là d'où vous venez, ou bien vous resteriez bloqué ici sans même distinguer le pourquoi du comment… Il faudra ruser un peu avec ces messieurs et Dames d'ici…

Je bégaie :

— J'ai obtenu les autorisations officielles.

— Vous n'irez pas loin avec les autorisations officielles… Ce n'est pas tellement les autorités qui vous intéressent, pour le moment… Vous désirez contacter personnellement les vivants… je veux dire les morts, comme vous les appelez… Il faudra leur faire croire que… Vous comprenez, si vous allez vous manifester auprès d'eux sans que je vous annonce… ils risqueraient de vous traverser simplement de leur regard comme je vous ai traversé il y a un instant avec ma main… Ils ne vous croiraient pas, vous pourrez toujours leur raconter ce que vous voudrez, gesticuler et sautiller autant que vous voudrez, ils se frotteront les yeux, ils feront un geste de dédain et ils vous tourneront le dos… peu de vivants ont comme moi l'envie de s'occuper de semblables balivernes tel qu'un être en trois dimensions, même si en l'occurrence vous avez réussi à vous incarner dans la quatrième… N'oubliez pas, chez vous non plus on n'aime pas beaucoup les fantômes des spiritistes… en tout cas vous devrez veiller à ce que personne ne puisse vous toucher… Enfin, je serai là, près de vous, j'y veillerai… Confiez-vous à moi, j'ai une passablement grande liberté de mouvement dans cette ville en cinq dimensions où nous allons bientôt arriver. Vous y serez très bien entouré, n'ayez aucune crainte.

Mon compagnon de voyage, mon mentor et mon guide, regarde par la fenêtre, puis se penche vers moi et m'annonce doucement et rapidement :

— Préparez-vous. Contrôle. Vous devez obligatoirement le subir pour qu'on vous laisse entrer dans la Ville.

Les uns après les autres, les préposés des contrôles de passeport et de douane entrent dans le compartiment à travers la porte.

TROISIÈME COMMUNICATION

Temps terrestre, le 14 avril.

Ils sont trois.

Un petit personnage en casquette, en tunique romaine, avec des sandales et des jambières de cuivre. L'autre, une sorte de fermier prussien avec une toque de fourrure rabattue sur les oreilles, des hardes colorées, un pantalon effrangé, des bottes à longues pointes. Finalement, un monsieur avec des lunettes qui m'inquiète parce que je le connais.

— Passeport, s'il vous plaît.

— Passez-le moi, c'est moi qui le présenterai, chuchote mon guide.

Je lui cède mes documents qui se transforment entre ses mains : l'un devient un rouleau de parchemin à l'attention du soldat romain, le fermier prussien reçoit un objet métallique et le porteur de lunettes une enveloppe fermée.

Mon guide explique.

— Ce monsieur est une vieille connaissance à moi, il est en voyage d'étude. Il a été invité par Tibère, par Charles V et par la reine Victoria. Après ses visites il construira une ville, puis il poursuivra son voyage.

Le porteur de lunettes tripatouille mes bagages.

— N'avez-vous rien à déclarer? Avez-vous emporté des images?

— Quelles sortes d'images?

— Des symboles, des souvenirs instinctifs, des gestes, des regards, des mosaïques de mots à assembler? Des visages, des yeux, des oreilles oubliés? Des babioles que vous auriez emportées d'ici, oubliées depuis, puis rapportées?

Je le regarde, péniblement gêné.

Mon guide s'adresse à lui:

— Laissez, Sándor. Ce n'est pas lui-même que Mister Oldtime souhaite rencontrer ici mais les conditions locales et surtout d'autres personnes…

— Mais moi je dois réunir des données de portée générale, s'obstine le porteur de lunettes.

— De portée générale! On en a déjà parlé…

— Vous ne voulez pas reconnaître l'importance de ces choses-là. Denis… Je sais bien que… L'autre jour je vous l'ai déjà expliqué… Je me souviens très bien de ce monsieur. Il se fait appeler Merlin Oldtime, or c'est complètement faux… en réalité il n'est qu'une substitution dans un rêve de Lady Hamilton, et moi je prouverai qu'elle ne pensait nullement à lui…

À cet instant, je le reconnais. Je crie:

— Monsieur Ferenczi! C'est génial! Quelle mémoire vous avez!

Je me tourne vers mon guide.

— À trois reprises j'ai rendu visite à monsieur le psychanalyste, à Budapest… Chaque fois nous nous sommes disputés à propos de mes rêves… Vous vous rappelez, monsieur Ferenczi... Je vous disais déjà que leurs éléments ne sont pas entrés dans mon rêve depuis l'autre côté, mais depuis ici même... Vous n'êtes toujours pas d'accord?

L'excellent savant hongrois répond avec un geste de dédain :

— Lady Hamilton que j'ai l'honneur d'*analyser*...

Je me fâche.

— Qu'est-ce que j'ai à voir avec Lady Hamilton? Moi...

— Vous êtes une idée délirante de Lady Hamilton.

— Et bien ça alors... Avec tous le respect que je dois à *her ladyship*, je récuse l'hypothèse d'être une idée délirante. En ma qualité de collaborateur du *New History*, je proteste au nom de mon journal...

Mon guide pose une main pacifiante sur mon épaule et chuchote à mon oreille :

— Ne discutez pas, Merlin. Je vous ai déjà dit que vous devez adopter une attitude très modeste, dans votre phase physique présente, ici on peut facilement vous faire un mauvais parti. Considérez comme un grand honneur d'être reconnu par monsieur le professeur et d'avoir éveillé son intérêt.

Puis à haute voix :

Mon ami Merlin vous donnera son adresse et sera à tout moment à votre disposition.

Ferenczi approuve de la tête.

— D'accord. Ramassez donc vos bricoles. Hum... que voulais-je dire... comment va le vieux Sigismund?

— Sigismund Freud ? Il va très bien. Il était enrhumé, mais c'est passé maintenant.

— Veuillez lui transmettre les respects de Charcot et de Jung après votre retour ! Je vous souhaite un agréable réveil.

Pendant ce temps on me rend mes papiers. Le soldat romain et le fermier prussien ont disparu.

Mon guide m'encourage du regard.

— Bon, c'est fait, Merlin. Préparez-vous, nous entrons dans la Ville.

Le train roule silencieusement, je sens à peine les roues. Des nuages sépias défilent devant la fenêtre. Encore un tournant et sous nos pieds s'ouvre le paysage.

Simultanément, quelque chose s'ouvre aussi en moi.

Ce sentiment, je dois le communiquer.

Non pas pour m'analyser.

Dans l'hypothèse que le lecteur, lui aussi, a déjà vécu une impression semblable, de manière diffuse, semi-consciente, j'essaie de visualiser le spectacle au moyen de cette impression.

Une sorte de soulagement, comme quand on se retrouve chez soi.

Mais pas dans un chez soi que l'on connaissait ou que l'on recherchait.

Un paysage inconnu, jamais encore rêvé. Et pourtant tout ce qui a existé jusque là, souvenirs d'enfance, visages connus, continuité de la vie, deviennent étranges et improbables.

S'agirait-il de la mémoire de l'espèce ?

J'ai souvent soupçonné les plantes de la posséder : c'est ce qui leur procure leur infaillible sécurité.

Pour essayer de résumer en un seul mot ce qui est fondamentalement autre dans cette sensation, je dirais : espace.

Espace et dimension. Plus spacieux et plus grand que tout ce qui lui ressemble.

C'est peut-être mon optique qui a changé. Mon horizon s'est élargi. Ou bien c'est moi qui me suis réduit à l'état de lilliputien.

Imaginez un horizon qui se situe cent fois plus loin que d'habitude. Il est plus loin et tout y est plus grand.

Une lunette à l'envers repousse le monde, sans le diminuer.

Vue d'ici la Ville aussi est gigantesque.

Dans le monde antérieur je n'ai jamais vu une ville de cette taille. De la fenêtre, où elle se déploie, la muraille par laquelle elle commence se profile vaguement à plus de cent kilomètres, cependant vue de cette distance, cette construction monumentale bâtie sur des collines et des vallons atteint presque la hauteur de l'horizon.

La muraille serpente, longue et sinueuse, les deux bras ouverts pour étreindre se perdent dans la brume.

Directement derrière, un immense étang entoure le paysage comme un cerclage : le centre de la Ville s'élève de ce lac comme une île.

Des ponts l'enjambent solidement.

Des ponts de pierre, vieux, couverts de mousse. Le reflet des piliers verts brille comme l'émeraude.

Les rues telles qu'on les voit d'ici, une profusion fabuleuse, se suivent et se croisent en courbes capricieuses ; aucun ordre géométrique nulle part, pourtant cela fait avec bonheur un tout harmonieux comme seul peut l'être ce qui est immuable car appartenant au passé.

Je ne peux pas m'exprimer autrement.

Cette Ville *est* le Passé.

Elle est le passé, donc elle est éternelle.

Elle est éternelle parce qu'on ne peut pas la changer, ni déplacer, ni agencer une seule de ses molécules : or ce qui ne se transforme pas ne peut pas cesser d'exister. Cesser d'exister serait un changement.

Tu peux imaginer, cher lecteur, que l'instant suivant tu feras exploser l'Himalaya. Tu n'en as peut-être pas la force, mais si tu l'avais, tu pourrais le faire.

Mais tu ne peux pas imaginer de détourner d'un iota la descente d'un flocon de neige qui s'est déjà posé au sol.

Aucune force n'a cette puissance.

Projette l'image mobile, reviens sur le même détail : elle montre mille fois la même chose.

Tout est fugitif, éphémère, sauf le passé.

Voilà pourquoi il est si rassurant.

Voilà pourquoi il est si libérateur.

Là tu n'as pas à te forcer, à prévoir, à vouloir. Là il ne se passe plus rien. C'est le Nirvāna qui est plein de mouvement, de vie, de couleur.

Et par là, en ce qui concerne ma modeste personne, je prends congé de mon lecteur : sur mes sentiments je n'ai plus rien à dire.

Dans la suite je rends compte de ce que j'ai compris.

À première vue cette ville rappelle la scène des *Mille et une Nuits*. J'ai cru deviner Bagdad et les voyages de Sindbād le Marin.

Mais à mesure qu'on s'approche des souvenirs toujours nouveaux se bousculent. L'image change aussi. Le train a peut-être bifurqué.

Nous roulons désormais parmi des rues. Des maisons médiévales, des toits ogivaux. Par endroits des ruisselets coulent sous des ponts minuscules entre les pavés.

Nouvelle expérience, un peu troublante.

L'image d'un groupe de maisons devant lequel nous filons s'est très fortement ancrée en moi : j'ai pensé à Raguse. Je me retourne aussitôt pour le regarder, mais au même endroit on dirait maintenant un vieux château fort avec des tours et des créneaux.

Plus tard je m'y suis habitué, mais au début c'était bizarre.

Lorsque nous pénétrons dans la gare, je trouve déjà tout naturel qu'ici on ne peut pas s'orienter, ou plutôt on le peut tout à fait, mais dans un tout autre sens que de l'autre côté, chez vous.

Les mêmes détails, maison, rue, environs, tu ne les retrouves pas au même endroit que précédemment.

Ils ne se sont pas perdus, leur place est seulement occupée par autre chose.

C'est le seul moyen d'agencer dans l'espace ce qui a existé successivement dans le temps : c'est évident, ici.

Je comprends vite de quoi dépend qu'un objet apparaisse à mes yeux.

Naturellement la condition est que je pense à l'objet.

Néanmoins, ce n'est pas moi qui décide. Tout suit un ordre intérieur qui échappe quasiment à ma volonté.

Cela n'a rien à voir avec les enchantements de pacotille d'un Aladin : je veux voir ci ou ça, donc cela apparaît.

Inversement. C'est parce que cela apparaît que j'apprends, que j'y pensais.

Mon guide m'avertit que nous avons pénétré dans la gare.

Tohu-bohu. Des visages apparaissent. Pour le moment je ne reconnais personne. Mon guide est en vive discussion avec quelqu'un par la fenêtre, probablement à mon sujet car le locuteur invisible rit avec étonnement. « Et où descendra-t-il ? » demande-t-il.

Mon guide se tourne vers moi. Je réponds aussitôt.

— N'importe quel petit hôtel me conviendra. Je n'ai pas besoin d'une grande chambre, pourvu que j'y sois seul, j'aimerais travailler. L'hôtel Siller à Vienne était autrefois un endroit propre et calme, ne pourrais-je pas y descendre ?

Mon guide hésite.

— Quand était-ce ?

— L'été mille neuf cent vingt-neuf.

Deux porteurs attrapent justement mes bagages. Mon guide les interpelle :

— Savez-vous où se trouve mille neuf cent vingt-neuf, le seize juin ?

Le porteur hausse les épaules.

— Comment ne le saurais-je pas ! Il faut savoir quand vous voulez y être.

— À l'heure viennoise.

Le porteur approuve de la tête.

— D'accord. D'ici-là on y sera.

Et déjà il attrape mes deux valises sur ses épaules et fonce.

Nous finissons par descendre du train. Je veille à ne pas être traversé par les objets. Je rase prudemment les murs, j'évite les gens qui viennent en face pour qu'ils ne risquent pas de me traverser en courant. Je suis un peu vexé de voir qu'ils ne me remarquent pas vraiment.

Mon guide m'accompagne un bout de chemin.

— Juste le temps qu'il vous faut pour vous habituer à la circulation, m'encourage-t-il en souriant.

Effectivement il faut s'y habituer.

Figurez-vous que dans l'espace on n'a presque aucun point de repère.

Le temps d'arriver au bout de la rue, je me retourne pour mesurer la distance parcourue : le début de la rue a depuis longtemps changé.

La difficulté est encore plus grande avec les passants.

Une foule de gens circulent dans tous les sens, mais les contacter – tout au moins pour moi – est pratiquement impossible.

Un incroyable français en gilet rayé passe par exemple près de moi dans son habit caractéristique du dix-huitième siècle, jabot, culotte plissée, bicorne. Je tente de lui adresser la parole. Le temps de me tourner vers lui, à sa place trottine un vieillard portant une longue cape, une toque pointue sur la tête.

De profil : un jeune homme rasé. Il se tourne vers moi : un homme barbu.

Dans certains carrefours je repère une sorte de policier, tout au moins un agent de l'autorité. Le temps que je m'approche, c'est un rôtisseur de pâtés qui d'ailleurs n'est pas debout mais accroupi près de son modeste étal.

Tout se confond, s'entremêle en tous sens comme dans un film devenu dément ; confusion diaprée, chatoyante, translucide, bariolée. Pour moi seulement, bien sûr. Pour les gens d'ici tout cela est simple, clair et compréhensible, ils s'y retrouvent à merveille. Mon guide m'assure que je m'y ferai, qu'il en sera de même pour moi. Que je ne dois pas oublier que dans le papillonnement du réveil, la chambre habituelle et les gens habituels nous font souvent un effet étrange : le salmigondis du rêve tournoie encore dans notre tête. Nos pensées battent la campagne, nos paroles sont délirantes.

Le salmigondis est donc en moi, il réside dans cet ordre apparent que j'ai rapporté de mon sommeil.

Pour que je revienne un peu à moi, il attire mon attention sur un point : si je m'y accroche mécaniquement je remarquerai une certaine régularité.

Ce point peut se résumer ainsi : je dois me convaincre que ce que j'appelle le temps est ici un fluide amorphe et d'orientation changeante, seul l'espace se déplace dans une direction unique, irréversible.

En effet.

Je remarque seulement les noms des rues et des places. Au lieu d'informations spatiales, je ne vois que des indications temporelles.

L'une des rues s'appelle le deux mars mille sept cent vingt-six.

Une autre le cinq octobre neuf cent trente.

Et ainsi de suite.

Au prix d'une forte concentration l'ondulation des choses spatiales commence à devenir quelque peu intelligible. Le tout n'est que pure fiction, je veux dire l'espace. Il est fort probable que je piétine sur place, et en ce qui concerne ma progression, mes allées et venues, cela se fait dans le soi-disant temps.

Mon guide acquiesce de la tête.

— Je vois, vous commencez à recouvrer vos esprits. Nous serons bientôt arrivés. Par ailleurs, pour que vous puissiez vous orienter sans mon aide, nous achèterons pour vous une bonne montre gousset sur laquelle l'espace est régulier et contrôlable, vous pourrez y lire sa progression linéaire dans la confusion de la dimension temps. Attendez, voici justement un excellent horloger.

Nous entrons dans l'atelier de l'alchimiste. Après un court marchandage j'entre en possession d'un merveilleux petit appareil que je place dans la poche de mon gilet. Sur cette montre (un peu comme chez nous sur les cartes) figurent des données spatiales successives, dans un ordre immuable.

— Regardez donc. Où voulez-vous aboutir déjà? À Vienne, n'est-ce pas?

Après quelques recherches je trouve l'emplacement de Vienne sur ma montre cartographique.

Il ne me reste plus qu'à observer les rues.

Mille neuf cent vingt… vingt et un… vingt-huit… Tiens, mais nous ne sommes pas loin.

Brusquement je m'exclame. Ce n'est même plus la peine de regarder le nom de la rue.

— C'est celle-là! Je la reconnais!

J'y suis, en mille neuf cent vingt-neuf, le dix-sept juin.

J'arrive ponctuellement : le petit hôtel Siller se trouve à l'endroit précis de la date où j'y ai séjourné naguère.

Les retrouvailles me réjouissent. Je confie mes bagages à la réception et je prends congé de mon guide.

Il me promet de me faire signe. Je lui demande de me téléphoner à Vienne.

QUATRIÈME COMMUNICATION

DANS LA VILLE DE LA DIMENSION DU PASSÉ
(Quelques visites en forme de feuilleton)

1

Programme de voyage

Vienne, 17 juin 1931.

Je me réveille de bonne humeur. Le soleil pénètre dans ma petite chambre, en bas le Danube, en face les bains de Diane. Je suis saisi par cette atmosphère agréable, rassurante, que les Français nomment «le déjà vu» : tout ce qui arrive maintenant s'est déjà produit, à l'identique. La différence est que maintenant je sais ce qui est arrivé ou ce qui est en train de se passer, mais c'est la même chose. Je me trouve ici, dans le passé, où si souvent l'homme languit de retourner. Tout est si évocateur autour de moi. La certitude que cette fois rien de spécial ne peut se produire que je ne sache déjà m'emplit d'un grand calme.

Dans la rue le charme vieillot de la circulation viennoise. Un vieux tacot s'arrête devant l'hôtel, ses fe-nêtres brillent. Une élégante vêtue à l'ancienne en descend, elle parle avec le réceptionniste. Cette dame qui descend de la voiture et qui parle avec le réceptionniste pour toujours. Je me rappelle maintenant que je la reverrai, je la rencontrerai dans le couloir, nous ferons connaissance, demain ou après demain.

Ceci n'a rien d'extraordinaire.

Imaginez un film en couleur et en relief, projeté dans l'espace, très fortement surexposé.

L'unique différence est que cette fois je me trouve moi aussi sur l'image, heureusement! Je regarde mon visage dans la glace murale au cadre dédoré : comme je suis jeune! Bien sûr, il y a vingt-cinq ans... Eh oui, j'ai été comme cela.

Pendant que je me rase mon rêve me revient. Cela devait être vers 1940, je suis à Londres, en pleine négociation avec un rédacteur. Je suis très vieux. Cette hantise, cette horrible obsession qui a toujours accompagné mes rêves se fait de plus en plus intense. Qu'est-ce que cela peut être? Combien de fois j'ai essayé d'y voir clair. Enfin j'ai l'impression de comprendre. Oui, parce que vers la fin du cauchemar je me fraie un chemin à travers une sombre ruelle des faubourgs. Ma hantise est à peine supportable. Comme si un gros chien me poursuivait.

Je finis de me raser parce que je sens que je ne suis pas seul.

Je me retourne. Mon guide, ce cher Diderot, est effectivement assis sur le canapé usé, il lit un journal.

— Ne vous dérangez pas, j'ai tout mon temps.

— Je suis prêt.

— Comment vous sentez-vous?

— Merveilleusement bien. J'ai bien fait de descendre ici, en mille neuf cent trente et un. Mon âge est juste ce qui convient : Merlin Oldtime à trente-six ans est plein d'enthousiasme, de curiosité, du goût d'entreprendre. Tout ce que je ne connais pas ou que je connais peu, m'intéresse. Où allons-nous ce matin?

— Vous avez le choix. Toute l'aire ou tout l'espace sont à votre disposition, c'est selon la coupe dans laquelle vous souhaitez circuler.

— Je comprends. Le Passé en lui-même, même retranché de l'Espace et du Temps, comporte au moins trois dimensions. Maintenant je vois cela très clairement. Alors je crois, du point de vue de mes lecteurs le plus intéressant serait de…

— Oh, vous voulez dire…

— Excusez-moi, mais…

— Bien entendu, je vous comprends parfaitement. Dans le rêve dont je me souviens le plus volontiers, au dix-huitième siècle, j'étais moi-même une sorte de journaliste… Vous rappelez-vous l'*Encyclopédie*?

— Je l'aimais beaucoup. Donc, si cela ne vous contrarie pas, je choisirai la coupe que de l'autre côté, chez nous, nous appelions histoire universelle.

Mon guide lance un clin d'œil étincelant, il est pris d'une bonne humeur estudiantine.

— Excellent. Projection humanocentrique, cinquième plan, rotation sur un axe, homothétie par rapport au point O. Cela m'a toujours énormément amusé. Les lignes se rencontrent en un point fixe, on ne peut pas les déplacer, à l'école nous appelions cela le destin, la prédestination.

— C'est exact. *Loi de cause à effet.*

Mon guide s'esclaffe.

— *Loi de cause à effet*, encore mieux! Je vous en prie, je vous y conduis avec plaisir. Où commençons-nous?

— Je voudrais faire quelques prélèvements, si possible dans la logique des trois dimensions.

— Alors nous choisissons d'abord la démarche darwinienne.

— Disons : culture archaïque, les débuts d'une vie sociale.

— C'est très beau. Le milieu du dix-huitième siècle restera dans ce cas pour la fin, et puisque nous restons ensemble, cela ne me déplairait pas de me rencontrer moi-même.

Je me gratte la tête.

— Hum... on ne pourrait pas aller plus loin?

— Qu'est-ce que vous entendez par là?

Je me justifie avec tact.

— Je peux comprendre, cher monsieur Diderot, qu'après le dix-huitième siècle la chose vous intéresse déjà moins... mais en ce qui me concerne... mais vous savez cela... étant rattaché au vingtième siècle...

Il me comprend sur le champ (en matière de prévenances, les Français n'ont pas de pareils!).

— Ah bon! Il s'esclaffe et regarde autour de lui, vous aimeriez revenir ici... Comme vous voudrez. J'admire votre bon goût, mais quant à moi le Paris d'alors me plaisait davantage que cette Vienne-ci. Mettons que vous visiterez les autres lieux tout seul, sans moi!... Qu'est-ce qui a déjà succédé à mon temps?...

— La Révolution française et des choses de ce genre...

— C'est cela… j'ai une bonne connaissance dans le sixième cercle… un certain Mirapan… ou Mirabon…

— Il doit s'agir de Mirabeau… figure notable de la Révolution.

— C'est cela… Mirabeau… très attiré par une certaine Toinette… Il m'a rapporté des choses et d'autres sur ce qui nous a succédé. Ce sera tout à fait intéressant.

— A été.

— Pardon?

— Puisque nous en parlons, monsieur Diderot…

— Pourquoi ne m'appelez-vous pas Denis?

— Cher Denis… Vous êtes si aimable, je vous aime bien, *old pickpocket*… Que voulais-je dire?… Puisque nous en parlons… je me suis demandé ce matin comment vous remercier pour votre amabilité… Mais en réalité je ne mesure pas bien la grandeur du service rendu, du sacrifice… en venant me chercher pour m'aider à surmonter les premières difficultés.

Mon guide sourit finement.

— Nous en reparlerons. Pour le moment, contentez vous de savoir que j'ai l'habitude de séjourner sur la limite du septième et du huitième cercle, mais cela vous dépasse pour le moment.

— Je me doute que vous avez dû parcourir un long chemin, à rebours…

— Eh, je ne me plains pas. J'aime flâner entre les dimensions. Plus j'avance, plus le chemin derrière moi m'intéresse… ma nature est ainsi faite. Dans le temps, de l'autre côté, je m'exprimais de cette façon : plus loin nous voyons dans l'avenir, plus loin nous voyons dans le passé également, parvenus au sommet nous apercevons en même temps notre berceau et notre cercueil!

— Et maintenant?

— Maintenant je suis ici. Si vous voulez savoir les choses dans l'ordre, mes deux dernières stations m'ont conduit à travers le cercle des Transitoires et celui des Satisfaits… Si après votre séjour dans la Ville du Passé cela vous intéresse toujours…

— Je veux absolument y aller, moi aussi.

— D'accord, nous en reparlerons. Pour le moment nous en sommes au programme de la matinée. Quelle heure est-il?

Je regarde ma montre.

— Vienne, sixième arrondissement.

— Avez-vous une carte sur vous?

— Naturellement.

(Heureusement, le petit manuel *Traits fondamentaux de l'histoire universelle* de H.G. Wells est blotti au fond de ma valise. Quelle chance que j'y aie pensé.)

Nous le feuilletons ensemble. Denis s'attarde un peu trop sur le chapitre «Grèce», hoche la tête. Puis je remarque qu'il consulte l'index, comme par hasard. Je le rassure, ce qui le fait légèrement rougir.

— Votre nom y figure.

Vite il change de sujet.

— Bon, que diriez-vous de l'Égypte? Ou peut-être Adam et Ève, ce serait plus simple?

— En Mésopotamie?

— Le jardin d'Éden devait se trouver par là.

— Hélas, je n'ai pas apporté le premier livre de Moïse.

— On peut aller le chercher... c'est l'affaire d'un saut...

— Puisqu'on en est à cette carte, suivons les indications de l'auteur. Il place le berceau de l'espèce quelque part autour de la Méditerranée, le long d'une ligne qui relie l'Allemagne à l'Afrique du Nord.

— Oui je vois... Neandertal?... Cro-Magnon?... Madagascar?

— Disons Cro-Magnon...

— Entendu. On prend un petit déjeuner et on y va...

En bas au café, il y a peu de monde. À une des tables près de la fenêtre, deux étudiants : un blond, cheveux en brosse, boutonneux, et un brun à la peau noire. (Je reconnais le premier, il deviendra professeur à Dresde, c'est là que je l'ai rencontré, il a mentionné qu'il m'avait croisé et connu à Vienne.)

Mon guide me souffle à l'oreille :

— Asseyons-nous là. Je ferai le nécessaire pour qu'ils nous emmènent.

Nous prenons place près de leur table.

Une fois de plus je suis saisi par cette bizarre et inhabituelle sensation.

On ne nous voit pas en ce moment.

Moi je ne suis pas assez dense. Mon guide l'est trop, au contraire : tous les deux, de part et d'autre, au-delà de la fréquence qui peut être captée dans la cinquième dimension...

Les jeunes gens sont en conversation. En allemand.

— Très jolie, dit le blond.

— Oui. Un peu sauvage tout de même.

— Il y a en elle quelque chose d'animal qui me plaît... Qu'y a-t-il, tu as froid?

Le noir a frissonné.

— Non, non... j'ai seulement trop peu dormi. Comment as-tu dit? Animale? Oui... Un être primitif... Elle ressemble d'ailleurs... tu te rappelles, il y a un tableau au Muséum, nous l'avons vu ensemble dimanche dernier... l'homme préhistorique reconstitué avec sa moitié...

Mon guide me fait un signe : nous pouvons monter.

Je le vois s'approcher tranquillement du noir. Il traverse la table. Le jeune homme ne se retourne même pas. Mon guide, fluide, le recouvre tout entier, à la manière d'une image projetée... Le jeune homme continue de parler, j'entends sa voix, mais sa silhouette s'efface progressivement, disparaît... C'est mon guide qui est dès lors assis à sa place, il m'invite... Je m'élance et je m'approche du blond. Il ne me voit pas, il s'essuie le front. Je le traverse en un coup de vent.

Le café se met à tanguer lentement...

Je regarde autour de moi et dans la pénombre floconneuse je vois tournoyer des petites boules étincelantes... De plus en plus de boules, une danse insensée, un tourbillon diabolique... J'entends le chuchotement allègre de mon guide.

— Nous sommes tout petits, n'est-ce pas? Cela vous plaît? Savez-vous où nous sommes? Entre les molécules des fibres nerveuses... dans la cervelle de ces deux garçons... Aucun de nous n'est plus grand que la plus petite des vibrations d'un atome...

— Des électrons ?

— C'est ainsi que vous les appelez ? Un joli mot. Va pour électron. Ce n'est plus de la matière mais du mouvement à l'état pur… c'est ce qui importe pour nous, de filer vers notre objectif plus vite que la lumière… les deux jeunes gens pensent à Cro-Magnon en ce moment, et les électrons de leur cerveau, contournant la Terre cent millions de fois à chaque instant foncent à rebours à une vitesse endiablée sur la voie du Passé… Attention, nous allons arriver.

Je m'accroche. La danse des Boules s'intensifie, je ne vois plus que des tracés scintillants qui s'incurvent… à l'horizon, un immense soleil s'enflamme : si mon guide ne s'est pas trompé, nous sommes parvenus à proximité du noyau de l'atome.

L'instant suivant, ce soleil s'incline vers le couchant à la cime des collines de Cro-Magnon.

2

FIVE O'CLOCK TEA CHEZ UN ARTISTE PEINTRE

Cro-Magnon, 60 423 av. J.-C.

La position du soleil et le temps doux nous permettent de conclure que nous devons être à la fin de l'automne. D'ailleurs une lumière rougeâtre gêne un peu nos yeux ; nous réalisons que le bas du ciel est diapré : une enveloppe nébuleuse flotte au-dessus d'un volcan voisin.

Ce paysage ressemble à celui que le lecteur connaît de n'importe quelle vulgaire histoire illustrée de l'évolution.

Une végétation luxuriante, des plantes primitives : des sortes de fougères, des spécimens gigantesques. Dans le sable fin, les traces d'amphibiens géants.

Un renne galope à quelques mètres de nous avec de beaux mouvements ondulants.

À la lisière de la forêt, un feu mourant. On voit très bien d'ici qu'il est entouré de personnages accroupis.

C'est la célèbre grotte qui nous intéresse.

À défaut de moyen de transport nous avons besoin d'une bonne demi-heure pour accéder à la paroi rocheuse ; nous longeons ses strates de calcaire.

Enfin.

Caché parmi des acanthes, c'est moi-même qui découvre un étroit orifice.

Je me baisse et d'un doigt posé sur mes lèvres je demande le silence à mon compagnon.

De la lumière filtre de la caverne. Quelqu'un qui se trouve à l'intérieur éclaire, peut-être avec une torche ou quelque chose de semblable.

J'ignore pourquoi, je me mets à crier en français.

— Allô ! Allô ! Est-ce qu'il y a quelqu'un là-dedans ?

Un mouvement. Ronflement, halètement. Mon compagnon recule, inquiet. Riche d'une certaine expérience, j'ai moins peur.

Le halètement se rapproche.

Enfin la tête apparaît. Telle qu'on pouvait l'imaginer. Un type bizarre, couvert de poils roux, le menton proéminent, le nez aplati. Ce n'est pas à un singe qu'il ressemble. Ou si oui, alors plutôt à un lémurien, un maki : un visage comique à l'extrême, deux yeux immenses, tellement qu'on les prendrait au premier regard pour des verres de lunettes difformes. Ses doigts longs et filiformes se terminent par des ventouses rondes. Le personnage est minuscule, debout il ne dépasse pas cinquante centimètres. Cela n'empêche que dès le début il n'y a pour moi aucun doute, c'est forcément lui : les ossements trouvés dans la grotte et que nous avons attribué à nos ancêtres devaient appartenir à un autre animal. Quand il nous voit avec ses yeux télescopiques singuliers il caquette et grimace. Ensuite il se jette à terre, le visage vers le sol. Il cogne sa tête à plusieurs reprises. Il saute enfin sur pied et se met à montrer les dents. Il devient menaçant.

Mon compagnon et moi nous nous demandons comment nous pourrions lui parler. Nous décidons que je resterai dehors, tandis que mon compagnon se dissimule dans le système nerveux central du petit gnome, à proximité du centre de la parole et il règle les appareils émetteurs et récepteurs sur la longueur d'onde de la langue anglaise.

Nous mettons ce plan à exécution.

Dès que je remarque dans les yeux du petit être que le réglage est achevé, je me présente.

— Je m'appelle Merlin Oldtime, collaborateur du *New History*. Auriez-vous l'amabilité de me consacrer quelques minutes ?

Sa petite bouche étrange, sans lèvres, s'éclaire d'un sourire raffiné.

— À votre service. Donnez-vous la peine d'entrer.

En sautillant, en s'accrochant aux parois rocheuses, il m'invite à l'intérieur.

La caverne comprend deux parties. D'abord une sorte de hall, puis au fond, reliée par un couloir, une vaste salle élargie en dimensions. Le flot de lumière vient du fond, on voit d'ici la torche de résine piquée dans le sol.

Pour le moment nous prenons place dans le hall. Moi-même je m'installe sur une pierre couverte de mousse, le petit être s'accroupit devant moi ; je vois dans la pénombre qu'il me tend quelque chose. Une fois que mes yeux s'habituent à cet éclairage je distingue une sorte de coquillage contenant un liquide vert.

Je le remercie. La boisson est agréable, elle évoque la saveur des thés de Chine. Il en boit également.

— Je vous ai dérangé, qu'étiez-vous en train de faire ?

Il bat des paupières. Je dois le gêner.

— Non, non... Ce n'est rien... je faisais un petit somme à l'intérieur.

— Auprès d'un feu ? Il ne fait pas encore si froid.

— J'arrangeais quelque chose sur le rocher.

Je me lève, sa réticence éveille ma curiosité.

— Vous permettez ?

Je rampe vers la grande salle. Il me suit, inquiet.

Je lance mon premier regard vers la paroi.

Je pousse le cri admiratif d'un expert.

Ciselé dans la paroi en petites piqûres alignées comme un tatouage, le dessin polychrome d'un bison réussi à la perfection, une mosaïque de taches colorées d'ocre roux, jaune et bleu, composent une harmonie, un *bijou* somptueux, le mouvement est osé et original.

Une différence : au lieu de quatre jambes il y en a au moins douze, comme pour souligner la direction et l'élan de la course.

Je me tourne vers mon hôte, enchanté.

Il bat timidement des paupières. Il balbutie :

— Le mur s'est écaillé à cet endroit, nous recevions des cailloux sur la tête. Il a fallu l'aplanir, c'est tout. Il fallait bien que quelqu'un le fasse.

— Mais pour l'amour du ciel, Mister... monsieur Homme-des-cavernes... c'est un véritable chef-d'œuvre ! On voit rarement une telle perpétuation aussi sûre, aussi sublimée des formes, même chez les plus grands artistes... Et ces couleurs ! Et vous devez par dessus le marché travailler de mémoire, je suppose : aucun bison ne pourrait entrer ici pour poser.

Tout soupçon à mon égard n'a pas encore disparu de son regard, mais sur son amusante figure de nourrisson une grimace de béatitude apparaît déjà. Il chuchote :

— Alors... on peut reconnaître... que c'est un bison ?

— C'est à moi que vous demandez ça ? Personne ne vous l'a encore dit, *Maestro* ?

Il tourne ses oreilles pointues vers l'extérieur.

— Chut... Pas si fort... On n'aime pas ça ici... La Tribu est en guerre... s'ils m'ont laissé à la maison c'est qu'en réalité je devrais tailler des silex... pour en faire des haches… c'est en taillant que j'ai découvert cela moi aussi… je me disais bien qu'il ressemble à un bison.

— Je pense bien ! Il est tout à fait véridique.

Il me regarde, contrarié.

— Véridique. Alors il n'est pas bon.

— C'était sans doute ce que vous vouliez…

— Qu'il soit véridique ? Oh non. La vie n'est pas bonne. S'il était comme vivant il s'enfuirait. Il s'enfuirait, il périrait ou il nous écraserait ou nous l'abattrions et nous le mangerions… Je l'ai fait parce que… il est comme un bison… mais il ne s'enfuit pas… il ne nous piétine pas… et on ne peut pas le manger… il reste là sur le mur, personne ne peut l'enlever…

Je me tais, tout honteux devant cette formulation si évidente de la signification éternelle de l'art.

— Mais que craignez-vous au point de vouloir le renier… puisque probablement tous vos compagnons le reconnaîtront également…

— Pas vraiment. La plupart ne le remarquent même pas, ils croient que le dessin est arrivé par hasard sur le mur… D'autres se prosternent et chantent, ils le prennent pour un totem et moi je me garde d'ouvrir la bouche. Il y en a un qui voulait l'assommer… c'est depuis que je me terre à la maison. Je le protège. J'aurais pourtant d'autres choses à faire…

— Qu'est-ce qui vous retient ?

— Il faut le protéger… je serais content si je n'y laisse pas ma peau d'avoir inventé pour moi ce jeu bizarre. Nulle part ailleurs il n'y en a de semblable, c'est terrible, je m'en rends bien compte. Les fourmis et les cerfs ou les animaux à défenses ne font rien de pareil.

— C'est justement en cela que réside sa beauté…

Il me considère sans comprendre.

— Qu'est-ce que c'est la beauté ?

— Ce n'est pas une mauvaise question dans la bouche d'un artiste.

— Je ne comprends pas : artiste. Dans ce que nous faisons nous essayons d'imiter les dieux formidables.

— Qui sont les dieux, si je peux me permettre ?

— Je ne l'ai pas dit ? Le bison. Le renne. Le lion aux crocs acérés. Nos totems créateurs.

— Ce sont vos dieux, ce sont eux que vous imitez ? Sont-ils supérieurs à vous ?

Il grimace curieusement.

— Bien sûr ! Puisqu'ils sont tous plus forts. Plus sûrs. Ils font mieux les choses. Griffes, crocs, muscles, fourrure. Nous, nous sommes petits, faibles, glabres, misérables par rapport à eux.

— Je ne sais pas ce que Mister Shaw dirait de cela. Ce n'est pas ainsi qu'il voit les choses. Mais vous, Maître, ne vous sentez-vous pas autre ?

— Je ne suis que le plus misérable de la Tribu misérable. Malade et craintif. Eux, ils ignorent à quel point c'est vrai, s'ils le savaient ils m'auraient anéanti depuis longtemps. Je me bats à leur côté, tout au moins je fais semblant. Je grince des dents, je halète, j'écarquille les yeux. J'aboie. Comme si j'attaquais avec eux. Je fais beaucoup de bruit.

— En somme, vous jouez ce rôle.

— Oui, cependant je veille à rester à l'arrière. Je défends ma vie autant que je le peux. Vous entendez ?

Au dehors, murmures, bruits divers. Mon hôte inquiet tend les oreilles. Ensuite il dit rapidement, dans ma direction :

— Les longues oreilles attaquent... C'est une tribu comme la nôtre. Un peu plus forte. Nous nous défendons. Observez bien.

Il se met à hurler, il crie très fort afin d'en rajouter sur le chahut extérieur. Il trépigne sur place, tape des mains. On ne peut pas dire qu'il soit pressé de sortir.

Un de ses congénères s'introduit par l'orifice. Il gesticule sous le nez de mon hôte, affichant un rictus terrible : il l'attrape par la tignasse et le traîne vers l'extérieur. Pendant ce temps il couine, il claquette sans cesse comme une crécelle.

Avant de disparaître, mon hôte m'envoie un regard gêné.

— Pardon... Permettez-moi de... Ma femme... Elle est venue pour me... je dois m'absenter... elle est venue pour dire qu'on a besoin de moi... les longues oreilles sont nombreux... Je m'efforcerais de m'en tirer... Au revoir.

Ils disparaissent par l'étroite ouverture de la sortie.

3

ENTRETIEN AVEC LE PROFESSEUR NOAH, DIRECTEUR DE
L'OBSERVATOIRE DE L'ATLANTIDE

Atlantide, troisième glaciation.

Je ne connais pas précisément l'année, ma carte n'est
pas complète. En ce qui concerne le temps…

En Atlantide on détermine l'emplacement de la capitale sur la base de mesures astrales très précises, pour le
lecteur d'aujourd'hui mes données seraient très insi-
gnifiantes. En effet, ici en Atlantide les représentants
d'une science mathématique extraordinairement évoluée ne sont pas du tout intéressés par les bagatelles
qui par la suite acquerront une grande signification,
à savoir si la Terre est ronde ou non et quel corps
céleste tourne autour de l'autre. L'emplacement de
l'Atlantide, ils l'ont déterminé dans l'espace, entre
deux constellations, indépendamment des conditions
locales.

Selon mes calculs approximatifs cette ville se trouve
environ au milieu d'une ligne reliant les villes actuelles
de Syracuse et d'Alexandrie : j'ai navigué dans cette
région, et à ma connaissance la mer Méditerranée recouvre aujourd'hui l'ancienne terre à une profondeur
d'environ trois mille mètres.

C'est une ville magnifique.

Elle a été bâtie sur des rochers, comme plus tard
New York, d'ailleurs elle fait également penser à son
arrière petite fille en ce que ses gratte-ciel se hissent

superbement en hauteur. Les matériaux dominants sont le marbre blanc et le basalte.

Une population d'environ trois millions de personnes, incroyablement civilisée, cultivée et riche. J'aurais du mal à déterminer son caractère ethnographique. Je soupçonne qu'une fouille opportune ébranlerait dans ses fondements la légende antique babylonienne et assyrienne : s'il est vrai que c'est ici le berceau des races asiatiques, la parenté avec cette progéniture tardive n'est pas plus étroite que celle qui existerait entre un dragon préhistorique et un lézard quelconque courant sur nos murs.

Tout au moins dans le domaine intellectuel.

Tout existe ici et plus encore hélas que dans une métropole moderne. Il ne manque que l'avion, l'automobile et la radio.

Je veux dire, pour nous. Pour eux cela ne manque pas du tout.

Toute circulation, de gens comme de mots, est exclusivement limitée au périmètre d'Atlantide, or ces gadgets inventés pour économiser du temps seraient vraiment superflus pour un monde si petit. Comprenez moi bien, l'Atlantide est aussi peu intéressée par les autres parties du globe terrestre que vous l'êtes sans doute, tout au moins sur le plan pratique, par Mars, Vénus et Véga, ou même la Lune si proche.

Elle ne s'y intéresse pas, elle les ignore sans doute. Certaines légendes laissent bien entendre que des êtres semblables à l'homme (aux habitants de l'Atlantide) vivent quelque part au-delà des enceintes de la Ville, à une certaine distance, mais les sciences sérieuses ne s'abaissent pas à de telles futilités.

C'est un monde petit, fermé. Mais à l'intérieur de ses limites il est d'un niveau admirablement élevé.

Tout au moins d'un point de vue culturel.

Juste un exemple.

Leurs livres, notes, quotidiens sortent dans une écriture pictographique particulière dont, il me semble, on ne retrouve aucune trace dans l'Égypte postérieure, il faut croire que cette forme de la transmission de la pensée s'est perdue.

Autant que j'aie pu le vérifier et me former une modeste opinion, elle est plus parfaite que notre écriture alphabétique.

Les partitions musicales sont les seuls signes d'écriture qui sont capables aujourd'hui d'exprimer si vivement et si fidèlement dans le domaine sentimental, sous tant d'aspects, les nuances complexes de nombreuses notions sensuelles et intellectuelles.

Le lien de cette écriture avec la vie et avec la parole vivante est également plus intime. L'oreille et l'œil de l'homme cultivé de l'Atlantide ont assimilé le geste parlant, les finesses variées de la main et de la bouche, avec beaucoup plus de sensibilité, précisément du fait de la pratique de cette écriture pictographique.

J'en expérimente les grands avantages dès le début : sans posséder moi-même la langue locale tout le monde me comprend parfaitement.

Ils lisent couramment le langage gestuel de mes mains et de mes mimiques. Au début j'ai l'impression qu'ils lisent dans mes pensées, mais ensuite je m'accoutume à une attention plus concentrée, et au bout de quelques heures de conversation je les comprends aussi passablement bien. Le lecteur serait ébahi de voir les larges gestes et les grimaces de nos échanges.

Mon compagnon et moi nous nous rencontrons sur la place centrale, j'aperçois son profil enthousiaste derrière les vitres d'un café, il discute avec deux musiciens qui l'enchantent. Il m'assure que le niveau local de la culture musicale dépasse de loin celui de la musique italienne qui charmera Paris en son temps. Je dois le bousculer un peu pour partir, nous n'avons pas que cela à faire.

Au coin de la rue nous nous procurons un exemplaire du dernier numéro du *Courrier d'Atlantide* : des dessins sont gravés sur de petites tablettes. Nous le déchiffrons avec intérêt et bientôt nous comprenons clairement le texte.

L'éditorial traite de quelque potin de la ville, mais à la fin on peut déjà lire une allusion à la menace cosmique qui fait l'objet de tous les autres articles du journal, presque sans exception.

Menace cosmique.

Toute la ville ne parle que de cela.

Nous verrons que dans la vie sociale aussi c'est un sujet permanent.

Des montagnes d'articles scientifiques et politiques qui ne nous informent pas vraiment.

En revanche, pour éclairer notre lanterne, de temps en temps émerge un nom, celui de Noah, professeur d'université, directeur de l'observatoire. Présenté comme le plus grand expert et même apparemment l'unique.

Actuellement il est l'homme du jour, l'autorité suprême ici.

Nous échangeons un regard avec mon compagnon.

— Noah?... Serait-il possible que...

— Non seulement possible. Absolument certain. C'est lui.

Nous en serons définitivement convaincus par une conversation dont nous sommes inopinément les témoins. Il s'agit du projet de Ville Flottante dont la construction sur proposition du professeur Noah sera débattue ces jours-ci au parlement.

Sans tarder nous nous présentons au «bureau de contact» (c'est ainsi qu'on dénomme ici une institution officielle) pour demander audience au professeur. Après avoir convaincu le préposé que l'objet de l'entretien demandé n'est nullement notre admission dans la Ville Flottante (sur ce sujet le professeur ne reçoit personne), il nous inscrit sur une liste et délègue un coursier.

Une demi-heure plus tard nous obtenons une réponse favorable. monsieur le professeur nous attendra au coucher du soleil.

Nous prenons un succulent déjeuner dans un restaurant public, et à l'heure indiquée notre chaise à porteurs nous dépose devant la porte de l'observatoire.

Un immense édifice, avec des ailes latérales, des tours, des campaniles fantastiques, des pavillons et des jardins privatifs. (Autant de stations expérimentales comme on le verra par la suite.)

Nous sommes emmenés dans d'autres chaises à porteurs à travers des escaliers compliqués, un labyrinthe de couloirs et de salles, par des serviteurs noirs nus; en regardant par une étroite fenêtre je vois que nous atteignons une hauteur considérable.

Le salon d'accueil de monsieur le professeur est un hall immense. De nombreuses illustrations sur les murs. Toute une série de meubles de bureau. Le plus intéressant et le plus significatif c'est que tout autour, le long des murs, s'empilent des centaines de cages. Dans chacune d'elle un animal différent aboie, caquette, hurle, glapit, jacasse, croasse, gémit, rugit, miaule et gazouille. Parmi eux une quantité d'espèces inconnues du *grand dictionnaire de sciences naturelles* de Brehm.

Un homme de taille impressionnante, très poli, s'approche de nous. Sa poitrine est presque recouverte par sa grande barbe blanche. Son visage reflète chagrin et attention. Il ressemble à Darwin mais en plus viril et nettement plus rayonnant.

— Messieurs, que puis-je pour vous?

— Je suis Merlin Oldtime (je ne dis pas mon nom, je me désigne seulement de l'index), collaborateur du *New History* (j'arrive assez bien à exprimer par gestes le titre complet de mon journal), et ce monsieur est mon compagnon, monsieur Diderot.

— Je ne connais pas ce journal. Est-ce une entreprise récente?

— Il paraîtra dans cinquante mille ans.

Cela ne l'étonne pas du tout. C'est un peuple astronome, ils sont habitués aux grands nombres.

— Je comprends. Vous collectez des données à l'attention de nos arrières petits enfants. Je vous en prie, vous pouvez prendre des notes.

Avant que je me remette de ma surprise qu'il ait si bien et si précisément compris ma mission, il se met à parler avec aisance et concision.

— La masse glacée d'origine cosmique qui une fois déjà a recouvert le monde voilà deux cent mille ans, se manifeste de nouveau. Une énorme masse aqueuse, elle se condensera. Quinze ans. Le monde (il entend par là l'Atlantide tandis que moi j'entends le continent à la place duquel ondoie aujourd'hui la mer Méditerranée), le monde sera englouti. Toute vie périra. Nos calculs sont totalement exacts. J'ai assumé la tâche qui m'a été confiée par le signe divin : sauver ce qui peut l'être de la vie physique *stricto sensu* pour le cas où cette énorme masse d'eau serait réaspirée par un corps céleste extérieur de la même façon qu'il nous l'avait envoyé sous forme d'une masse de glace. J'ai conscience que ma tâche est double : elle est pour une part pratique et utilitaire, et pour une autre part expérimentale. Cette dernière part, l'expérience, est tout à fait moderne, on n'en a jamais vu encore dans l'histoire de l'espèce.

— Je devine le volet pratique : construire une Ville Flottante afin de transplanter un certain nombre de spécimens des espèces dans le nouveau monde. C'est le volet expérimental qui m'intéresserait, monsieur le professeur.

— Il est en rapport avec le précédent. Étant donné que j'ai le libre choix de ce que je veux emporter, j'ai le loisir de prévoir les conséquences de ma sélection. Ce sera une première occasion pour l'homme d'intervenir dans le travail de la nature. La volonté, l'intelligence et le talent des espèces animales et végétales dépassaient jusqu'à présent les capacités de notre espèce, elles l'emportaient sur nous, elles étaient victorieuses chaque fois qu'elles le voulaient : la forêt poussait par dessus notre tête, le mastodonte nous piétinait, l'insecte nous rongeait. Cette fois il nous est possible de n'emporter que des plus faibles que nous mêmes, dont les descendants seront à notre service, ils ne pourront plus nous livrer combat dans la certitude d'une victoire certaine. Le monde des vivants recevra une nouvelle scène, la nature, et sur cette scène nous, humains, jouerons le rôle principal. Nous créerons aussi, dans l'intérêt de la domination de l'espèce humaine, de nouvelles espèces au moyen d'accouplements organisés.

— Ce que vous dites, monsieur le professeur, ressemble fortement à l'illusion de Jack Lœb et de Mendel.

— Possible. Je ne les connais pas.

— Cela rappelle l'eugénique. N'avez-vous pas eu l'idée de réaliser également une sélection au sein de l'espèce humaine ?

Il me lance un regard scrutateur. Il y a quelques réserves dans sa réponse.

— Non, non, je n'ai pas du tout eu cette idée. Voudriez-vous vous exprimer plus clairement ?

— C'est très simple en fait : selon votre théorie, monsieur le professeur, la lutte pour la survie pourrait être facilitée pour notre espèce si dans l'avenir nous excluons du champ de bataille les plus forts que nous, pour ainsi dire par élimination. Par cette sélection on pourrait peut-être parvenir à obtenir que nous soyons nous-mêmes les plus forts et les plus parfaits parmi les espèces, toutes les espèces. Pardonnez-moi si vous trouvez cela inhabituel, en cet endroit, d'autant plus que vous n'avez pas eu l'occasion de lire dans le journal la série d'articles qu'un de mes excellents confrères a publiés après les entretiens qu'il a eus avec un responsable de la politique culturelle allemande. Ce politicien a effectivement affirmé que, si nous cultivons consciemment et systématiquement toutes les propriétés qui sont à même d'assurer la supériorité d'une race, et si nous désherbons l'infiltration des races nuisibles ou de moindre valeur, nous arriverons enfin à produire des spécimens d'une telle perfection qu'ils pourront par la suite combattre avec succès toutes les autres espèces, et qu'ils auront mérité de régner absolument et définitivement sur le monde.

Le directeur fait un geste d'impatience.

— Écoutez, la personne qui a prétendu une telle absurdité n'a jamais fait de mathématiques de sa vie. Il faudrait que quelqu'un qui n'a pas la moindre notion de mathématiques soit interdit de parole dans les affaires publiques. Comment imagine-t-il la prise du

pouvoir sur le monde? Grâce à ses qualités exception-
nelles? Plus excellentes sont ces qualités, plus petit sera
le nombre de ceux qui pourront s'en prévaloir, et à la
fin de toute cette grande épuration, l'espèce, plutôt
que croître et se multiplier, diminuera et s'amoindrira,
jusqu'à devenir la proie d'autres espèces primitives et
totalement imparfaites, pour la simple raison que celles-
ci seront présentes en grand nombre. Au cours de ces
dernières années je me suis assidûment consacré aux
sciences naturelles, j'ai étudié de nombreuses espèces
animales et végétales (d'un geste involontaire il désigne
les cages), et je suis parvenu à la conviction que les
espèces excessivement raffinées et sophistiquées ont
toujours été vaincues par des organismes plus simples.
Pensez par exemple à l'ancêtre de nos braves mastodon-
tes, au mégathérium que l'on ne retrouve qu'épisodi-
quement aujourd'hui, d'ailleurs je n'en emporte aucun
des rares qui restent, à quoi bon? Il est de toute façon
condamné à disparaître. Si vous voulez savoir, ce sont
les bactéries qui sont en ce moment les maîtres du
monde, ces minuscules petits organismes même pas
visibles à l'œil nu, j'aimerais bien pouvoir m'en débar-
rasser! J'ai bien peur de ne pas pouvoir les tenir à distance de la Ville Flottante, l'eau et la glace en sont remplies, elles résistent peut-être même au feu. C'est
ridicule ce dont vous parlez. C'est avec ces gens-là que
vous voulez rendre l'homme plus fort, en «désherbant»
celui qui est plus simple et moins évolué? Mais le problème est au contraire que dans notre grande sophisti-
cation nous avons directement couru à notre perte, nos

poumons, notre cœur, nos reins, ces milliers d'organes, appareils délicats, sont devenus autant d'obstacles, autant de sources d'erreurs face à la menace imminente qui, vous le voyez bien, nous assaille. Si nous étions restés avec nos vieilles nageoires et nos branchies, maintenant nous ne craindrions pas la noyade. Les poissons, les poulpes et les crabes poursuivent allégrement leurs baignades, ils se moquent de nos préoccupations, ils n'ont rien à craindre : pas un seul ne s'est manifesté pour partir avec moi.

— Si je comprends bien, vous estimez que l'évolution est un inconvénient ? Quelles idées antédiluviennes !

Il rougit.

— Des idées antédiluviennes ? Alors comment dois-je nommer les notions que vous venez d'invoquer ? Je n'ai pas eu l'honneur de rencontrer le monsieur en question mais j'ai comme l'intuition qu'il a resurgi du fond de la préhistoire, du monde enterré avec la deuxième ère glaciaire. Il n'a pas la moindre notion des exigences pratiques, un homme inculte qui sa vie durant n'a jamais songé à la réalité. J'aimerais savoir ce qu'il ferait dans ma situation. Apparemment il ignorerait totalement ce qu'il faut entendre par évolution, au sens réel de ce terme. Jugez vous-mêmes messieurs. Dans quinze ans la glace va nous tomber dessus, elle va envahir notre monde, mais bien sûr vos savants ignoreraient tout cela, comment pourrait-il en être autrement alors qu'ils n'auraient la tête qu'à la «sélection de l'espèce». Et naturellement ils entendent par-là que nous imitions les «animaux nobles» qui savent si bien se placer dans la nature, «dominer» le monde auquel ils savent s'adapter, n'est-ce pas ce que vous avez dit à l'instant? Imaginez maintenant que je cède ma place à cet excellent spécimen pour représenter l'espèce, que ferait-il? Considérant l'éventualité que nous soyons submergés, il se mettrait à «sélectionner» de la même façon qu'il l'a vu chez nos frères animaux et végétaux. Retourner à la nature! Sûrement au diable oui! Je connais cette mentalité, je l'ai combattue suffisamment pour la connaître! Ils disent que la nature est notre maître, observons-la, imitons-la, faisons-lui confiance! Allons donc!

Sa voix tonne.

— Écoutez-moi, mécréants! Vous allez tous périr parce que vous reniez Dieu!

Je tente d'intervenir.

— Mais enfin, n'est-ce pas Dieu que vous cherchez dans la nature?

— Le panthéisme, je connais! lance-t-il avec ironie. Un piège du malin, rien de plus! Qu'a-t-elle à voir avec Dieu, la nature? Est-elle bonne, la nature? Intelligente? Compréhensive? Tolérante? Le contraire de tout cela, regardez ces cages. Qu'il vienne donc, votre admirateur de la nature, pour sauver l'homme de manière naturelle, avec le «génie de l'espèce» prendre exemple sur le tigre musculeux, l'abeille laborieuse, le renard rusé, le perroquet bariolé, qu'il les imite, je sais bien où il aboutira. Nous nous ferons pousser des nageoires, nous produirons des branchies pour ne pas nous noyer, nous nous ferons pousser des ailes en transformant nos bras comme les chauves-souris, vive la société collective! Un demi-million d'années suffiront pour y arriver si rien ne se met en travers d'ici-là!

Je le regarde effaré.

— Mais alors, que faut-il faire?

Il commence à gesticuler, pris d'une singulière exaltation.

— Ce qu'il faut faire? Que faut-il faire quand la maison est en flammes? En aucun cas élaborer des «projets» pour un demi-million d'années, comme le fait votre nature! Comprenez donc cela : la nature a laissé tomber l'espèce humaine, elle en a fini avec elle, elle l'a soupesée et jugée trop inconsistante, elle l'a rayée de sa liste, elle a suspendu sa main protectrice, elle regrette de l'avoir mise au monde, maintenant elle tente de réparer sa faute, elle cherche à la rayer de la carte! J'aurais bonne mine avec votre «génie de l'espèce» face au vrai «génie d'espèce» plus rapide, plus intelligent, supérieur, plus doué des animaux et des végétaux aquatiques, si c'était maintenant que je pensais rattraper toute l'avance que les autres ont prise sur nous.

Sa voix glatit, glatit et croasse, comme si un aigle et un corbeau se déchiraient en lui.

— «L'espèce» humaine est vile et misérable, elle est mûre pour sa perdition! La nature veut en finir et Dieu détourne la tête, moi je le savais, je l'avais prévu! Et alors il a eu pitié de moi, car Dieu est Bonté et Miséricorde. Et il m'a délégué son génie, rien qu'à moi, pas à «l'espèce» qui s'en est montrée indigne. Il m'a délégué son génie dont le nom est :˙crainte. L'espèce avait tout simplement peur de la mort, c'est moi seul qui ai porté la crainte à sa place, qui ai appréhendé l'avenir, moi, l'Homme!

Il frappe la table.

— Et on verra bien s'il n'aura pas mieux valu craindre que d'être atterré par la peur! Est-elle utile, la peur? Et qui m'a aidé, moi qui voulait les aider? Personne! Je les ai convoqués en conseil : que devons nous faire, leur ai-je dit? Ils ont répondu : prions! Ils ont brandi leur idole, le totem, l'ancêtre de notre «espèce», le Grand Crocodile! Et le Grand Crocodile a ricané et il a déployé sa gueule. À ce moment la lumière s'est faite en moi : je me suis retrouvé moi-même. Et le projet de la Ville Flottante est né; ce n'est ni du Crocodile qu'il est né, ni de la nature! Car la nature ne connaissait rien de semblable, et le génie de mon espèce ne le connaissait pas non plus, l'humanité ne pouvait pas suffire, il en fallait plus : un homme unique, avec quelque part dans son corps misérable hérité de cette espèce une étincelle, distinction de Dieu, qui l'a rendu plus exceptionnel que les espèces et les foules un unique qui est plus que cent millions, pour lui confier les cent millions d'autres!

Il lève victorieusement la tête.

— La Ville Flottante sera. C'est moi qui en ai fait le projet, moi seul. Et par-delà le déluge, le jour où nous aurons atteint le mont Ararat, une nouvelle lumière se lèvera là-bas, dans le monde nouveau, une lumière comme ce monde n'en a encore jamais connue. Mon fils. Mes fils. Son nom : Homme. Non pas l'espèce humaine. Celle-ci n'existe pas, n'existera plus jamais : l'espèce disparaîtra, elle périra dans les eaux galopantes. L'humanité se meurt et cède la place à quelque chose qui n'a encore jamais existé, qui n'a pas été engendré par la Nature, qui ne sera pas ballotté par le jeu des forces et des aléas, qui, au-delà de son nom de famille : l'Espèce, aura un nom de baptême : l'Individu. Son nom complet sera : Individu par-delà l'Espèce. Un monstre moderne, sans précédent, d'abord d'une valeur égale mais probablement très supérieure par la suite, dans sa solitude, au milieu des espèces vivantes, il livrera combat contre les espèces, contre la Nature, contre la destinée, au nom de Dieu, avec l'aide de Dieu, car Dieu n'est ni Nature ni Destinée ni Prédestination, mais éternelle Recréation et immortelle Liberté.

4

CERCLES MAGIQUES

Syracuse, 274 av.J.-C.

Sur la route caillouteuse, cahoteuse, deux soldats. Blousons de toile, casque d'airain, sandales à semelles épaisses. De longues piques à la main : ils ne sont pas grecs, le combattant grec porte une courte épée.

Ils s'essuient le visage, ils poussent d'amers jurons. Le soleil frappe cruellement, ils halètent, la langue tirée, presque pendante. Nulle part une goutte d'eau, situation désespérante.

Nous les croisons.

Je ne comprends pas un traître mot de leur langage. Leur visage est presque noir sous la couche de poussière.

Mon compagnon, plus à l'aise que moi dans l'histoire du monde antique, prétend que ce sont des carthaginois. Je n'y crois guère. En son temps on confondait tous ces peuples. Mommsen en savait infiniment plus que Gibbon. Je dirais plutôt que ce sont des ibériques primitifs.

En revanche je donne raison à mon compagnon qui pense que ce n'est sans doute qu'un avant-poste censé préparer l'hébergement pour l'armée qui campe derrière eux.

Nous les dépassons, puis nous les oublions. C'est un tort. Qui sait, si nous avions lié conversation avec eux, si nous les avions dirigé dans une autre direction, nous présentant comme des autochtones, si nous avions prétendu qu'ils s'étaient perdus : l'histoire culturelle de l'Europe aurait peut-être été changée.

On comprendra pourquoi plus tard.

Mais peut-être que non. Combien de fois on a le sentiment dans son rêve qu'il ne sert à rien de transformer les images : à la fin la première forme ressaute toujours obstinément dans sa position initiale comme si la trame de l'histoire était attachée avec des fils élastiques.

Les remparts de la ville sont désolés. De loin les contours du château royal se dessinent à peine à travers le voile nébuleux de la vibrante chaleur, les rues devraient être plus accueillantes là-bas, nous pourrions peut-être y trouver une auberge, et même un marché.

Mais nous sommes déjà très fatigués.

Ce faubourg, une unique longue rue sinueuse, finira bien par nous recueillir quelque part : nous décidons de nous arrêter dans la première maison où une âme vivante se présentera.

Les cours sont vides, parfois une poule orpheline gratouille le sol, un palmier languit dans la chaleur. Les habitants doivent se dissimuler derrière de petites fenêtres étroites. À moins qu'ils n'aient fui.

Un être humain enfin.

Au milieu d'une cour large mais complètement déserte, un petit homme trapu.

Barbe grisonnante, nez camus. Son torse nu est bien musclé, tanné par le soleil, sa tunique blanche enroulée autour des reins, la draperie retombe en plis abondants sur ses pieds chaussés de sandales.

Il se penche, il examine attentivement le sol, une longue baguette à la main. Il s'en sert pour gratter le sable. Que diable peut-il chercher ?

La porte est grande ouverte.

Quelle légèreté en ce temps de guerre !

Devrions-nous le mettre en garde ?

Mon compagnon l'interpelle en grec classique, à travers la clôture de pierres.

Il murmure quelque chose dans sa barbe sans se tourner vers nous.

Mon compagnon me donne un coup de coude, je regarde par terre dans la cour.

Le sable est zébré de figures : des lignes, des angles, des cercles. De la géométrie. Il les a dessinés avec sa baguette. Il a également gribouillé des chiffres sur le côté. Il vient d'esquisser un cercle gigantesque : en se plantant au milieu du cercle, il pivote sur lui-même, et de sa baguette qu'il utilise comme l'autre tige d'un compas il trace fermement une ligne. Il obtient un rond régulier, quasiment parfait; il ajoute une tangente, il enfouit son menton dans sa main, il médite.

Je ramasse toute ma science pseudo-grecque, je le hèle à haute voix.

Il soulève la tête, il nous lance un regard. Puis, impatient, mais en beau langage grec bien articulé, sans avoir rendu notre salut, il nous enjoint de ne pas franchir la clôture : nous sommes dispensés d'écraser sa table à dessin de nos pattes grossières.

Toutefois son regard s'arrête à la figure de Diderot.

— Vous venez d'Athènes? demande-t-il sans chaleur excessive.

Mon compagnon le coupe aussitôt, avant que je ne réponde.

— Avec un petit détour. Mais de là-bas, indubitablement. Tout au moins en ce qui me concerne.

Un petit sourire étrange étincelle derrière la barbe.

— Vous êtes des philosophes, hein? Vous avez l'air d'avoir plutôt mauvaise mine, c'est ce qui me fait dire ça. Avez-vous enfin établi ce qui a existé d'abord, l'œuf ou la poule? Parce que sinon il n'y aura pas moyen d'aller plus loin avec les philosophes athéniens.

— Tu dois les avoir déjà fréquentés, apparemment.

— J'ai entendu certains de leurs savants discours…
D'ailleurs chez Gorgias on mangeait très bien dans les
symposiums, le vin de Thessalie me manque encore.

— Tu es injuste envers nous, maître. Nous respec-
tons infiniment le travail des géomètres, nous nous réfé-
rons souvent à vous. Nous faisons œuvre commune
pour clarifier les concepts.

— Tiens donc. Nominalistes et idéalistes. La Grèce
avait bien besoin de vous ! Elle en a tiré grand profit !
Vous aussi d'ailleurs ! Cent années de débat pour découvrir l'Élysée, et ceci sans trouver le nectar qui aurait pu
rendre inoffensive la coupe de ciguë de Socrate.

— Je vois, tu es un disciple d'Aristote, tu dédaignes
et tu méprises le grand Platon. Et pourtant, est-ce que
malgré toi ce n'est pas son chemin que tu suis ? En
d'autres termes, ta baguette ne cherche-t-elle pas la
Vérité universelle qui unifie tous les hommes en une
Idée unique, en une compréhension éternelle, là-bas
dans le sable ?

Le savant hausse les épaules.

— Ce que je cherche ? Pour l'heure j'aimerais plutôt
trouver les cent pièces d'or que sa majesté Dionysos m'a
promises si je réussis à construire un agencement de
poulies assez puissant pour qu'un seul homme puisse
lancer une grosse pierre capable d'assommer dix autres
hommes.

Je vois rougir le visage de mon compagnon. Le sang
lui monte à la tête.

— Assommer ?! Quelle construction est-ce là ?

Le savant nous observe, soupçonneux.

— Je ne suis pas autorisé à dévoiler des secrets militaires.

Mon compagnon en est suffoqué.

— Des secrets militaires contre nous? N'es-tu pas Grec toi aussi?

— Fiche-moi la paix. Je ne veux pas savoir quel usage sa majesté fera de ma machine. Peut-être est-ce toi qui a rapporté d'Athènes les cent pièces d'or qui me permettront de payer ce trou de misère où j'habite? Et d'acheter aussi des produits pour mes expériences. Moi je n'ai pas été embauché par Philippe comme précepteur auprès de ce jeune lourdaud de prince, et quant à ma patrie grecque elle n'a même pas remboursé le prix du bain dans lequel j'ai révélé la loi du corps plongé dans l'eau.

Mon guide s'approche du savant en gesticulant. Il franchit la porte.

— Honte à toi! Tu n'es qu'un traître à ta patrie humaine, tu comptes faire le mal avec la grande découverte par laquelle ton aïeul immortel a cru faire le bonheur de tes concitoyens!

Le savant se met également en colère.

— Arrière, pacifiste, bouffeur de clair de lune! Que peux-tu comprendre à tout cela? Tu piétines mes dessins, maudit pieds plats! Tu écrases mes cercles! Je ne te conseille pas d'y toucher, sinon…

Je le vois qui ramasse une pierre.

Je veux intervenir, effrayé de voir dégénérer le débat d'idées.

Trop tard.

Mon compagnon est plus agile, le voilà qui a déjà arraché la lourde pierre des mains du savant.

— De la violence? Plutôt que par des arguments convaincants, tu veux me faire taire par la force brutale?

La pierre lui glisse des mains, elle tombe, elle s'abat... le savant s'affale sans un bruit parmi ses dessins.

Des pas précipités depuis la rue. Les deux soldats que nous avons croisés!

Nous dédaignant complètement ils se penchent sur l'homme.

Puis ils se redressent. L'un lève son arme et salue.

— On l'a tué, déclare-t-il solennellement. Ils l'ont exécuté, les barbares, ils ont tué le premier, le plus fidèle soldat de Dionysos, le grand Archimède.

Mon compagnons et moi nous nous regardons effarés.

— Disparaissons, chuchote-t-il vite, j'ai l'impression qu'il vaut mieux que la lumière ne soit jamais faite sur ce petit malentendu en rapport avec le progrès des techniques.

5

PIQÛRE DE MOUSTIQUE

Rome, le 15 mars 41 av.J.-C.

Je suis très excité, je l'avoue. L'image de Rome m'était relativement connue par des descriptions et des reconstitutions, je n'ignorais pas que j'y trouverais une vie citadine de plus haut niveau que dans une capitale contemporaine des Balkans. La réalité surpasse mon attente.

Je suis particulièrement surpris par la circulation. Je pourrais sans hésiter la qualifier de fascinante : le boucan de nos voitures est largement compensé par le grondement des brouettes et des charrettes à bras, et quant aux piétons, ils fourmillent au moins autant dans les rues que dans la *City* de Londres après la fermeture des commerces, en revanche la blancheur dominante des vêtements produit un effet plus bariolé que les nombreuses nuances de la grisaille de nos allées promenades d'aujourd'hui.

Le grouillement des marchands de quatre saisons, de bonbons et de poissons est assourdissant, mais le public y est apparemment habitué. Les enfants sont superbes.

Ce qui est inhabituel et étrange, c'est que malgré l'intense circulation cette image mouvementée ne donne pas du tout l'impression d'une course effrénée. On sent derrière cette agitation la pulsation d'un réel optimisme qui prend tout son temps. S'ils bougent ce n'est pas qu'ils sont pressés, mais c'est parce qu'ils sont frais et vigoureux. D'ailleurs le moindre événement peut suffire pour que les gens s'arrêtent, qu'ils forment des groupes, pour qu'ils entrent en conversation, même avec un étranger. Dans une rue que j'ai eu tout le mal du monde à traverser, un orateur monté sur le socle d'une colonne, déclame quelque chose d'insignifiant avec des gestes admirables et une intonation parfaite, toute une foule l'entoure. Quelqu'un éclate de rire. Le ciel est bleu azur. Je n'ai jamais été aussi heureux.

Mon compagnon, sous le charme, en a aussi le souffle coupé. D'ailleurs nous ne restons pas longtemps ensemble : sur le Forum, que nous ne tardons pas à reconnaître, nous nous perdons de vue, moi, authentique journaliste, c'est la fameuse *pierre blanche* qui m'arrête. Une merveilleuse institution en effet, un véritable journal : elle est chargée de gribouillages tracés avec une suie huileuse facilement effaçable, tout un tas d'actualités, et ce document d'*informations à jour* est renouvelé toutes les trois heures. En ce moment par exemple, les quelques badauds intéressés, moi inclus, nous sommes informés que le sénat organise dans la matinée une séance solennelle. Tout le monde y sera, on attend du proconsul une déclaration de la première importance, la garde demande par la présente aux sénateurs le port des tenues de cérémonie. J'entends une remarque ironique dans mon dos : «les sénateurs en toge dorée, le proconsul en couronne dorée». Je me retourne, il a un regard soupçonneux, il s'adresse à une superbe élégante qui pourrait être sa femme. Comme pour changer de sujet, il lui désigne une des nouvelles selon laquelle la reine d'Égypte va donner une soirée en l'honneur du proconsul. La dame fait une remarque sur Cléopâtre d'où je peux déduire que cette amie belle et cultivée du proconsul n'est pas très populaire en ville. De nouveau il la pousse du coude pour lui signaler ma présence, apparemment il me prend pour un policier.

Le temps de me frayer un chemin pour sortir du groupe, mon compagnon a disparu. Il a dû quand même se faire aspirer par une des librairies. Il n'arrive pas à renoncer à son idée que le *compendium* est dépôt et source des *choses éternelles*. Moi, par contre je tiens ces informations du jour plus caractéristiques de la résurgence du passé que toutes les œuvres d'Hérodote réunies. Il est vrai aussi que le globe-trotter d'Halicarnasse a travaillé selon la même méthode, qu'il a lui-même été un fervent de la *présence personnelle*, non seulement dans la collecte des données mais aussi face au public : ses *lectures publiques* sur la place du marché rappellent singulièrement le reportage en direct ou le genre de la causerie radiophonique.

À côté du Colisée (dans quel état magnifique il se trouve !) je tourne dans une rue latérale. Je connais les deux formes de cette ville ; cette bizarre dualité ne cesse de m'exciter d'une titillation aguichante. Au bout de cent mètres je m'arrête, je me retourne, c'est juste, ce n'est pas une erreur, le Tibre est là, voilà l'anse, je connais tout cela, aucun doute, c'est là que se trouvera le bistrot où un soir je m'entretiendrai avec le jeune Orsiani, de quoi déjà ? Ça y est, cela me revient, de la vieillesse et de la jeunesse. S'il voyait de combien de siècles je suis *plus jeune* que lui.

La bonne humeur m'envahit, je sais dès lors que j'aurai de la chance sans faire trop d'efforts. Et en effet, à peine dans la rue latérale, je comprends pourquoi je me promène par ici. Un homme grisonnant, au regard profond, l'air intelligent, demande à un soldat si la villa du proconsul est éloignée. Le soldat lui indique le chemin, je n'ai pas besoin de dire un mot et je sais où me diriger. J'y parviens en quelques minutes.

Impossible d'approcher l'entrée de la demeure belle mais pas particulièrement luxueuse. Une triple rangée de licteurs veille sur le proconsul à une distance de vingt-cinq mètres. Je connais cela, la vie politique doit être mouvementée. Des soldats armés font les cent pas, ils arrêtent tout le monde. Pas question de les raisonner, ils deviennent aussitôt désagréables avec des lances menaçantes. Le *New History* ne leur fait aucun effet.

Mais ma chance ne me quitte pas. Alors que je traîne là, que je piétine parmi les badauds, un des licteurs se dirige précisément vers moi.

— Es-tu le maître de bains ?

Naturellement, j'acquiesce. Comment ne serais-je pas le maître de bains ?

— Bien. Ton domestique est déjà passé pour déposer les sangsues, entre, le proconsul t'attend.

Je suis à deux doigts de crier ma joie, ce qui anéantirait ma chance. Voilà bien la preuve qu'une expérience sert toujours : j'ai traité un jour un descendant tardif de

César en cette qualité. Je n'aurai donc pas à rougir devant le fondateur de la lignée.

Toute une colonne de soldats et d'esclaves me frayent un chemin. À l'intérieur l'édifice est beaucoup plus vaste et beaucoup plus riche qu'il ne paraît de l'extérieur. Nous déambulons à travers tout un labyrinthe. Chemin faisant le licteur explique que le matin un moustique venimeux a piqué le proconsul, il a la joue un peu enflée, il souhaite la saigner pour la désenfler avant de se rendre au sénat. Il s'est déjà rasé, je pourrai me mettre de suite au travail.

— Viens par ici, par cette porte tapissée…

Deux nègres gigantesques écartent les pans du tapis. Je dois descendre deux marches de marbre. Mon cœur de vieux renard palpite si fort que j'en trébuche presque. Le vieux Noah par rapport à cela, qu'était-il ? Cet homme-ci est déjà un de nos semblables, il appartient à notre société.

Il se tient assis au bord du bassin, il tend les bras allongés et une de ses jambes à trois esclaves. Ceux-ci pommadent l'homme nu, maigre et osseux avec diligence sans lever le regard sur moi quand j'approche sur les carreaux blancs. Un quatrième, debout, tient un rouleau de cire et fait une lecture précipitée à haute voix.

Je m'arrête, j'attends qu'on me remarque. D'ici je vois son profil. Un visage usé, extraordinaire. Je constate que ses portraits sont excellents, même sur les pièces d'argent. Mais il fallait que je le voie en chair et en os pour réaliser combien est frappante la ressemblance avec deux autres portraits connus, celui du pharaon Aménophis et celui de Voltaire.

C'est le lecteur qui me remarque le premier, il annonce ma venue avec une profonde prosternation.

César fait le nécessaire aussitôt. Sa voix est étonnament jeune, douce et quand même timbrée comme l'airain.

— Maître de bain? Bien. Arrête un peu la lecture. (Ceci s'adresse à l'esclave). Là-bas, sur la pierre de manucure, tu vois? Des vers. Pose-les ici. Exactement.

Sur sa joue droite une petite enflure rouge. Je saute où il m'a indiqué, j'attrape habilement deux sangsues. J'entame la procédure de main de maître.

Il se tait un instant. Puis il dit :

— Bon, c'est bien, elle suce déjà. Une suffira? Qu'il ne reste pas de trace dans une heure...

— Ne vous inquiétez pas, proconsul.

Pause.

— Tu viens de la ville?

— J'ai aussi été au forum.

— Des nouvelles?

— Rien d'intéressant. Une très grande attente pour la séance du sénat.

Il semble tressaillir. Il se redresse, il fait signe aux domestiques qui quittent immédiatement les thermes à reculons.

Dès qu'ils ont disparu, César se tourne vers moi.

— Arrête. Laisses-en une, enlève l'autre. Qu'as-tu entendu?

— Tout le monde est persuadé, César, que tu accepteras la couronne.

Il se tait. Puis brusquement :

— Que ferais-tu à ma place ?

Je suis tellement pris au dépourvu par la question directe que je dois attendre : je ne sais pas s'il faut que je prenne pour de la naïveté cette question très personnelle adressée à un esclave des bains inconnu, ou au contraire pour une routine politique particulièrement évoluée.

Puis d'un coup je saisis de quoi il s'agit : comme celui qui pendant son sommeil réalise qu'il rêve.

Mais ici je me trouve dans une situation exceptionnelle !

Je peux changer le cours de l'histoire.

Moi je connais l'avenir, mais pas eux !

Si on en croit les philosophes, toute l'histoire tient à des détails insignifiants. Il y a du vrai là-dedans. Si j'enlève ou si je rajoute une seule brique à la construction de l'ordre des événements, tout le cours des choses s'écroule, il prend un autre tour.

J'ai connu un club sympathique qui portait pour nom : la table des victimes du prince Maximilien. Par mes recherches j'ai appris une partie de l'histoire. Pendant que les Turcs assiégeaient le château d'Eger, le prince Maximilien perdait son temps non loin de là avec son armée. Sur cet événement tous les chroniqueurs remarquent (et les livres d'histoire le confirment) que si le prince Maximilien n'avait pas perdu son temps mais s'il s'était précipité sous Eger, « beaucoup de choses se seraient passées autrement ». Et bien, ceux qui avaient une bonne raison de se lamenter parce que beaucoup de choses ne s'étaient en effet pas passées autrement (auquel cas eux-mêmes s'en seraient évidemment mieux tirés, vu qu'ils s'en sont de cette façon très mal tirés), plusieurs siècles plus tard, ils se faisaient très logiquement appeler les victimes du prince Maximilien.

On a aussi parlé du mignon petit nez de Cléopâtre, on a dit que si ce nez avait été un peu plus court ou un peu plus long, la face du monde aurait été changée.

Pour ce qui est de Cléopâtre, elle se trouve justement ici à Rome. Mais que pourrais-je faire avec son nez si je voulais absolument changer le cours de l'histoire ancienne ? Dans mon époque évoluée, avec ce qu'on appelle chirurgie esthétique ce genre d'opération est tout à fait courante, mais où trouverais-je ici le chirurgien qui voudrait le faire et comment le convaincre de l'urgence de l'intervention ?

Il faut y renoncer.

Mais en revanche, tiens ! C'est justement les ides de mars, le grand jour, cet homme raffiné et intelligent, allongé ici, nu sur la dalle de marbre, n'a qu'un seul souci, c'est de faire disparaître les traces d'une piqûre de moustique : si les manuels et les diverses sources bibliographiques ne trichent pas, aujourd'hui il succombera à un attentat. En ce moment Brutus est en train de comploter avec ses conjurés quelque part parmi les ruelles du Forum. Je regarde le cadran solaire : il y a une heure qu'il a été réveillé par ses amis.

Je commence à spéculer.

Dans les conditions données je ne peux pas faire grand chose avec mon savoir d'homme moderne. Pour Napoléon, il était facile de pointer des canons sur le fronton de la Convention, le coup d'État du 18 Brumaire disposait des moyens adéquats.

Mais où trouverai-je des canons?

Je ne pourrais même pas téléphoner.

Une seule chose peut être utile ici, et encore, c'est convaincre et persuader.

Le proconsul fait un geste d'impatience parce que je réfléchis trop longtemps.

Je dois parler. Je commence prudemment :

— César, ne te rends pas à la séance d'aujourd'hui.

Il se retourne, pour la première fois il me regarde dans les yeux. Quel tristesse dans ce regard.

— Que je n'aille pas à la séance… que veux-tu dire par là?

— L'ambiance n'est pas favorable. Il faut attendre le temps que les esprits se calment. Dans quelques semaines, il se pourrait que tu trouves un instant plus opportun pour atteindre tes objectifs.

Il se détourne. Il repose son menton dans sa main. À cet instant il m'est très sympathique. Je ne songe pas aux bras coupés des Gaulois.

J'ajoute vite avant de le regretter :

— Et… envoie Brutus en exil…

— Brutus… Pourquoi?…

Et avant même que je puisse répondre il fait un geste désabusé et se met à parler avec une sorte de passion refoulée.

— Ah... à quoi bon. Je sais où tu veux en venir. L'Égyptienne leur déplaît. Mais moi, je l'ai amenée enchaînée, esclave, eux, ils l'ont trimbalée triomphalement... Que veulent-ils encore? Parce qu'elle donne des soirées auxquelles ils paraissent? Mais moi, j'aime parler avec elle. Elle a beaucoup d'esprit. Elle a beaucoup lu. Elle tient dans son petit doigt toute la culture et la bibliothèque d'Alexandrie en plus, une trentaine de milliers de rouleaux, ce n'est pas rien. Je connais la bibliothèque, et depuis que je la connais j'en suis bouleversé. Des rouleaux partout, les uns sur les autres. J'avais un cuisinier hindou, il disait que la cervelle humaine est sinueuse, et plus il y a de circonvolutions, plus l'homme est savant. Or cette bibliothèque est une gigantesque cervelle. La cervelle du genre humain.

— Et les muscles, et le cœur, César?

Les poches de ses yeux se plissent, il grimace farouchement.

— Les muscles? J'étais assez bon au gymnase autrefois, tu peux voir mes bras et mes jambes, il n'y a pas trace de graisse. J'ai gagné des prix en saut à la perche et en natation; gamin, je grimpais alertement au palmiers, j'aurais pu devenir héros des tournois olympiques, demi-dieu grec, tout ce que tu voudras. Ulysse, à ce qu'on dit, lançait très bien le trait. La puce, elle, lance son corps cent fois plus loin que sa propre longueur. Un misérable carassin nage dix fois mieux que nos champions couronnés de lauriers, un jeune singe de dix-huit mois sait en une demi-heure ce que nos gladiateurs apprennent pendant toute leur vie, avant de la risquer ensuite pour quelques sesterces. Hercule qui étranglait des lions se serait fait aplatir comme crêpe par un gentil éléphant. La force brute?

Il fait un geste méprisant, puis :

— Le cœur? Je ne dis pas. J'ai aussi écrit des poèmes d'amour. Cicéron, quand il ne m'enviait pas trop encore affirmait que j'avais du talent. Les dames, elles reconnaissaient aussi mes capacités mais dans un tout autre domaine, au moins tant que ce jeu m'intéressait, ce jeu dans lequel tout le monde au début veut mettre en valeur la perfection de son originalité, sa personnalité, son excellence et son art, comme aux échecs. Tant que l'expérience n'enseigne pas que c'est précisément dans ce domaine qu'un abruti d'esclave et un séducteur chevronné sont à égalité ; un jeu imbécile, au lieu de trente-deux pièces, deux seulement, trois à la rigueur, et chaque pièce peut faire un pas en avant et un pas sur le côté, à quoi peut bien servir la ruse? Je sais qu'on parle de moi et de Cléopâtre. Sottise. Indépendamment du reste, je ne supporte pas les nez africains, or la reine, qui sans aucun doute est une belle personne a un nez africain. C'est étonnant pour une femme intelligente. Cela prouve aussi que ce qui pour le physique est totalement impossible devient possible pour l'esprit : compenser par l'éducation l'absence des dons de la naissance.

— L'esprit guide le corps. C'est toi qui nous l'a appris : c'est la tactique qui fait gagner la bataille, pas les soldats.

Il sourit.

— Alexandre le Grand a eu simplement de la chance, c'est tout, je le sais pertinemment. Pourtant il est allé plus loin que moi-même avec mon habileté tactique. Il est vrai que j'ai eu plus fort à faire, contre des peuples de forces inconnues… mais tout est là : j'ai toujours été fasciné par les entreprises impossibles. Un véritable empereur est seulement préoccupé par le possible : il est comme les flots, il inonde tout ce qui est situé en bas, il ne s'intéresse nullement aux montagnes et c'est lui qui a raison, la majeure partie du monde est composée de vallées et de plaines. J'ai été une flamme, un éclat de lumière ascendant. Tout compte fait, même pour un conquérant universel j'ai été trop amateur, j'ai été un dilettante. L'Empire s'écroulera avec moi.

— Alors tu dois vivre, César.

— J'aimerais écrire un bon livre pour la bibliothèque d'Alexandrie. S'il ne reste que cela de l'Empire, je n'aurai pas conquis en vain la Gaule et l'Égypte. Je veux le calme. C'est pourquoi je vais accepter la couronne.

— S'il en est ainsi, César, tu ne dois surtout pas te rendre au sénat, pas aujourd'hui !

Il me regarde de biais, rusé.

— Aurais-tu apporté le baume d'Achille ?

— Non, je n'ai apporté rien de tel.

Il se lève. Il hausse les épaules, renfrogné.

— À quoi cela me sert-il de veiller sur moi-même ? Cent mille mercenaires ou une unique épée, ou même pas, qu'est-ce que cela change ? En secret, attiré dans un guet-apens, au poison ou au sabre, tu peux aussi bien occire César qu'un chien galeux. Aussi longtemps que dans ce sac le diamant bringuebale (il secoue son corps dénudé), il pèse plus lourd sur la balance que cent millions de vies et il ne vaut pas plus cher que n'importe quelle vie. Apporte moi le baume d'Achille et alors cela vaudra la peine d'être prudent. Allons-y !

Je me plante devant lui.

Je suis saisi d'une inspiration singulière.

— Tu parles du Destin, César, de la volonté des dieux qu'il n'a pas été donné à l'homme de détourner. *Karma, ananké, kismet !* Montre que tu es plus qu'un homme, supérieur même à Alexandre le Grand qui pourtant se croyait un Dieu ! Entre en guerre contre les dieux et sois victorieux, vaincs-les, l'heure est venue, Rhodus est là, c'est le moment de sauter, César ! Le baume d'Achille, il est bien ici, entre mes mains, il s'appelle : Savoir ! Il s'appelle : Prévoyance !

Grimace ironique.

— Ah bon ! Tu prédis l'avenir, maître des bains. Comme activité complémentaire, ce n'est pas mal, mais moi je vous ai assez vu. Ou bien il est vrai que vous prévoyez l'avenir, mais pour que ce soit possible il faut que l'avenir soit ordonné à l'avance, ou bien il n'est pas ordonné à l'avance, alors comment pourriez-vous le prévoir ? Laisse tomber, vous m'ennuyez !

Il tape des mains.

— Calpurnia ! Ma toge !

Le sang me monte à la tête.

— Je suis plus qu'un augure, César ! Ce sont les dieux qui m'envoient pour que par moi tu les combattes. Non pour que je transforme l'avenir ! Je t'empêcherai de te rendre au sénat, César !

Il me toise, plein de mépris.

— Tiens. Cela devient intéressant. Comment vas-tu t'y prendre ?

— S'il le faut, je t'attraperai, César, je te coucherai à terre, je poserai mes genoux sur ton corps, je ne te relâcherai pas. Tu peux toujours appeler tes soldats contre moi, je suis invulnérable, je peux être traversé par un trait, cela ne me fera rien !

Il s'esclaffe à pleins poumons.

— Tu es un gaillard épatant ! Tu excites ma curiosité. Explique-moi comment tu fais ! Tu peux encore m'apprendre des choses pour ma vieillesse !

Je m'avance vers lui d'un air décidé. Je fais deux pas en avant. À ce moment, calmement, comme par ennui, il m'arrête :

— Et maintenant tu t'arrêtes. Plus un pas en avant.

Je veux avancer, mes cheveux se dressent sur ma tête. Je sens mes jambes flageoler, elles ne me portent plus. Étrange défaillance, impuissance.

César rit.

— Et maintenant tu vas dire bien sagement : *Ave Caesar* !

Je remue les lèvres, et je suis conscient que ma bouche hurle, *non, non, non !* Mais j'ai beau en être conscient, mes oreilles entendent ma bouche qui dit *Ave Caesar*. Très étrange.

César acquiesce.

— C'est bien, mon ami. Je te connais, je t'ai rencontré au camp, avant la bataille de Philippes. Chaque fois, avant un événement important, je suis repris par cette somnolence, dans ces cas-là, tu apparais devant moi, turbulente figure de rêve ! Je t'ai pris quelquefois pour la réalité, mais tu ne me tromperas plus, déguisé en maître des bains ou en monstre à deux têtes, tu es le même, mirage impuissant ! Écoute-moi bien, pour constater que tu n'auras pas le dessus, écoute-moi bien, forme humaine qui n'est que douleur cuisante de mes entrailles ! Je sais fort bien où se trouve la réalité, j'ai beaucoup bu de falerne ce matin, je me suis allongé sur le sofa et maintenant j'y repose ; les thermes où nous bavardons auront disparu d'ici une minute, je dois me réveiller, on m'attend au sénat !

Il commence à crier.

— Eh ! Ma toge ! Apparaissez, maudits ! Tirez les rideaux, je veux de la lumière ! Enfin…

Au moment où il prononce le mot « lumière », tout s'assombrit autour de moi. Je ne vois plus les thermes, je ne vois plus César.

Du fond de l'obscurité j'entends encore sa voix :

— Enfin ! Pourquoi ne m'avez-vous pas réveillé ? Ce maudit fantôme, une fois de plus…

Ensuite je n'entends plus rien. Ensuite, c'est la voix de mon compagnon qui m'interpelle :

— Bonjour ! Pourquoi criez-vous ? Qu'est-ce que vous lui voulez à César ?

Quand je reviens à moi, je me rappelle, honteux, que j'ai figuré chez un certain nombre d'auteurs, et que

César, indépendamment des augures, a plusieurs fois rêvé son destin et sa destinée.

6

TROIS DISCIPLES

Jérusalem, fin avril de l'an 33.

La ville grouille comme une ruche. L'excitation est à son comble.

Il doit être vers les cinq heures quand nous arrivons, l'accumulation des événements ne cesse d'amplifier cette attente fébrile. Les femmes se tiennent dehors sous les misérables portiques de ces rues tortueuses, impénétrables, elles s'interpellent entre voisines. Des gamins aux flamboyants yeux noirs s'ébattent dans la poussière. Une patrouille fait sa ronde, les soldats repoussent les curieux qui tenteraient de s'entasser vers l'élégant quartier des villas. L'après-midi la nouvelle se répand que dans l'affaire du rebelle (c'est la première fois que je l'entends désigné par ce nom) Caïphe s'est déclaré incompétent et qu'il sera amené aujourd'hui même devant le gouverneur. Personne ne veut rater ça.

Les soldats romains sont brutaux et arrogants comme d'habitude, ils ne parlent à personne, impossible de savoir quelque chose. À mes questions courtoises je reçois en réponse : «monsieur ferait bien de déguerpir», et déjà ils me menacent de leur pique. Durant mon séjour à Rome j'ai compris que je n'ai aucune chance d'agir sur le cours des événements. Je cède donc et je tente plutôt ma chance dans les rangs de la population civile.

Les marchands des rues ne savent pas grand chose, et ce qu'ils pensent quand même savoir est déformé et exagéré. On chuchote, on parle d'un complot, on chercherait à assassiner le gouverneur, à investir la garnison, à proclamer la république. L'un d'eux raconte une histoire extravagante : un certain prétendant au trône venu d'un pays étranger qui le soutiendrait serait un descendant direct du roi David, il aurait toute une armée, et ses troupes bien équipées auraient paraît-il déjà envahi la vallée du Jourdain, d'où toute cette panique. La foule immense qui avant-hier soir a accompagné l'entrée solennelle de ce prétendant au trône : tous des soldats déguisés.

— Arrête ces élucubrations, tonne avec mépris de sa voix profonde un marchand d'huile. Il pose sa jarre, il s'essuie le front. Pourquoi tu nous parles d'étranger ? Il est venu de Béthanie, il est charpentier. Le roi David… et quoi encore ? Je l'ai vu de mes propres yeux, il est comme toi et moi !

Des vagues de sympathie et d'antipathies alternent, déferlent et reculent.

J'interpelle un marchand de tapis au regard intelligent, il parle doucement et objectivement, on voit qu'il ne dit que ce dont il est vraiment sûr. Ses données sont précises.

— Mon beau-frère, voyez-vous, était présent à l'aube quand on l'a arrêté. Est-ce que vous voyez au-dessus des maisons cette colline en pente douce? C'est une propriété, voyez-vous, qui appartient à un homme riche nommé Gethsémani, sur cette colline il n'y a que des jardins, des jardins d'oliviers. C'est là, voyez-vous, qu'on l'a attrapé à l'aube, il y a eu une grosse bagarre, on a même coupé une oreille à l'un des soldats, un autre homme a été arrêté à cause de ça, mon beau-frère l'a accompagné, il est toujours gardé à vue par les gens de Caïphe. Vous devriez y aller vous-même, voyez-vous, vous en saurez davantage.

Je me racle la gorge.

— J'ai entendu dire tout à l'heure qu'il a été trahi… Ne connaîtriez-vous pas quelqu'un du nom d'Iscariote? J'aimerais le rencontrer. Il aurait reçu trente deniers à ce qu'on dit.

Douceur et indulgence dans le sourire de mon interlocuteur.

— Si cela est vrai, voyez-vous, cela ne pouvait être que quelqu'un de son escorte, comment un autre aurait-il pu savoir où le surprendre à l'aube? Mais tous ces gens ne se trouvent dans la ville que depuis quelques jours, personne ne les connaît ici.

Bon. Allons voir ce qu'on pourrait apprendre chez Caïphe. Le soleil ne va pas tarder à se coucher, je dois me dépêcher. J'aimerais louer un char, mais les voituriers sont tous absents, ils se sont rués dans le quartier des villas dans l'espoir de riches clients, s'il est vrai qu'une audience se prépare, ils ne reviendront ici qu'un par un après minuit, les poches remplies.

Je grimpe une rue sinueuse lentement, tristement, je croise tout à coup mon guide.

Il s'approche en compagnie d'un homme grand qui gesticule, il est assez corpulent, il a le visage rond, d'ailleurs tous les deux paraissent très excités, en grande conversation, ils essayent de se surpasser en criant.

Mon guide me remarque néanmoins. Il m'interpelle de loin :

— Eh bien, Merlin, j'ai plus de chance que vous. Approchez je vais vous présenter monsieur Thomas B., fils de Jonathan, le marchand de bois, il est très savant, nous parlions en latin, vous avez entendu, il connaît tous les classiques, et de plus il fait partie de sa compagnie, il le connaît fort bien, personnellement, il est même son ardent fidèle, seulement… Monsieur Thomas, permettez-moi de vous présenter mon ami Merlin : ne craignez rien, un homme de confiance, qui ne risque pas de vous trahir… n'est-ce pas, Merlin ? Nous, *incrédules* (ajoute-t-il avec un humour chaleureux), nous sommes des hommes intègres : dépourvus d'une certitude divine convenable comment pourrions-nous avoir confiance en nous-mêmes, sans le sentiment rassurant de l'honneur et de la bonne volonté qui nous habitent ?

Thomas sourit et s'excuse modestement.

— Je vous en prie, je suis persuadé que je suis entouré de gens qui m'entendent, mais pour ce qui est de la trahison… vous m'avez mal compris, je ne la crains en aucune façon. Quand il s'agit de mes convictions, je me fiche de la situation politique, et si pourtant je suis en train de me promener ici avec vous au lieu de porter au gouverneur mon témoignage à décharge là-bas à l'audience, c'est parce que, d'une part, je m'y suis déjà présenté, mais monsieur le gouverneur a refusé de me recevoir, et d'autre part… c'est bien de cela que nous parlons. Qu'y faire si vous me comprenez mieux que mes propres amis ? C'est vainement que je leur explique mon point de vue. Depuis l'aurore je ne fais que déambuler dans la ville comme un fou, tourmenté, le cœur déchiré, plein de scrupules, ressassant une question derrière l'autre en mon âme… est-ce que je Le comprendrais moins bien pour la seule raison que je suis moins primitif que ses fidèles plus simples ?… Je suis incapable de comprendre cette contradiction… Combien de fois je le leur ai pourtant expliqué ! C'est le spectacle de la grandeur spirituelle et du caractère qui m'a transporté quand je L'ai connu, j'ai ressenti la même chose qu'en lisant Platon, seulement plus intensément… Je n'aurais jamais pu imaginer qu'un homme puisse être aussi parfait, aussi altruiste, un tel seigneur… Si seulement ces miracles pouvaient cesser de me tourmenter… Comment les accorder à la réalité ?… Il connaissait fort bien cet état de mon âme au supplice… c'est moi-même qui le Lui ai confessé. Il a souri et il s'est tu comme d'habitude quand on évoque des sujets philosophiques. Il a été patient avec moi, il ne m'en a jamais voulu, contrairement aux autres qui m'en voulaient précisément à cause de Lui… Bien sûr, ils s'imaginent maintenant que je suis un lâche… Jean, quand les soldats l'ont arrêté parce qu'il gesticulait avec son épée, m'a ironiquement lancé «eh bien Thomas, quoi, on craint pour sa peau, hein?» Essayez de me comprendre... je crains pour ma peau, moi! Cela a servi à quoi, cette gesticulation vaine et insensée?... N'est-ce pas moi qui L'ai compris le mieux lorsque j'ai gardé le silence, Lui qui a calmé le forcené d'un geste. Il lui a même intimé l'ordre de remettre l'épée au fourreau?! Les jeunes n'ont pas bonne mémoire... Moi je me rappelle bien tous ses mots dans les moments difficiles... Il avait coutume de dire : «en vérité, je vous le dis, ce qui est écrit adviendra» – ses mots signifiaient, n'est-ce pas, que tout doit d'abord se produire, dans un certain ordre, pour pouvoir ensuite prononcer une jugement décisif?

Il écarte les bras comme désespéré.

— Tout ce qui se passe ici, que serait-ce d'autre qu'une expérience gigantesque? Quel présomptueux pourrait prétendre dire à l'avance quelle est la Loi que cette expérience nous fera découvrir? Quel est le blasphémateur qui oserait empêcher, intervenir, écraser de ses pieds de brute les vaisseaux raffinés et complexes, préparés depuis longtemps, dans lesquels s'écoule cette expérience, nos artères vivantes remplies du fin liquide de notre sang? Lui, que les jeunes croient comprendre, je sens qu'il me comprend quand je Lui avoue humblement que je ne Le comprend pas! Ils voient la solution là, dans Son regard, moi je la cherche partout; et même plus difficilement, par un acheminement plus pénible et plus long, est-ce que ce n'est pas moi qui la trouverai avant eux qui ne la cherchent plus parce qu'ils s'imaginent l'avoir déjà trouvée?

Il baisse la tête, accablé.

— Il faut apprendre, messieurs, apprendre, ajoute-t-il ensuite, modeste et à peine audible.

Pendant quelques minutes nous marchons sans mot dire. Un vent frais se lève depuis la montagne. Au début il est rafraîchissant mais plus tard une odeur de pestilence s'y mêle. Mon guide renifle.

— Infecte, n'est-ce pas? remarque Thomas distraitement. Cela vient du dépôt d'ordure, les gens d'ici l'appellent la géhenne. On y met le feu une fois par an, on dirait qu'il serait temps, cela empeste toute la ville…

Brusquement il s'arrête. Il dit en s'excusant :

— Pardonnez-moi, messieurs… je dois partir…

— Où allez-vous donc?

Il rougit, s'exclame.

— Je me rends tout de même chez le gouverneur… On ne peut pas laisser cette chose en l'état… Je connais les circonstances… Le gouverneur est un homme intelligent et cultivé, il n'y a qu'à lui expliquer… Si je lui parle en latin… il verra de quoi il s'agit… On ne peut pas s'en remettre à l'humeur du peuple… vous ne le savez pas, mais ici tout dépend de l'humeur du peuple… les lois sont imparfaites… et le gouverneur n'a pas le pouvoir de les amender… L'empereur Auguste veut préserver à tout prix l'autonomie des provinces… cette politique par ailleurs sage peut lui coûter la vie… il faudrait peut-être L'enlever, que sais-je…

Mon guide, méditatif, observe ce tourment. Il glisse doucement :

— Et les *Écritures*? Ce qui *doit advenir*?

— Alors cela doit advenir aussi… même si c'est notre perte!… Je n'ai pas confiance… vous n'avez pas vu… son regard… ce matin… oh… vous ne pouvez pas savoir… quel homme aimable il est… quel seigneur…

Ces derniers mots sont proférés dans un sanglot étonnant. Il se détourne, ne dit plus rien, tend la main, puis il s'enfuit.

Nous restons là, muets.

Entre-temps nous parcourons un long chemin, par un détour nous arrivons sous la ville. Nous laissons une rangée de masures vétustes derrière nos pas dans l'obscurité naissante; ces maisons sont blotties comme pour s'effondrer sur elles-mêmes, pleines d'ombre, de mauvaise conscience.

Sous un porche un chat miaule faiblement, aucun habitant ne se manifeste.

Enfin de la lumière, même parcimonieuse.

Une sorte d'auberge délabrée, la lueur d'une torche de résine vacille derrière une ouverture. Des noceurs vocalisent à l'intérieur, le chant forcit quand nous nous approchons.

Nous en faisons le tour.

Un feu dans la cour de l'auberge. Une odeur de cèdre se répand, on doit brûler des branches.

Une dizaine de personnes entourent le feu. L'une se lève, se penche au-dessus des flammes, en retire une broche, un rôti grésillant à son extrémité : un gigot d'agneau.

Certains boivent goulûment dans une gourde paillée.

Nous nous hasardons jusqu'au feu. Timidement nous saluons la compagnie. Un ou deux d'entre eux hochent la tête. Ils tolèrent avec indifférence que nous nous installions un peu plus loin du feu.

À les observer, nous distinguons quelques visages. Nous remarquons deux soldats casqués. Tous les autres sont des civils, des gens simples, des artisans.

Face à eux un personnage singulier. Le menton posé sur sa main, il fixe le feu. Des yeux noirs, des traits fins, un regard ombrageux, les cheveux retombant sur le front.

C'est à lui que s'adresse le soldat qui apparemment menait déjà la conversation. Manifestement il cherche querelle.

— Bon, bon, avance-t-il, sournois et perfide, avec une feinte soumission. Il ne faut pas me sauter à la gorge comme ça. Je ne fais que demander. Parce que tu as l'air d'un maître. Il me semble d'ailleurs que je t'ai vu ce midi, devant la maison de Caïphe, tu bavardais avec ce type qu'on a arrêté. On l'a arrêté parce qu'il a voulu protéger ceux…

Le jeune homme soulève la tête. Ses yeux étincellent de colère.

— J'ai déjà dit que tu me confonds avec quelqu'un ! crie-t-il, véhément. Combien de fois dois-je le répéter ?

Curieux…

Je me tourne moi-même vers le jeune homme pour lui demander à qui j'ai affaire.

Mais à ce moment-là le chant d'un coq retentit dans un jardin, je me tais, saisi de terreur.

7

DEUX CONFRÈRES

MARCO POLO

Venise, 7 septembre 1306.·

Me revoici à Venise, il y a plus de six siècles.

Je peux dire que j'ai senti ce temps s'envoler : le lecteur ne doit pas oublier que j'ai franchi trente mille ans. Le changement d'humeur qui en découle pourrait se comparer à un retour à la maison à la fin des vacances, quand on trouve les doubles rideaux fermés et les placards exhalant une odeur de naphtaline. Et puis nous sommes en septembre.

Ajoutons que ma Venise a très peu changé. Au premier instant je ne remarque même pas que le Rialto manque, mais le palais des Doges se trouve à sa place, et les arcades ressemblent à celles d'aujourd'hui.

Quand dans ma distraction, vu l'atroce chaleur, je veux entrer au Florian pour prendre une glace, c'est seulement alors que j'en prends conscience : et bien, le Florian n'est pas là, mais je suis consolé par un grilleur de poisson qui occupe l'emplacement. On peut trouver des boissons miellées dans sa boutique, elles sont assez fraîches, et quand je contemple la place Saint-Marc crasseuse, l'absence des maudits pigeons et de mes compatriotes qui compléteraient l'image me réconforte.

La solitude me fait du bien. J'ai perdu Diderot, il s'est incrusté à la cour d'Attila (je ne comprends pas pourquoi il s'y intéresse tant, personnellement sa majesté m'a horriblement ennuyé tout comme sa femme Ildiko qui, soit dit entre nous, n'est pas mon genre), je l'attends pour ce soir, mais peut-être ne nous retrouverons nous qu'à Paris, en tout cas nous avons convenu le Palais-Royal au cas où on se perdrait de vue : il aimerait bien se rencontrer lui-même au café de la Régence.

Nous nous comprenons assez bien, le grilleur de poisson et moi. Il est de Padoue, il m'informe à ma grande joie que la construction de l'église Saint-Antoine avance bien, et que mes chers pêcheurs descendent fréquemment sur la Brenta.

C'est également lui qui me donne l'adresse de Marco Polo.

Je constate avec plaisir que mon excellent confrère jouit d'une grande réputation dans la ville. Après sa captivité à Gênes il a recouvré ses biens, il demeure ici sur le bord du *Canale*, dans une magnifique demeure qui lui appartient, son oncle, le célèbre Maffeo, est un gros bonnet au conseil. Il est en train de mettre sous presse son journal de voyage.

J'arrive au meilleur moment.

C'est étonnant comme le monde a peu changé dans les conventions sociales. Le vieux truc qui m'a déjà permis d'entrer chez d'Annunzio, me réussit une fois de plus : je fais dire à Marco Polo que je suis collectionneur de reliques, que j'aimerais obtenir un autographe du grand voyageur, et que d'ailleurs j'ai à lui remettre des messages et des recommandations de ses admirateurs londoniens.

Londres lui en impose, bien que les voyages en Orient du commandant n'eussent encore eu aucun caractère anglophile. Après une collation je me trouve sur une loggia embrassant le *Canale* face à mon fascinant ancêtre.

Marco Polo a bonne mine, son visage tanné dénote à peine son âge. Légèrement poseur, il a pris quelque chose des manières des grands seigneurs tatars et chinois. Ses habits d'intérieur avec les soies bariolées conviendraient mieux à un mandarin qu'à un savant austère. D'un geste impérial il me prie de prendre place sur un coussin de soie tandis que lui il reste sur son trône sculpté. Je m'enquiers de son livre en préparation.

— Ça avance difficilement. N'oubliez pas que je dois condenser le vécu de près d'un quart de siècle, le temps que j'ai passé en Orient, pratiquement constamment en voyage. On ne cesse de me presser. Si Dieu me prête vie, l'année prochaine j'écrirai un autre livre sur Cipango, le pays du dragon d'or, sous le titre : *Les confins du monde.*

Il me revient que Cipango, le Japon d'aujourd'hui a en effet été découvert pour les européens par mon éminent confrère. Je lui fait remarquer comme en passant que sur un ballon rempli de gaz, muni de moteurs, il est possible de faire ce trajet en quatre ou cinq jours. Il me regarde stupéfait.

— J'en doute, rétorque-t-il fraîchement.

Dans ma distraction je laisse bêtement échapper qu'il y a dix ans (je fais allusion à mon voyage en zeppelin) c'est le temps que j'ai mis pour parcourir la distance de Cipango à Londres.

Il sourit. Il déclare finalement avec assez de mordant :

— Vous ne savez pas ce que vous dites. Ou bien vous ne m'avez pas écouté ou bien vous manquez d'informations. Vous confondez Cipango avec quelque ville hollandaise. Cipango est situé au-delà de la Chine, donc à environ deux cents milles après la fin du monde effectif, au voisinage direct du ciel de cristal. J'ai personnellement parlé, avec l'autorisation de sa majesté Tiu-Tsan, avec ce vieux magicien mandchou de cent cinquante ans qui a vu de ses propres yeux le ciel de cristal et qu'il a même touché de sa main.

Je réalise qu'il me prend pour un être complètement sot ou tout au moins de culture tout à fait primitive (surtout qu'à cette époque on n'avait pas une haute opinion de la culture géographique des Anglais), je cesse de l'informer et je me contente de l'interroger.

— Vous pensez donc, monsieur le commandant, qu'au-delà de Cipango on atteint le bout du monde ?

— Pas le bout du monde, seulement l'extrémité de notre terre visible et connaissable, explique-t-il, didactique.

— Si je l'ai demandé c'est parce que d'après certains savants arabes la Terre est une sphère, remarqué-je prudemment.

Il m'interrompt avec une ironie acérée :

— D'après certains savants arabes, le sommet de l'Himalaya est habité par des baleines et des serpents de mer, et il existe des châteaux tournants desquels ont peut voir dans mille directions. J'ai aussi lu les *Milles et Une Nuits*, mais ce dont je parle, n'est ni un conte de fées ni un mystère religieux, mais réalité et connaissance géographique. Pardonnez-moi mais l'enseignement des kabbalistes ne m'intéresse qu'en tant que curiosité, je ne suis qu'un voyageur et rien d'autre, ou plutôt je l'étais et je suis devenu chroniqueur de ces routes.

Je remarque, désormais un peu vexé :

— Autrement dit, reporter. monsieur le commandant, pardonnez mon immodestie, mais en tant que collaborateur du *New History*…

Il se lève.

— J'ignore de quel marchand d'opium vous êtes l'agent, mais personnellement je n'use pas de ce genre de produit, adressez vous à d'autres riches Vénitiens qui trouvent du plaisir à tourner en rond sur notre monde infini comme sur un ballon dans l'ivresse du haschisch, pour se réveiller ensuite avec la migraine. Moi, je suis un homme très terre à terre. J'ai bien l'honneur.

L'audience a pris fin. Je suis éconduit.

LES PREMIERS JOURS DE L'ÈRE NOUVELLE

Valladolid, juillet 1506.

Je suis en colère, je ne vois toujours pas mon compagnon. Ma carte m'apprend que je suis probablement arrivé à la plus importante station de ma visite dans le Cinquième Cercle. J'aurais aimé franchir cette frontière avec lui à mes côtés, il aurait été agréable de partager l'émotion solennelle de mon arrivée : resté ainsi, seul, je me sens un peu dépaysé. Tout comme un repas pris en solitaire, la découverte la plus singulière est insipide si elle nous advient sans compagnie. C'est pourquoi je ne peux croire ni le héros des découvertes ni le poète qui prétendent écrire pour leur propre plaisir. Même Archimède a hurlé dans sa baignoire, pourtant il était seul.

En outre, Valladolid est un trou abject s'il n'y a personne pour savoir d'où je viens. Même par rapport à l'Espagne et à la date indiquée plus haut les rues sont insupportablement sales et abandonnées.

Je me sens un peu froissé.

L'Amérique a été découverte quatorze années plus tôt, par conséquent je suis arrivé dans les premières années de l'ère nouvelle, donc de mon temps. Je suis pratiquement chez moi. Au milieu de mes contemporains. J'ai le sentiment d'avoir le droit de me formaliser, de m'indigner, d'attirer l'attention de l'homme moderne sur l'état quasi médiéval des lieux. Je suis de la même humeur que quelqu'un qui dans une gare demande le livre des réclamations. C'est d'autant plus surprenant que dans à peine une ou deux décennies débutera la révolution technique.

Et le plus beau c'est que je dois aborder au moins dix personnes pour apprendre où habite Christophe Colomb, l'homme dont les actions ont fait débuter les temps modernes. Il s'en faut de peu que j'en vienne aux mains avec un charcutier qui prétend qu'il n'y a jamais eu de voyageur portant ce nom, que je dois peut-être penser à Bartolomeu Dias qui a péri il y a beau temps, ou au maréchal Vasco de Gama. D'après le forgeron, la personne que je cherche n'est autre que le général Henri le Marin qui est allé avec lui en Afrique, mais qui s'est fait renvoyer par la suite et qui est devenu montreur de foire. Le forgeron jure par tous les saints qu'il l'avait vu personnellement ce Colomb, encore en culottes courtes, à Lisbonne, dans les années cinquante du siècle passé, qui criait devant un stand : « venez, entrez voir l'homme à la peau noire, le premier spécimen en Europe », mais son père l'a empêché de visiter ce stand, et jusqu'à aujourd'hui il refuse de croire qu'une telle chose puisse exister.

Enfin, à la maison communale on m'informe qu'un ancien capitaine habite bien par ici, un certain Christoforo, mais il ne s'appelle pas Colomb comme je le pensais, mais seulement Colón. Il loue la petite masure d'un certain Cadomos ; un jeune mendiant m'y accompagne pour une obole.

Et bien, on peut dire que les gens d'ici sont bien informés !

Le navigateur appelé Colón est assis sur la véranda. Il a énormément vieilli. Le jardin négligé offre un fond pittoresque à sa silhouette décharnée. Le visage amer, il est en train de suçoter une racine : j'ai d'abord cru que c'était une pipe.

Je l'aborde tout intimidé. J'ignore par quelle sotte idée, je me présente à lui comme porteur d'un message de son frère Bartolomeu.

Il détourne la tête.

— Frère, ne dis pas de bêtise, Bartolomeu est mort depuis longtemps. Si tu veux mendier, passe ton chemin, ici aucune herbe ne pousse pour toi.

Je suis pris de palpitations. Il y a quelque chose dans sa voix, dans tout son être, qui fait que je sais maintenant de façon sûre que c'est lui.

Je demande brusquement :

— Pourquoi vous appelle-t-on Colón à Valladolid ? Je sais bien que vous êtes Christophe Colomb lui-même. Christophe Colomb, le chevalier de la reine Isabelle, le grand voyageur qui a fait trois fois le tour de l'océan.

Il me fixe des yeux, puis il regarde prudemment autour de nous.

— D'où me connais-tu ?

Je mens :

— J'étais là, sur l'île de Palos quand l'armée vous a reçu avec la fanfare.

Il bat la semelle hésitant.

— Hum, attends un peu… pas si fort. Qu'est-ce que je voulais dire, tu sembles être un *caballero*. Tu as le temps ? Viens, allons à l'auberge, elle est là tout près, derrière l'église.

Il tire sa coiffure sur les yeux et marche à mes côtés à grands pas titubants de marin. Chemin faisant il est renfrogné, il ne répond pas à mes questions. Mais dans la petite auberge crasseuse à lucarnes aveugles il s'anime rapidement. Il me demande d'abord, soupçonneux :

— Qu'est-ce que tu commandes ?

Je fais venir un vin rouge capiteux, il demande des oignons et du fromage. Il boit. Puis petit à petit sa langue se délie.

— Bon, alors écoute, petit. Ces voyages… hum… tu ferais bien de ne pas trop les évoquer si tu restes encore à Valladolid. Tu vois, ce n'est pas que j'en rougisse, il m'arrive d'en parler moi-même, mais… je n'aime pas trop qu'on fouine dans les détails… C'est que… tu sembles être un *caballero*… tu vas me comprendre… j'ai dû fuir l'Angleterre de toute urgence… ben, ne t'imagine pas des choses… mais mon Dieu, les dettes… je n'avais pas prévu que le comte allait si lâchement me laisser tomber… et là-bas, ils n'y vont pas par quatre chemins, tu sais, ils m'auraient fait moisir dans un cul-de-basse-fosse pour quatre mille pièces d'or… Alors j'ai préféré… Nos affaires sont restées là-bas… Et bien, est-ce que j'ai intérêt, à ton avis à trop dévoiler mon lieu de séjour ? Un des maudits créanciers serait capable de se manifester et le mal serait fait.

— Et la cour ?

— La cour ?

Il fait un geste amer.

— Le prince Jean a d'autres chats à fouetter. Je suis allé le voir. Encore heureux d'en être sorti entier…

L'homme civilisé que je suis est scandalisé :

— C'est insensé !… après la gloire, leur accueil… après tout ce que vous avez fait…

Il médite un instant. Il hausse les épaules.

— Ce n'est pas faux. C'est assis que j'ai relaté le premier voyage, en présence de la reine. Un grand honneur.

— Colomb! crié-je, savez-vous que c'est votre nom qui a marqué le début d'une ère nouvelle dans l'histoire…

Embarrassé, il lorgne dans la direction de l'aubergiste qui rôde alentour.

— Si, si… je sais tout… tu as raison, petit… mais… euh… as-tu sur toi une pièce pour régler mon écot? Il se trouve que j'ai oublié ma bourse…

8

Chez mon compagnon

Paris, 14 juillet 1762.

Les fenêtres du café de la Régence étincellent dans la chaleur. Plusieurs tables ont été sorties sur le trottoir. Deux vieux oisifs contemplent les joueurs d'échecs qui se sont isolés du monde dans une embrasure de fenêtre ogivale.

Au premier instant je ne vois pas Diderot. J'écarquille les yeux pour le trouver et je finis par interroger le garçon.

— Il est là-bas dans le coin, il travaille.

— Bon, je ne veux pas le déranger, j'attendrai.

Je prends place à la table voisine, le garçon m'apporte un moka que je remue en sifflotant.

Mais il a les oreilles trop fines, il relève aussitôt la tête. Il me reconnaît.

— Alors, Rameau? Avez-vous définitivement déserté le misérable charivari des paroles et des gestes, pour le monde des sonorités? Vous êtes comme un rossignol sans partition, vous ne dites même pas bonjour?

— Je voulais vous apporter l'inspiration, maître. Faites comme si je n'étais pas là.

— Merci, cela ne me dérange pas d'être dérangé. On ne peut jamais savoir quelle stimulation est plus utile et indiquée dans l'ordre des associations d'idées : celle qui vient de l'extérieur ou celle qui vient de l'intérieur. Tout à l'heure monsieur Sondelier est passé devant la fenêtre, et un souvenir le concernant a brusquement rafraîchi la pensée dans laquelle j'étais justement emmêlé. Peut-être me porterez-vous chance, vous aussi. Approchez donc.

— Qu'écrivez-vous?

— Une petite dissertation sur les aveugles. Avec des conclusions instructives pour les voyants. J'ai la certitude qu'ils ont beaucoup à nous apprendre.

— En d'autres termes : vous confiez à des non-voyants le soin de nous conduire nous qui sommes aveugles.

— Apparemment. Il y a toute une armée de phénomènes dans le monde qu'eux voient plus clairement que nous; je suis obligé de constater que nos perceptions de la réalité ne sont pas directement proportionnelles au nombre de nos organes destinés à la capter. Réalité que nous imaginons capter.

— Tout à fait! Ma tante me grondait souvent quand j'étais petit: «As-tu les yeux dans ta poche?» me disait-elle.

— Votre tante avait raison. Une réflexion très appro-
fondie, pour mieux appréhender un objet nous conduit spontanément à fermer les yeux, ou bien nous les
cachons avec les mains, n'avez-vous pas observé cela ?

— Particulièrement s'il s'agit d'un objet d'aspect
désagréable. Vous connaissez la pauvre mademoiselle
Pochat. Un jour elle s'est méprise sur un geste semblable de ma part, elle a cru que je fermais les yeux par
enthousiasme pour la beauté de son âme. Mais, maître,
vous m'avez bien laissé tomber.

— Où et quand, si vous permettez ?

— En compagnie de Marco Polo et de Christophe
Colomb.

— Ah oui, ça me revient, je me rappelle notre intéressante conversation sur ces deux mémorables explorateurs. Pardonnez-moi, j'ai dû vous quitter. Où en
était-on resté ?

— On en est resté, ou plus exactement vous m'avez
laissé tombé là où nous avons compris que Marco Polo,
le grand Illuminateur, celui qui a rapporté de l'Orient
les premières informations fiables, était un homme
complètement borné et inculte, et pour ce qui est du
grand Christophe, lui, après avoir fait à l'humanité le
cadeau d'une ère nouvelle, il a péri à Valladolid dans la
détresse, dans la pire des misères.

— Eh oui, c'est toujours comme ça. Les grands
hommes (cela doit obéir à une loi cachée) ont presque
systématiquement été abandonnés par leurs contemporains, non seulement ceux-ci ne les ont pas soutenus
mais ils les ont plutôt entravés dans leurs actions pour le

bien public. J'irais jusqu'à dire ceci, si la proposition ne vous paraît pas paradoxale : supposons que la race humaine ait été représentée exclusivement par ces grands hommes, elle aurait davantage progressé, pensez à Galilée. La vie des éminents explorateurs, inventeurs, réformateurs, prophètes, visionnaires du temps et de l'espace, s'est généralement déroulée dans des luttes pénibles, pour défendre les résultats du premier pas effectué et pour les protéger dans leur époque incompréhensive ; ils n'ont pas pu suivre jusqu'au bout le chemin qu'ils ont ouvert, et souvent il a fallu que des siècles passent avant qu'un autre génie ne fasse le deuxième pas pourtant évident et découlant logiquement du premier.

— En continuant l'œuvre que son prédécesseur lui a léguée. Cela voudrait dire que les grands hommes, que nous prenons pour des êtres singuliers, se ressemblent en réalité beaucoup plus entre eux qu'ils ne diffèrent des autres humains. Il serait effrayant de les voir tous réunis en un tas. Les séances publiques au Palais-Royal livrent un petit aperçu de l'histoire de la pensée, je peux vous dire que c'est une société ennuyeuse à mourir.

— C'est probable. Il vaut certainement mieux pour nous tous qu'ils soient ainsi échelonnés dans le temps, pour eux c'est plus de souffrance, mais leur époque en est moins torturée, moins fustigée.

— Pour ce qui est de la souffrance engendrée par la méconnaissance et par l'indifférence, vous n'avez pas à vous plaindre, monsieur Diderot. Votre génie est reconnu par tous, y compris par votre grand adversaire, l'acerbe Jean-Jacques, quand il vous recommande de joindre de meilleures mœurs à votre exceptionnel talent.

— N'oubliez pas que le génie n'attend pas de la reconnaissance mais des fidèles. Que diriez-vous d'un peuple qui se contenterait de construire des autels et des temples à la gloire de son dieu, sans respecter les lois de la vie religieuse ? Or un dieu sage aurait vite fait de s'aviser d'un excès de prières, un des termes du commandement *ora et labora,* au détriment de l'autre, le labeur qui plaît à Dieu.

— Une si grande modestie n'est imaginable que si on possède un pouvoir divin.

— Ou si dans l'âme on est l'héritier d'une étincelle divine. Attention au mot : étincelle du feu sacré et non pas étincelle de l'esprit. Nous, Français, nous avons tendance à confondre grandeur de l'esprit et spiritualité, ceci vient de ce que nous sommes davantage un peuple de la parole qu'un peuple de la pensée.

— Et serait-ce l'homme le plus original de Paris qui s'en plaindrait ?

— Moquez-vous donc, pour ma part je réalise avec une désespérance croissante que ce qui met le plus le bâton dans les roues du déploiement de la pensée et de sa victorieuse envolée, c'est la parole.

— Formidable paradoxe.

— Appelez cela comme vous voudrez. Celui qui a le premier inventé ce procédé technique qu'est le langage des mots ne savait pas quelle arme imparfaite et en même temps à double tranchant il a mis dans notre bouche. La parole est la chose la plus trompeuse, et ce qui est le plus grave, elle ne trompe pas les hommes d'action mais bien au contraire ceux à qui elle a été destinée, les penseurs. Les hommes ont appris à parler et par là même la pensée autonome leur est devenue superflue : en effet la communication permet à tous de tirer bénéfice des résultats utiles de la pensée, fruit des pénibles efforts de quelques-uns qui ont été épargnés aux autres. Ces rares penseurs qui par leur nature sont généralement naïfs et loyaux prennent ensuite pour argent comptant les idées exprimées par les mots et supposent que ceux qui les ont prononcés les comprennent du même coup. Imaginez un être enthousiaste qui n'aurait jamais entendu parler des perroquets, et qui se trouverait projeté inopinément dans la gigantesque échoppe d'un marchand de perroquets où chacun de ces oiseaux colorés savent parler : ils lui répondent, ils répètent ses mots. Ne devrait-il pas imaginer se trouver parmi des êtres aussi sensés et enthousiastes que lui mais qu'un méchant magicien aurait métamorphosés en oiseaux ? Là-dessus il entrera avec eux en conversation, il leur donnera des conseils, il demandera leur avis, il organisera même des partis politiques dans leurs rangs, jusqu'à ce que, quand il s'agira de passer à l'action, il prenne conscience, effaré, qu'il a discuté avec des langues et non avec des cerveaux ; en l'occurrence, dans le cas des perroquets, la parole humaine n'a pas su ennoblir la pensée qui pourtant avait compris sans le secours de la parole comment il faut savoir voler jusqu'aux nuages.

— Il en découle donc que pour vous le langage n'est qu'une sorte de jargon permettant aux penseurs de discuter entre eux.

— Précisément. Ce bavardage se nomme littérature.

— En d'autres termes, une sorte d'échange épistolaire de certains éminents représentants de la race humaine, à travers le temps et l'espace, par-dessus la tête de la canaille inutile et superflue. Mais ne pensez-vous pas qu'une telle correspondance présente un gros inconvénient, une difficulté incontournable ?

— Je sais ce que vous voulez dire. Vous voulez dire que cette correspondance est unilatérale puisque nous ne savons pas remonter le temps, nous n'avons pas le moyen de répondre à nos frères spirituels du temps jadis. Nous devons nous contenter d'adresser des messages sans espoir à nos frères spirituels qui ne sont pas encore nés, sous la devise « faites passer », mais qui, eux, ne pourront pas nous répondre. Dans ces conditions, comment pourrons-nous alors faire concorder les enseignements tirés, pour que chacun puisse en profiter, comment pourrons-nous perfectionner nos solutions ?

— À moins que…

— À moins que ?

Nous nous regardons. Nous tentons de détourner la tête pour éviter d'éclater de rire.

Vain effort.

Mon compagnon part d'un rire éclatant et allègre.

— À moins que pas un mot de tout ceci ne soit vrai.

Je ris aussi de bon cœur, libéré.

— Monsieur Diderot… alors… alors vous savez aussi… que moi… que vous…

— Que vous n'êtes pas ici présent, mon cher Rameau… sauf dans mon imagination… que peut-être vous n'êtes même pas Rameau… mais quelqu'un d'autre… qui n'est pas encore né… c'est par confort que je vous ai attribué le nom d'une bonne connaissance à moi… alors que je sais fort bien que… hum… euh… comme si déjà… j'aurais eu l'honneur… pardonnez-moi…

— Oldtime… Merlin Oldtime, collaborateur du *New History*…

— C'est cela, Oldtime! Bref, je me suis assoupi en rédigeant ma dissertation sur les aveugles. Maintenant nous nous trouvons assis ensemble, mon cher ami qui débarquez ici d'une autre époque… ici, dans mon café préféré, à la Régence, je vous appelle Rameau et nous menons une discussion philosophique alors que la situation est tout ce qu'il y a de métaphysique. En tout cas j'aimerais me souvenir de vous au moment de mon réveil. Mais où me réveillerai-je?

— Vraisemblablement chez vous, monsieur Diderot, ou le matin dans votre lit, ou après la sieste.

— Vous avez raison, c'est probable. Je peux vous dire que c'est un sentiment merveilleux de savoir que je suis quelque part, en toute certitude, même si c'est autre part qu'ici, et que ce qui m'arrive ici, même si ce n'est pas la réalité au sens ordinaire du terme, en tout cas c'est un état plus avantageux et plus agréable que la réalité.

— Pourquoi trouvez-vous que c'est plus avantageux?

— Allons! Premièrement, il se produit exactement ce que je désire. Deuxièmement, je ne dois pas répondre de ce qui arrive ici, l'accomplissement de mes désirs ne peut m'attirer aucune conséquence fâcheuse... Je pourrais dire que c'est l'état de parfaite liberté si je savais de façon sûre ce que je désire en ce moment...

— On pourrait supposer de la part de l'auteur des *Bijoux Indiscrets* que...

Il rit de bon cœur.

— Des femmes? Non, non... je n'en ai, croyez-moi, aucune envie... je suis beaucoup plus fasciné par... la chose dont... dont nous avons parlé précédemment... de quoi avons-nous déjà parlé?

— De l'irréversibilité du temps... que nous ne prévoyons pas l'avenir...

— Tout à fait, excellent! Mais bien sûr ce n'est vrai que de l'autre côté, dans la réalité, dans l'état éveillé... ou plus exactement cela est vrai seulement en rapport avec moi, avec ce monsieur nommé Diderot qui pendant ce temps dort et ronfle dans son lit... et non pas avec celui qui fait la causette avec vous, et encore moins en rapport avec vous qui nous tombez dessus depuis l'avenir... d'où déjà? Je l'ai oublié.

— Du vingtième siècle.

— C'est magnifique! Mister Oldtime, montrez-nous quelque chose de cet avenir.

— Très volontiers. Surveillez la porte, bientôt vous verrez entrer quelqu'un d'intéressant.

Nous fixons la porte attentivement. Cris, chahut à l'extérieur. L'agencement du café se transforme un peu, des bougies s'embrasent. Une voix derrière la porte : « Au revoir, les gars ! J'ai des lettres à écrire, on se revoit ce soir au club ! »

Quelqu'un ouvre violemment la porte, un homme baraqué se jette à l'intérieur à pas puissants. Il regarde autour de lui, ses yeux méfiants nous transpercent, puis il se transporte plus loin.

— Eh, citoyen garçon !... hurle-t-il d'une voix éraillée, des tréfonds de son coffre.

Diderot se penche vers moi :

— Qui est-ce ?

Je chuchote aussi.

— Son nom est Danton. Le personnage le plus intéressant de la grande Révolution. Un chaud partisan des idéaux de Rousseau et d'une Constitution qui rend tous les hommes égaux... Je vous le présente si vous voulez... Il connaît bien vos œuvres, bien qu'il ait une préférence pour Voltaire...

— Voltaire ? Il a peut-être raison... Dommage qu'il n'ait pas l'air cultivé... Mais cela ne me contrarie pas que... Quel est son nom déjà ?

— Danton.

— Danton... Danton... Je l'aurai oublié demain matin...

— Aucune importance...

Je me lève, je m'approche de Danton.

— Citoyen… permettez-moi… vous ne vous souvenez pas de moi… nous nous sommes rencontrés dans la salle du Jeu de paume… Quelqu'un de mes amis aimerait faire votre connaissance…

Il nous toise.

— Je n'ai pas le temps, m'interrompt-il fraîchement.

— C'est justement de temps qu'il s'agit… Ce monsieur vient d'Angleterre… il collabore à un journal politique… Il voudrait entendre et écrire votre opinion… sur les temps héroïques auxquels le monde s'éveille, grâce à la France… Quelques mots pour résumer… ces jours historiques…

— L'Histoire?

Il bombe le torse, il écarte les bras, sa voix tonne.

— L'Histoire n'intéresse pas celui qui la fait, citoyen fabricateur de feuilles de chou… Je vous connais, cuistres qui tripatouillez les textes de loi… il n'y a qu'une loi, celle créée par l'Esprit et exécutée par la volonté et le courage… et parce que l'esprit démontre que ce qui s'est produit dans le passé était honte et déshonneur, volonté et courage entonnent la réponse : plus jamais ça! L'Histoire c'est cela parce que c'est cela que je suis, l'Histoire c'est moi; citoyen, dis bien cela aux lèche-cul des Pitt si tu es un bon Jacobin!

Une voix sèche, enrouée, retentit derrière nous :

— Vous avez tort de discuter avec ces gens, ce sont des idéologues.

Nous nous retournons tous les trois.

Un jeune homme bilieux, maigre, le visage jaunâtre.

Je reconnais à l'instant Bonaparte à vingt ans.

Curieusement, Danton n'y trouve rien à redire. Il le toise, un peu soupçonneux.

— Jeune homme, ne t'ai-je pas vu quelque part en compagnie du citoyen Robespierre? marmonne-t-il du bout des lèvres. La réponse fuse, hautaine et arrogante :

— Vous l'avez peut-être vu lui, en ma compagnie. Robespierre est un idéologue tout comme ceux-ci. Des idéaux, des notions, des thèses abstraites. «La loi est formelle» disent-ils. En d'autres termes : la loi est une notion. Ridicule. La loi est un fait. Un fait dont je tiens compte. Je construis ou je détruis en utilisant la loi. J'en mange comme du pâté si j'ai faim, je la pétris comme de l'étoupe si je veux m'asseoir dessus, je la trempe comme l'acier si je veux en faire une arme. Est-ce que Robespierre s'y connaît? Que sait-il de la réalité? Que sait-il de moi? Il tournicote comme une nappe de brouillard, comme une chimère. Un fantôme. Vous avez pu l'apercevoir quelque part derrière moi comme un esprit peint sur le décor, dans les pièces anglaises.

Danton le regarde, étonné.

— On ne peut pas dire que tu sois transis d'amour fraternel, petit frère.

Rire éraillé.

— Frère! Celui que nous ne mangeons pas nous mangera, voilà la fraternité.

— Quel type agaçant! Tu devrais en manger beaucoup, petit, avec ton estomac bilieux.

La face de Bonaparte verdit un peu plus. Il baisse un peu le ton, mais ses paroles restent haineuses.

— Citoyen, je vois que je ne vous plais guère. Vous ne sympathisez pas avec moi. En général on me trouve rarement sympathique, on me l'a souvent dit. Ne vous gênez pas, j'ai l'habitude. Même mes frères me le disent tant qu'ils osent le dire. Ma mère pas encore, elle l'ignore sans doute elle-même, mais un jour j'ai capté son regard posé sur moi alors que j'étais penché sur mon assiette... Non, non, citoyen, à bas la politesse, quoique la franchise, j'en pense autant de bien que de la flatterie... Cela vous intéresse ? Je ne suis aimé de personne et j'en suis conscient. C'est pareil avec les femmes. Elles ne m'aiment pas, elles ne m'aimeront jamais.

Il lève en l'air un poing infantile.

— Mais ils ne me le diront plus longtemps en face !

Il va tout près de Danton, se hisse sur la pointe des pieds pour lui siffler au visage :

— Je ne vous plais pas, hein ? Vous ne m'aimez pas, hein ? Cela vous a fait du bien de me le dire, hein ? Allez-y, crachez tout votre venin, ce sera l'unique compensation pour votre vie gâchée, d'avoir pu me le cracher une bonne fois à la figure, ç'aura été votre raison de venir au monde pour disparaître ensuite dans le néant... car vous disparaîtrez : l'autre rêveur, Robespierre, vous fera couper la tête, pour ensuite être puni à son tour de la lâcheté de vous avoir exécuté, vous et pas un autre qu'il aurait vraiment détesté... Vous disparaîtrez dans les poubelles de l'histoire, aucun de vous n'assistera aux noces, à mes noces, à mes glorieuses noces avec celle qui m'aimera, qui n'aimera que moi... Vous aimeriez savoir de qui il s'agit? Je vais vous le dire. De votre fiancée, l'idéal pour lequel vous courez à la mort sans frémir, dont vous êtes tous les deux mortellement amoureux, le peuple, le peuple, le peuple français, le paysan, le sans-culotte, le miséreux, l'anonyme, la plèbe, la matière brute, l'eau, le flot, la mer que vous voudriez soulever, écoper avec un seau, enfler en une énorme vague qui déferlerait jusqu'aux étoiles... Je chevaucherai cette vague apprivoisée, domptée, à bord de mon bateau nuptial... L'écume me léchera les mains... C'est moi qu'elle aimera d'un amour insensé, la plèbe... la liberté ne signifiera rien d'autre pour elle que de crever librement et équitablement pour moi dans l'ivresse de l'amour assouvi...

Ses yeux se révulsent, on n'entend presque plus les quelques mots saccadés qu'il profère encore.

— Mourir... mourir... cent mille... millions... cent millions... pour moi... qu'ils n'ont pas aimé... ni famille... ni frère... ni femme...

Nous nous levons, inquiets : le jeune homme est pris de convulsions, ses épaules tremblent, son front se couvre de sueur, sa langue empâtée tournoie. Il s'affaisse jusqu'au sol entre nos mains qui le soutiennent.

Diderot se penche sur lui. Il constate doucement, avec compassion en apercevant l'écume qui perle au bord des lèvres :

— Le haut mal. Allongeons-le sur le sofa.

J'entends encore le chuchotement articulé de la bouche écumante, quasiment syllabe après syllabe :

— Comptez… additionnez… idéologues… Combien sont morts… volontairement, dans l'enthousiasme… pour Alexandre le Grand… et combien… volontairement, dans l'enthousiasme… pour le Christ… Pour le tyran… cent fois plus… que contre lui… pour la liberté…

L'image se brouille.

Que se passe-t-il, je commence à me réveiller ?

Ou tout au contraire, est-ce le monde intérieur qui s'intensifie ?

Les murs s'élargissent, des sons et des lumières, des profondeurs et des largeurs, des couleurs et des obscurités apparaissent : un miroir en relief, sonore et en couleurs… Pour quelques instant, trois dimensions… ensuite de nouveau cette inquiétante vibration des phénomènes comme dans un film projeté en accéléré…

Parmi les roulements successifs du tonnerre on distingue d'abord un cri aigu. Puis des sons humains… puis des mots prononcés à haute voix.

— Avancez… avancez… avancez, chiens…

Quand la projection sonore atteint le rythme de perception de mes sens, je peux reconnaître que ce tonnerre hurlant se fait canonnade. Le bas de l'horizon est rouge ! Un large champ inhospitalier. La turbulence jaune des volutes de poussière rabattue qui en se déchirant laisse apparaître les remparts d'un château… Une masse humaine grisâtre l'escalade, on dirait des poux… D'en haut on les transperce avec des lances, on les arrose de goudron fondu… La première ligne retombe en hurlant, une seconde grimpe pour la remplacer…

— Avancez… avancez… avancez…

J'ai déjà vu ce château… d'abord en image, peut-être à la bibliothèque historique, ensuite personnellement… Je le reconnais enfin : Akko, le vieux château en Palestine.

Allez, avancez !

On pourrait le prendre. Napoléon est en supériorité numérique, mais un ancien camarade de classe à lui, le commandant anglais du château, ne se laisse pas faire. Napoléon aurait besoin de quelques heures encore jusqu'à l'arrivée du deuxième corps d'armée… Quelques heures supplémentaires, avancez… avancez…

Mais l'image qui était nette et en relief, redevient confuse. On a projeté quelque chose en surimpression, mais pas d'ici où nous nous tenons, dans la direction du temps qui avance, c'est évidemment la machine qui travaille derrière cette image, à rebours, depuis l'avenir. Depuis l'arrière-plan, à travers les murs du château, comme si ses lourdes pierres n'étaient que fumée, des armées qui n'en finissent pas marchent sur nous, les premières lignes sont déjà si près qu'on distingue bien les visages. Et l'on entend les cris à gorges déployées :

— Vive ! Vivat ! Hourra ! En avant ! *Vorwärts* ! *Előre* ! *Jivio* !

Un soldat s'affale juste devant moi, au pied de la rampe de lumière, au bas de l'écran, on voit le grincement de ses dents, ses gencives écartées, sa gorge d'où le sang jaillit, puis le corps bascule sous le cadre de l'image.

La multitude afflue, se répand, c'est l'arrière-plan qui le vomit. Mais lorsqu'elle atteint la première ligne où on pourrait reconnaître un à un les visages et les personnes (c'est ce que j'aimerais observer par curiosité, ce qui m'intéresse plus que la foule), le temps manque pour les étudier de près, la première ligne, tout juste encore en vie, peut-être des parents, des membres de la même famille, des contemporains, des amis, la première ligne se plie sous le cadre de l'image, échappe au champ visuel. La deuxième ligne, on ne la distingue pas nettement.

Supplice de Tantale.

Un instant il me semble avoir déjà vu quelque part cette femme en sanglots. Ce visage ballottant est inscrit dans ma mémoire. Ce regard fulgurant, c'est à moi qu'il s'adresse. Ces lèvres peintes en rouge, je les ai baisées. Et là-bas, cette grimace défigurée par la souffrance, elle m'est tellement familière, il se pourrait même que ce soit moi-même… Rien à faire, aucun n'est assez net pour être distingué, seulement la foule, la masse, sans visage, ni bras ni jambes, seulement une convulsion ondulante, telle un monstre sous-marin difforme, blessé, écrasé par l'énorme poids de l'eau qui le surmonte, le ciel qui le coiffe de sa grise cloche de fer.

Pourtant, comme je le disais, de toute évidence le flot qui assiège l'image se rue sur nous du côté opposé à celui qu'on attendrait. Ces gens ne sont manifestement plus du début du dix-neuvième siècle, ces uniformes et ces armes et ces maisons, et ces rues et ces femmes et ces enfants… il est tout à fait certain que nous avons sauté au milieu du siècle... les chemins de fer apparaissent, les poteaux télégraphiques... Comme si les feuilles de deux livres illustrés tournaient les unes dans les autres, s'entremêlant, se fondant ensemble, à une vitesse insensée : le premier livre représente l'évolution du raisonnement et des connaissances, ses pages défilent de cent à mille en un tournoiement accéléré, tandis que le second, feuilleté à rebours, rouleau reflétant le tourbillonnement désordonné des instincts et des passions et des désirs, exécute ses cercles peu nombreux, moins rapides mais d'autant plus obstinés, il régresse de cent à zéro, emportant tout depuis l'axe intérieur de la volonté archaïque non encore visible... Une contradiction chaotique de plus en plus bizarre, de plus en plus répugnante...

La superbe locomotive a foncé dans la foule... le sang jaillit, la cervelle gicle. Séance de dissection, examen du cadavre, le nerf couine : on a tranché dans le vif. Un automate vomit chaussures, chapeaux, habits et aliments, des hommes nus, affamés, s'engouffrent dans la trémie supérieure, les roues les déchiquettent, les broient. Les rotatives grinçantes, vomissant la lumière des lettres et des mots et des images, répandent les scènes des tragédies grand-guignolesques des faubourgs : rival poignardé dans un taudis répugnant, femme à la gorge tranchée avec les dents, enfant empoisonné, c'est pire que la caverne de Cro-Magnon... Le fier Oiseau Homme prend son vol, et l'instant suivant il en tombe une pluie de bombes, et dessous : gémissements et mort... La radio crachote la déclaration de guerre jusqu'aux confins de la planète… Un savant se penche au-dessus d'un microscope : une vie créée par la raison commence presque à s'éveiller sous l'objectif… qu'est-ce que c'est? Mais je le connais, j'ai parlé avec lui, contemporain, ami, connaissance – fini! Elle a éclaté, ce n'était qu'une bulle… Je suis chez moi… cette foule-ci, je la connais personnellement… deux millions, sur le champ de manœuvres de Tempelhof… hurlements frénétiques… «Sois notre guide… jusqu'à la mort… avec toi!»

Tête bourdonnante, cœur palpitant, je me cherche.

— Allô! Allô!

Une faible voix dans l'espace.

— Allô! Allô!

— Diderot… C'est vous?

— C'est moi… Où êtes-vous?

— Je l'ignore… Dites, qu'est-ce que c'est?

— Vous êtes mieux placé que moi pour le savoir… c'est chez vous… J'ai l'impression que quelque chose s'est complètement détraqué… Une panne dans la mécanique du temps… C'est le jeune épileptique qui a dû la provoquer… celui que vous connaissiez… il a touché aux rouages… dans son inconscience convulsive peut-être… C'est effrayant de voir à quel point il était terrifié à l'idée de la mort… il tremblait si fort qu'il fait trembler la terre sous ses pieds…

— Cela se pourrait bien. Et les deux axes principaux, la rationalité individuelle et l'instinct de l'espèce, auraient déraillé par suite du séisme… les deux systèmes d'engrenages qui jusque-là fonctionnaient en harmonie, sont entrés en collision… c'est cela qui nous a valu cette étrange projection. Une fois de plus l'espèce a été prise de la même panique… les passions se sont déchaînées à rebours, en tous sens… la Raison a bien pu crier pour arrêter, pour retenir ce troupeau courant à sa perte quand le toit de l'étable a pris feu… ho, ho, allez-vous vous arrêter ? Vous qui êtes métaphysicien amateur, vous allez apprécier ma théorie : l'abstraction appelée temps, ou comme Kant l'appellera, l'une des moitiés d'un concept, s'est retournée, tandis que l'autre a poursuivi imperturbablement sa course.

— Il en résulte une inertie de rotation, une roue tourbillonnante, un chaos, mais de ce chaos naîtra un monde nouveau.

— En tout cas il est intéressant de noter que toute cette pagaille a été l'œuvre d'un seul homme, avec sa singulière idée fixe de semer la Terreur.

— Pourquoi pas ? De tels tourbillons se forment souvent autour de minuscules noyaux, et du cercle d'où je parle on observe cela aisément… N'êtes-vous pas joueur de billard… Alors vous n'ignorez pas ce qu'est un rétro… Lancer la boule en avant mais de façon à ce que l'effet qu'on lui inflige la ramène… Et bien, c'est un tel rétro qui a été transmis à Mars par ce jeune homme sous prétexte de progrès… Apparemment c'est en 1914 que l'effet infligé a agi… entre temps la roue n'a pas cessé de tourner… Comment s'appelle-t-il déjà ?…

— Napoléon Bonaparte.

— Napoléon ? Magnifique ! Pourquoi ne l'avez-vous pas dit tout de suite ? C'est un de mes amis, il habite

tout près d'ici dans une charmante villa, il élève des colombes. Souhaitez-vous le rencontrer ? Je vous y accompagne volontiers.

— Mais où êtes-vous donc ?

— Dans la septième dimension, naturellement. Et
vous ?

— Pourquoi demandez-vous cela ? Il y a un instant
nous étions encore ensemble.

— Ah, oui, bien sûr, j'avais oublié, ne m'en veuillez
pas… Mais cela me revient : cinquième dimension, quatrième plan de projection, quel nom lui donnez-vous
déjà ?

— Le passé de l'humanité, l'histoire universelle.

— Et alors, cela vous a plu ?

— Quelle question ! C'est affreux. Je n'ose plus me
présenter devant mes lecteurs. Je leur ai promis un
reportage de l'au-delà, et eux par l'au-delà ils entendent généralement le paradis : quelque chose de mieux
que ce qu'a été la vie et la mort. Et à la place ils ont reçu
quelque chose qui est pire que les deux réunies : chez
nous on appelle cela l'enfer et un de mes confrères ita-
liens en a déjà rendu compte jadis. Autrement dit, cela
n'a même pas l'originalité d'une nouveauté.

— Est-ce que vous voulez dire par là que vous ne
souhaitez pas prolonger votre séjour dans cette dimension ?

— Dieu m'en garde. Pas une seconde de plus.

— Où désireriez-vous donc vous rendre ?

— Sur un territoire où l'on est guidé par le désir et
par la haine de la mort.

— Prenons garde aux mots! Il y a un instant vous avez parlé d'une espèce de roue devenue folle, tiraillée d'un côté par la passion et de l'autre chassée par la connaissance. Que voulez-vous voir au fait : la Lumière ou le Bonheur?

— À mon sens, dans l'esprit de mes lecteurs, paradis et bonheur sont des synonymes, et moi je me trouve ici mandaté par eux.

— D'accord. Vous passerez de la cinquième dimension dans la sixième dimension, celle que j'ai appelée dans mon rêve : le Désir Assouvi.

— Mon passeport et mes documents...

— Laissez-les. On n'en a pas besoin. Je vous attendrai à la frontière.

— Et moi?

— Que voyez-vous autour de vous?

— Le vide absolu. Je n'en ai jamais vu de semblable. Ce n'est pas l'obscurité, et ce n'est pas la clarté non plus. Et tout ce qui me reste à savoir sur moi même, c'est que je suis une voix qui a parlé avec vous.

— C'est bien. Mettez-vous en marche courageusement, à l'aveuglette, sans réfléchir. Ne vous étonnez de rien, ne vous arrêtez pas, ne vous retournez pas. Dès que vous aurez franchi la frontière nous nous rencontrerons, ce sera le signe que vous serez parvenu dans la sixième dimension.

CINQUIÈME COMMUNICATION

La ville de la sixième dimension :
Le désir assouvi

1

Voix et couleurs

Je pars.

Je pourrais aussi bien dire : je décide de partir.

Comme près de moi il n'y a aucune matière mesurable à l'échelle terrestre, je ne peux comparer mon déplacement à rien. Seule me renseigne la décision que j'ai prise, il n'y a aucun signe extérieur pour montrer si je suis effectivement en mouvement : je ne vois pas mon corps, je ne le perçois pas non plus de l'intérieur. Il est possible que la vibration du milieu environnant soit la même que la mienne, et que pour cette raison je suis incapable de me situer par rapport à mon voisinage.

Et pourtant, quelque chose s'est produit. Je le devine à des prémices de changement.

D'abord, on dirait que des lampes rouges s'allument. Pour l'instant je ne vois pas clairement si c'est au dehors ou derrière le paravent de mon esprit.

Je dresse l'oreille.

Cabine rouge, me dis-je, et deux souvenirs s'éveillent en moi : un premier, l'atelier d'un photographe dans mon enfance, puis... un second atelier d'une époque plus reculée. De ce dernier je n'ai qu'un souvenir imprécis. On dirait que c'est moi-même que l'on y développe, en petit mais en relief. Un sculpteur aveugle y travaille, il me façonne, il me tripote, me pétrit, me forme, me tasse, m'aplatit et me colle des morceaux, une pâte rouge et collante, de temps en temps il s'arrête et observe. On dirait qu'il observe un modèle dehors, où je ne peux pas voir, peut-être un homme et une femme, des deux il veut faire un, de façon à ce que je ressemble aux deux. Serait-ce mon père et ma mère ?

Mon imagination d'enfant dresse l'oreille, excitée.

Un brouillard s'ébauche dans le néant.

Voix et couleurs.

Je ne sais pas encore quelle est la couleur et quelle est la voix. Mes yeux et mes oreilles ne sont pas encore formés, ou ne se sont pas encore adaptés au nouveau milieu : je dois patienter pour m'y habituer.

Et pourtant… c'est plutôt une voix.

Oui. Musique douce, de couleur compacte. Je serais incapable d'identifier l'instrument, ce pourrait être de l'orgue, le milieu lui-même bourdonne derrière, l'air ou quelque chose de plus raffiné encore.

En même temps l'Espace s'anime aussi tout autour. Je l'appellerais l'horizon si je n'étais pas seul, je ne peux pas savoir en fait si ceci n'est pas seulement mon horizon à moi.

Seulement des couleurs, rien d'autre.

Cet horizon-là est maintenant recouvert d'un tapis de couleurs.

Des couleurs étouffées et grondantes et craquantes et rugueuses, stridentes et sonnantes et sifflantes.

Des couleurs chantantes, des voix colorées : si les deux ne sont pas une même chose, elles ont au moins une source commune, sinon il serait incompréhensible que je puisse les percevoir avec le même organe.

Elles se confondent, elles se complètent, elles se renforcent, elles se transforment mutuellement en une réalité telles deux prises de vue d'un stéréoscope mettant l'image en relief, mais ici il n'y a que fusion de voix et de couleurs ; nulle part il n'est matière ni forme auxquelles se référer, mais il n'en est pas non plus besoin, voix et couleur sont ici la réalité de l'existence, elles se suffisent à elles-mêmes, et à moi elles procurent une impression indiciblement nouvelle, dont...

Pour le moment tout ce que je peux en dire c'est que ces voix et ces couleurs sont mille fois plus fines, plus singulières, plus profondes, plus réelles que ne l'étaient les musiques et les lumières que j'ai rencontrées dans la cinquième dimension. Quant à l'impression onirique de la quatrième et surtout de la troisième dimension, elle n'était que sourde obscurité.

Cette fois, la matière et les formes ne me manquent plus du tout.

Bleu et rouge, mauve, indigo foncé, vert opale, améthyste et turquoise.

Et ce tapis bouge et tournoie et ruisselle autour de moi.

Il se déverse en flaques de taches, il fusionne, il s'étale, il s'enroule, il se dénoue.

Des formes non, mais des figures apparaissent à travers les nuées fondantes, ondulantes, berçantes et tourbillonnantes des couleurs.

C'est comme si un arc-en-ciel incandescent chauffait derrière l'amas de nébulosités, pour poindre dans tout son éclat, mais de nouvelles vapeurs de couleurs et des nappes de brouillard jaillissent sans discontinuer du fond d'un invisible cratère. Un noyau noir se forme quelque part, il tente de se maintenir, autour de lui se contorsionne un tourbillon, il s'élève lentement vers le bord supérieur de l'horizon.

Au réveil d'un songe oublié, derrière des paupières encore closes ces cercles suintent ainsi, rouges et jaunes, bulles de savon de l'âme.

Profondément, incompréhensiblement, inconcevablement, mais certainement, inséparablement, tout cela résonne aussi de musique.

La mélodie est éclairée, elle est en fait déclarée dans le langage du tournoiement, des couleurs.

Deux sentiments inexprimables qui mutuellement s'expriment, deux effets narcotiques qui mutuellement s'exaltent, deux torpeurs endolorissantes qui mutuellement s'aiguisent, deux lointains inaccessibles qui mutuellement se rapprochent.

Deux univers fusionnent. Dans l'ivresse des oreilles on voit le son, dans l'ivresse des yeux on entend la couleur.

État singulier.

S'ouvrent les portes des compartiments de l'âme séparée des sens. Tous les coins qui grattent, bruits qui grincent, douleurs qui démangent, tu y étais si bien habitué, ils se dissolvent.

L'endolorissement immerge lentement. On n'a mal nulle part (comment dois-je faire comprendre cela à mon lecteur dont je sais désormais qu'il ne connaît que la douleur, et qu'il appelle certaines de ses variantes, plaisir ou même extase?).

Harmonie?

Je l'ignore.

Une chose est certaine : l'effet double procure davantage que n'importe lequel des deux effets pris séparément.

De nouveau, cette idée me traverse l'esprit tout d'un coup.

Est-ce à cela qu'il a pensé, est-ce cela qu'il a entendu l'astronome médiéval, par delà ses rêves, cette réalité extérieure-là, lorsqu'il évoquait la musique des sphères?

Parce qu'indubitablement il y a dans tout cela quelque chose de cabalistique.

De scientifique aussi.

Je sens très fermement qu'il y a des chiffres qui se dissimulent derrière ce tournoiement difforme. Des quantités derrière les qualités.

De même que les racines de toute sensation.

Surgissent des images, elles ne sont pourtant rivées à aucune expérience.

Elles viennent d'avant toute expérience. On les a apportées avec toi d'un état antérieur à l'existence.

D'ailleurs ce ne sont pas des images. Ce sont des abstractions. Des notions abstraites.

Des états, des qualités, des relations.

Les tenants et les aboutissants de deux choses inconnues, à l'instar des relations connues.

Une comparaison dont nous ignorons par rapport à quoi, mais c'est sans importance.

Proportion et mesure, avec lesquelles on ne peut pas, mais on ne doit pas non plus, mesurer.

Un monde en évolution, libéré des menottes du Temps. Si toutefois il rappelle quelque chose, ce seraient les nébuleuses que le télescope a cru déceler au-delà de la Galaxie, à une distance qui de toute façon n'a pas de sens puisque c'est l'infini, à la distance où ni toi-même ni ton télescope n'avez de sens; c'était donc *cela* le ciel étoilé? Le pressentiment de ton rêve tridimensionnel sur la grande dimension? Le *monde extérieur* que tu as *vu* dans ton rêve?

Mouvement tourbillonnant, autour d'un noyau invisible.

C'est peut-être sur Saturne que le musicien-peintre qui a confondu ses couleurs et ses sons, a vu ce paysage. Sur Saturne dont la masse n'est qu'une tournoyante nébuleuse. Des nuages de feu sonores tournoient, et au milieu des nuages le Cerclage de sept couleurs pointe quelquefois, avec un petit segment de l'arc de l'Anneau enchanté sertissant les émeraudes des météores.

Tout cela, interprétation de mes impressions, sonne trop sec, je le sais bien.

Le lecteur ne doit pas l'oublier : je suis contraint d'être objectif. L'objectivité est sèche.

Si, par-delà, il attache de l'importance à ce que pour lui je pare de couleurs mon compte rendu de mots subjectifs, c'est très volontiers que je lui sers quelques modestes données, concernant ma personne.

Considérant mon état d'âme, je m'avise que le sentiment libérateur qui me saisit ici, devant la porte de la sixième dimension, je le dois exclusivement à des valeurs négatives.

Si ces couleurs et ces sons me sont tellement agréables (contrairement aux vécus de la cinquième dimension), c'est parce qu'ils ne me rappellent rien.

Ils ne me rappellent rien de ce qui est forme, souvenir, connaissance, expérience, en un mot et brièvement : la Vie. (Je dois remarquer ici que selon mon guide, ce sentiment de joie si particulier a chez moi des causes personnelles, et il signifie qu'en réalité je n'aurais pas dû débarquer ici mais plutôt dans la septième dimension. En effet, comme nous allons le voir, dans la sixième il s'agit beaucoup trop de la vie terrestre.)

Ils ne me rappellent pas la vie.

Ils ne génèrent pas d'associations d'idées.

Je ne vois pas de visage qui m'évoquerait mon ennemi, je n'entends pas de parole qui me rappellerait à mon devoir oublié, je ne vois pas de personnage de ma taille qui me ressemblerait, et qui m'évoquerait notre dépérissement avant l'heure.

Ces figures et ces voix fondent simplement ensemble, ce n'est pas l'homme qui est dans leur centre, ce n'est pas moi qui y suis.

En elles nulle souffrance.

Toute autre chose, même lointaine, risquerait de me rappeler ma dette.

Pas cela.

Et au moment où j'y pense, c'est comme un rire distant répond à mes pensées.

— Parce que vous êtes un artiste avorté, monsieur le journaliste – c'est l'affectueuse réprimande de mon guide que j'entends.

— C'est vous, monsieur Diderot ? Ai-je passé la frontière ?

— Et comment, avec armes et bagages. Vous avez pu constater que ce n'est pas du tout douloureux.

Les couleurs et les voix s'avivent, le tournoiement des taches jaunes et vertes et mauves devient plus fougueux. Je balbutie, enivré.

— La sixième dimension ?

— Dans toute sa splendeur. Étirez-vous un peu, cillez des yeux, allongez les bras, attrapez la lanière du rebord de la fenêtre et hissez-vous en position assise… Tenez, attrapez, ne soyez pas si amorphe.

Je m'y accroche, j'ai effectivement une sorte de courroie entre les mains.

— Qu'est-ce que c'est ? Où suis-je ?

— Que serait-ce donc ? Où pensez-vous être ? Dans un compartiment de chemin de fer.

— Encore un compartiment ? demandé-je, quelque peu déçu.

— Pourquoi pas, quelle importance ? Pour nous projeter sur un autre plan de référence, il était vraiment inutile de se déplacer.

Il ajoute aussi :

— Quelqu'un qui voyage entre les dimensions sait de toute façon très bien que même si les possibilités de prise de conscience et la liberté du mouvement sont limitées au degré inférieur, les autres dimensions sont aussi présentes autour de lui. S'il veut passer dans la dimension supérieure ce n'est pas son emplacement qu'il doit changer, mais seulement son degré de conscience. Il sent immédiatement dans quelle mesure le moi auquel il s'est identifié dans la cinquième dimension était misérable et contingent, par rapport à celui qui est assis près de moi sur le sofa.

Il a tout à fait raison.

Un dernier effort, un sursaut de ma volonté, et je suis de nouveau assis dans le compartiment, auprès de mon guide ; à travers le brouillard tournoyant et trouble des souvenirs, je ressens comme très étranges, confus, voire impossibles la ville du Passé, l'Histoire Universelle, le Destin et la Lutte, et même notre conversation, avant de…

— Comme vous avez une voix aiguë, monsieur Diderot… Savez-vous que nous nous sommes entretenus il y a peu ?

— Comment le saurais-je si vous ne le dites pas ? Et de quoi s'agissait-il ?

— Il s'agissait de la cinquième dimension, où nous avons séjourné ensemble, le passé et la destinée de l'espèce humaine, ce n'est en réalité rien d'autre que l'Enfer.

— Analyse intéressante. Vous avez peut-être raison.

— Où allons-nous ?

— Nous sommes presque arrivés.

— Où ?

— Où ? Mais à la Ville.

De nouveau un singulier sentiment de déception. La ville, la ville, ce ne serait que cela, l'infini auquel j'ai si ardemment aspiré, systèmes solaires, voies lactées, nébuleuses et même bien au-delà, pour qu'ici je puisse enfin voir et toucher l'inconcevable, pour la compréhension duquel ma conscience à la peine ne suffisait pas là-bas ?

Apparemment mon guide a deviné la cause de mon silence.

— Reprenez vos esprits, gros paresseux ! Je devine tout ce qui grouille dans votre âme impuissante... vous voudriez poursuivre au point où vous avez été interrompu : vous aimeriez encore vous immerger dans la cinquième dimension. Mais c'est impossible, ce n'est plus le moment... d'ailleurs, vous comprendrez bientôt combien nous sommes mieux ici... Qu'est-ce que cela peut vous faire que ce ne soit qu'une Ville, qu'est-ce que cela peut faire, alors que cette Ville soit précisément ce à quoi vous avez aspiré, même dans les moments où vous l'avez évoquée comme Système Solaire, Voie Lactée, Espace, Infinitude, avec la dialectique extravagante de la cinquième dimension... Vous deviez avoir des visions angoissantes là-bas, dans le noir...

Je respire un bon coup.

— Vous avez... vous avez raison...

— Pourriez-vous préciser ?

— Attendez... cela va venir... ça y est, je sais enfin quelle était cette angoisse qui m'a accompagné tout au long. Dès le départ j'étais oppressé par la certitude qu'on ne pouvait rien changer. Les images venaient, voltigeaient, alternaient, tourbillonnaient autour de moi... mais la source d'où jaillit tout cet inconnu, ce Secret épouvantable... ce n'est pas moi. Ce n'est pas moi qui les transforme, mais quelque chose d'autre, une monstruosité qui échappe à mon pouvoir.

— Autrement dit, pour être plus précis, vous aviez le sentiment qu'au même moment, au même endroit et dans les mêmes circonstances une seule chose seulement peut se produire. Ainsi vous ne pouvez pas savoir si la chose qui se produit est bonne ou mauvaise puisque vous n'en avez aucune maîtrise, pas moyen de faire des substitutions pour savoir ce qui se serait produit si cela s'était passé autrement. Je connais bien cela, il m'est déjà arrivé de faire ce genre de rêve. Réveillez-vous enfin, tout n'était qu'une sottise, il n'y a pas un mot de vrai là-dedans, vous allez le voir. Comprenez que là où nous sommes, ne règnent ni le Destin, ni la Loi auxquels vous vous croyiez soumis, ici règne l'Affaire Personnelle de celui qui y passe, c'est son affaire à lui seul, ici nul autre royaume que celui du Moi, le Moi qui aspire à créer le monde à sa propre image, les...

Je le fixe, effaré.

— Et...

Il fait des yeux tout ronds, je me tais, affolé.

— Taisez-vous… Surtout ne prononcez pas ce mot…
Je sais à qui vous pensez… Ne Le dérangeons pas…

Puis, sur le ton du bavardage :

— On va bientôt arriver, alors je remonterai le store.
Mais pour que vous voyiez que je ne vous ai pas trompé,
dites-moi comment vous imaginez la Ville.

Je m'y efforce. Il me coupe allégrement.

— Ne vous forcez pas, vous ne passez pas un examen… Allez, prononcez ce que vous aviez tellement
envie de dire, ce que votre premier désir voulait vous
dicter immédiatement après que je vous ai posé la question mais que vous avez aussitôt chassée croyant qu'elle
était indigne de vous. Allez-y maintenant…

Je suis accablé de honte, je lui souris bêtement.

Il éclate gentiment de rire.

— Bon, bon, vous n'êtes pas obligé de le dire… C'est
entendu ! Regardez !

D'un geste brusque il soulève le store.

Nous roulons sur des rails et pourtant nous sommes
entourés par la mer.

Dans l'eau, des poteaux télégraphiques.

Je regarde assis sans me pencher au dehors. Je n'ose
pas encore croire à ce bonheur, c'est vraiment…

Mais non, il n'y a plus de doute possible. Au loin, la
silhouette d'une coupole se détache sur l'horizon…

Venise !

Venise, mais non pas le Souvenir nébuleux et le Désir
avide apparaissant dans le rêve cotonneux, Venise la
vraie, la vraie.

Je sursaute. Je cherche mes bagages. Je perds la tête, je balbutie des excuses.

— Pardonnez-moi, mais… ici je dois prendre congé de vous, immédiatement, je n'en aurai pas le temps quand le train s'arrêtera… je devrai sauter du train… je crains d'être déjà en retard…

Il hoche la tête, compréhensif, un peu pensif.

— En retard… Où donc en retard ?

— Excusez-moi… ça ne vous… c'est-à-dire… je crains que cela ne vous intéresse pas… dites-moi plutôt… le théâtre de la Fenice, à quelle heure ouvre-t-il ?

Avec douceur mais fermeté, il pause sa main sur mon épaule.

— Calmez-vous, mon cher Merlin. D'abord : vous n'êtes pas en retard, bien au contraire, vous arrivez trop tôt… Je crains que vous n'ayez encore à attendre. Je vous laisserais partir très volontiers, mais d'une part vous iriez en vain, d'autre part… hum… je dois vous rappeler quelque chose qu'apparemment vous avez oublié…

Je le regarde sans comprendre, la tête bourdonnante.

— J'aurais oublié… quoi ?

Prudemment, doucement il essaie de me le rappeler.

— Vous avez oublié… eh bien… que vous n'êtes pas… comment dire… que vous n'êtes ni citoyen ni natif de ce pays… que vous n'y possédez qu'une autorisation de passage…

Je me laisse retomber sur mon siège, anéanti. Je murmure :

— Le *New History*…

— Eh oui... c'est à peu près cela... Je voulais seulement vous montrer, à titre de dégustation, ce que signifie pour nous ce pays... mais à part cela...

Je me ressaisis.

— Vous avez raison. Je l'avais oublié. Un journaliste n'a pas droit à une vie privée quand il est en reportage, de même qu'un militaire en service ne peut être un civil. Merci pour l'avertissement.

Il approuve de la tête avec un peu de compassion.

— Donc, que souhaitez-vous voir ?

Je réunis mes forces, je m'incline, et après m'être raclé la gorge j'annonce d'un trait :

— C'est l'au-delà, naturellement, comme le souhaitent les lecteurs du *New History*. C'est ce qui les intéresse, eux, l'au-delà, ce qui a motivé mon voyage pour mieux assouvir leur curiosité, ceci dans le cadre d'un contrat, contre des honoraires correspondant au nombre d'abonnés.

Je suis moi-même étonné d'avoir pu citer ces paroles d'un seul tenant sans éclater de rire, charabia et bafouillage de mes souvenirs oniriques, car c'est l'aspect que prend cette phrase dans la sixième dimension.

Mon guide rit bien sûr, mais il entre volontiers dans mon jeu de langage.

— Parfait, parfait. Venez avec moi, accrochez-vous à mon bras. Le train s'est arrêté, nous allons descendre par le marchepied... mais pendant quelques instants vous aurez besoin de mon soutien, aussi longtemps que dureront les répliques de la vision précédente... Ne vous étonnez pas si pendant un temps vos yeux voient autre chose que ce que sentent et touchent vos pieds et vos mains... Le brouillard ne tardera pas à se dissiper...

Effectivement c'est une curieuse sensation.

J'ai toujours devant moi l'image de Venise, la gare, le Grand Canal, les gondoles, le Rialto... je les vois nettement... mais quand je veux poser mon pied sur la dernière marche du wagon, je sens le vide... qu'est-ce que c'est ? Je veux attraper la barre... il n'y a rien... J'entends de nouveau la voix de mon guide.

— Je vous ai bien dit de vous accrocher à mon bras si vous ne voulez pas vous étaler...

Je tâtonne fébrilement dans le vide : la silhouette d'un bras vigoureux, sortie du néant, se dessine pour mes doigts... Je l'attrape.

Cette fois il me guide vraiment comme un aveugle.

— Tout va bien. Avancez calmement, sans crainte, vos yeux vont bientôt s'ouvrir.

J'avance, je marche à tâtons... les plantes de mes pieds finissent par retrouver un sol plus solide.

— Encore un petit effort... attention... levez le pied... je vais vous lâcher maintenant...

Je trébuche encore, puis...

Comme si le brouillard se dissipait...

L'image de Venise s'évanouit.

Une nouvelle vision se forme de plus en plus nettement à travers la pénombre, les détails apparaissent successivement de plus en plus vite avant de souder ces éléments épars en une image achevée.

Nous nous trouvons en bordure d'un immense espace, à l'embouchure d'une des avenues.

La place ronde est incroyablement spacieuse, une mer ; parmi les avenues rectilignes qui s'en échappent en rayons réguliers nous ne pouvons entrevoir que celles du demi-cercle proche de nous, l'autre moitié se perd dans l'amoncellement de constructions.

Des maisons, des rues, des blocs d'immeubles en quantités innombrables, imbriqués, perchés sur des collines, dissimulés au fond de vallées encaissées.

À quel point l'échelle de cette carte est gigantesque, c'est la circulation qui permet de s'en faire une idée : comme si des fourmis zigzaguaient au pied des gratte-ciel new-yorkais, les gens sont si petits… Au premier instant je n'aperçois que le fourmillement sans pouvoir distinguer la moindre figure.

L'appel d'un crieur de journaux me fait revenir à moi-même :

— Sensationnel ! *Gazette Céleste*… deuxième édition exceptionnelle ! Merlin Oldtime est arrivé dans l'au-delà !

2

UNE ÉVOCATION

Étonné, je me tourne vers mon guide.

— Que se passe-t-il ? On me connaît ici ? C'est moi, le modeste journaliste lui-même en quête de sensations, qu'ils présentent comme sensationnel ?

Il hausse les épaules.

— Je ne saurais dire aussi vite moi-même ce qui a pu se passer.

— Alors, peut-être faudrait-il le demander… nous pourrions aussi acheter un exemplaire de ce journal…

Un autre crieur de journaux nous dépasse en courant. Nous le hélons tous les deux mais il reste imperturbable, il ne nous remarque pas. Quand j'essaye de l'attraper il me glisse entre les doigts. Mon guide se ressaisit.

— Cela n'ira pas. N'oubliez pas que personnellement je suis du septième cercle, en transit, et vous, vous arrivez par le cinquième. Ils ne se sont pas encore habitués à nous, moi je suis trop dur pour eux et vous trop fluide. Nous devons nous travestir, si je peux m'exprimer ainsi. Nous incarner, comme vous l'avez dit récemment.

— Mais comment y parvenir?

— Ce ne sera pas facile tant que nous n'aurons pas établi le contact avec eux. En tout cas, allons-y, nous finirons bien par trouver un tourbillon ou un orifice par où nous pourrons nous couler dans le plan de projection. J'ai l'habitude de ce genre de passage depuis que nous sommes ensemble, et depuis que je voyage dans le monde interdimensionnel.

Nous nous lançons dans l'immense rue qui nous paraît large d'un demi-kilomètre; des deux côtés pourtant on ne voit pas le toit des immeubles : en haut les rangées de fenêtres se perdent proprement dans les nuages, ou plutôt dans cette espèce d'aurore bleuâtre dont la teinte est uniforme car on n'y sent pas même l'empreinte d'une source centrale de lumière, un Soleil terrestre par exemple.

Tout ceci est très étrange, totalement nouveau.

Je n'ai pas le souvenir d'avoir un jour rêvé, imaginé ou inventé une chose semblable.

Nous deux qui abordons l'incertain, nous sommes de drôles d'individus.

Il s'avère bientôt que mon guide avait raison quant à l'inaptitude de notre état physique.

Par rapport à moi tout est trop dur. Flanqué de mes misérables bagages que je trimbale obstinément, je volette au-dessus des pavés de la rue tel une nébuleuse, une ombre ou une image projetée. Un pas imprudent me projette à un mètre de hauteur, je tombe sur un mur d'immeuble sur lequel je poursuis ma course un moment, animé de gestes grotesques, puis une glissade m'en fait redescendre, et je constate avec quelque gêne que je patine à plat ventre, à grande vitesse, pendant que les passants me marchent dessus tout simplement, sans tenir aucun compte de ma présence. Quelquefois je m'allonge, je deviens si long que ma tête fait des arabesques quelque part à hauteur du centième étage, je traîne derrière moi mes deux jambes repliées contre le bord du trottoir. Et quelquefois je ne suis pas plus grand qu'une petite tache ronde : un homme corpulent, dans lequel je pense reconnaître une connaissance de mon enfance, agacé, me décolle de sa paupière où je m'étais posé.

C'est ce que doit ressentir un faisceau lumineux, il doit se sentir ainsi, reflet s'amplifiant et se rétrécissant et se reflétant quand un méchant enfant le dirige, pour déranger les gens, sur la fenêtre de l'immeuble voisin à l'aide d'un miroir ou d'une lentille.

Et mes bagages en plus…

Mon guide doit faire face à des difficultés contraires.

Chaque fois que, pour ne pas nous perdre, je m'approche de lui au prix de terribles difficultés, je le vois lever très péniblement les pieds, les secouer pour en enlever les pierres qui s'y collent et qui en retombent avec fracas… Il tente de progresser mais à chaque pas il s'enfonce jusqu'à la ceinture sous la surface de la chaussée… il s'en dégage mais s'y enfonce de nouveau… Il abandonne enfin cette démarche, se penche en avant et à brasses régulières commence à nager dans la pierre, liquide par rapport à sa matière à lui. Haletant, il me jette un regard souriant et me lance :

— C'est un peu épuisant. Je tombe sur le nez à chaque pas, ce milieu trop mou ne me résiste pas assez… Mais attendez un peu, on dirait qu'un savoir qui nous convient se vend ici… Lisez donc. Là-haut… au cent quatre-vingt-quinzième étage… il y a quelque chose d'écrit sur la porte d'un balcon… je ne vois pas jusque là…

Je m'allonge aisément, ma tête se hisse au niveau de ce cent quatre-vingt-quinzième étage. Du fouet tressé de mon cou filiforme je balaie gaiement les rangées de balcons à la manière d'un monte-en-l'air qui balaie les murs du faisceau de sa lanterne sourde… Je repère enfin un modeste écriteau sur une des portes-fenêtres… je me penche tout près.

La raison sociale d'une société. C'est surprenant à cette hauteur.

À la faible lumière émanant de mes yeux je déchiffre :

« Schrenck-Notzing, évocateur diplômé. »

Ce nom me dit quelque chose…

Où l'ai-je déjà entendu ?… Où ai-je rencontré cette personne ? Ça y est, cela me revient !

L'instant suivant je pénètre dans l'appartement à travers une mince fente de la porte.

Inquiet, je vacille sur le plancher, je grimpe sur le mur, je glisse même le long du plafond. Mes yeux ont du mal à s'accoutumer à la pénombre.

Je m'imagine déjà qu'il n'y a personne, une voix pleurnichante se fait soudain entendre sous moi.

— Qu'est-ce que c'est ?… Qui est là ?…

Je m'oriente dans sa direction.

Mes doigts parcourent une sorte de canapé. Puis j'éclaire deux yeux pleins de frayeur. Au même instant ce regard s'agrandit, terrorisé.

Suivi immédiatement d'une voix tremblante, solennelle.

— Qui êtes-vous ?… Un fantôme ?… Dites-le, si vous êtes un fantôme… Esprit, nomme toi !…

Je tente de parler, je sautille, j'émets des signes, je fais des pieds et des mains pour m'expliquer, mais manifestement en vain, il dresse les oreilles sans comprendre et il tremble de tout son corps.

Enfin, heureusement, c'est lui qui se ressaisit.

Il sort pour une minute, j'en profite pour examiner l'ameublement, je découvre une table tournante ; puis il revient en compagnie d'un jeune homme pâle qui ne me paraît pas lui non plus inconnu.

Il le fait asseoir devant la table tournante. La cérémonie commence, tout le tralala que je connais déjà. Mais cette fois ce n'est pas pour me déplaire.

Quelques minutes plus tard je sens que je rétrécis. L'élasticité caoutchouteuse de mes membres diminue, je commence à m'alourdir, j'arrive déjà à me maintenir debout. Je me racle la gorge et constate avec joie que j'entends, et que par conséquent je peux me faire comprendre.

Du même coup le professeur déclame solennellement :

— Merlin Oldtime, est-ce toi ?

Je hurle à tue-tête.

— Oui... c'est moi... enfin, Dieu merci... Bonjour, monsieur le professeur... entendez-vous ma voix ?

Sa réponse est tremblante.

— Je l'entends.

— C'est bien... Mes respects... Alors, vous ne m'avez pas oublié ? C'est très aimable à vous, monsieur le professeur... Vous rappelez-vous notre entretien à Vienne en mille neuf cent vingt-trois ?... Excusez-moi... j'ai oublié que nous avions décidé de nous tutoyer... mais si vous le souhaitez... et si vous le permettez... je t'en prie, mon cher ami ! Quoi de neuf ?

C'est alors que je remarque que je suis assis à la place du médium. Mais cela ne me dérange pas, Schrenck-Notzing poursuit la conversation sur le même ton onctueux que je trouve personnellement très déplacé, mais je le tolère.

— Ta visite me remplit de joie, cher Merlin. J'attendais ton arrivée depuis que tu m'en as averti hier.

— Moi? Je ne m'en souviens pas. C'est probablement une de nos connaissances communes qui a bien voulu t'avertir en mon nom, lorsqu'elle a appris que j'arrivais aujourd'hui.

— Naturellement je l'ai immédiatement fait savoir dans notre communauté.

— Ah bon… voilà pourquoi les journaux l'ont publié…

— Nous n'avons qu'un unique Bulletin.

— La *Gazette Céleste,* je l'ai déjà vue bien que je n'aie pas eu l'heur de la lire. En tout cas je constate que le service d'informations est efficace, toutefois je m'étonne qu'une si grande ville n'ait qu'un seul journal.

Hochement de tête désapprobateur.

— Toujours aussi superficiel, Merlin, comme en deçà, lorsque nous nous promenions encore par les places des villes terrestres. Apparemment tu ne te sens pas encore tout à fait chez toi dans l'Harmonie de l'Accomplissement où tu viens de débarquer dans ma communauté… Je me rappelle bien : de l'autre côté tu étais sceptique et critique… Ici tu ne peux plus te le permettre, tu dois reconnaître que j'avais raison, que nous avions raison, nous les croyants, contrairement à toi, malheureux mécréant égaré…

Je hausse les épaules. On peut dire que ce cher Schrenck-Notzing n'a pas beaucoup changé, il est toujours amateur de ces expressions onctueuses. Je tente prudemment de me répéter, sans perdre sa bienveillance : nous aurons encore besoin de lui, mon guide et moi. Je me justifie.

— Mon cher vieil ami, mon style ne doit pas te froisser, je suis comme ça… En réalité j'ai besoin de toi, c'est ce qui explique ma venue… J'aurais besoin de quelques informations sur les conditions locales…

— Quelles sortes d'informations ?

— Je représente le *New History*… Bien sûr tu ne pouvais pas le savoir… Hum… C'est seulement après ton très cher décès que le journal a commencé à paraître… c'est une très bonne feuille à Londres…

— Autrement dit, Oldtime, tu vis toujours en bas, dans la profondeur des souffrances et des épreuves, tu flottes toujours dans la promiscuité de la Vie ?

— Pour te servir, mon cher ami.

— Loin, loin en dessous de la Perfection où nous sommes…

— C'est possible. Qu'il me soit permis de rappeler en toute modestie que déjà à l'occasion de notre rencontre terrestre, autrement dit dans la vie mortelle, j'avais exprimé le soupçon que les esprits que vous évoquiez dans ton excellente société de spiritisme étaient des êtres d'un niveau inférieur aux êtres qu'on appelle les vivants, les humains en chair et en os.

Le professeur se trouble un peu.

— Dans ce cas particulier il semble que tu aies eu raison, ami Merlin. Mais on dirait que tu ne saisis toujours pas quel est l'endroit où tu es parvenu…

— La Sphère de la Perfection, j'ai compris. Aurais-tu l'amabilité de me communiquer quelques données politiques et administratives sur cette sphère?

De nouveau le professeur hoche la tête avec une douce indignation.

— Politique!… Administration!… Quels termes profanes…

— Pardon, les termes ne sont peut-être pas le plus important, ici où selon toi, nous sommes à la source de la Substance. Si j'ai utilisé ces expressions c'est parce que j'ai vu des rues et des maisons…

— Elles peuvent paraître des objets terrestres à tes yeux imparfaits puisque tu n'es pas capable de saisir leur signification. Ces maisons représentent la Parfaite Harmonie et l'Heureux Accomplissement, dans chaque recoin de chaque maison habite une âme, chacune de ces âmes est une partie purifiée de cette Entité Parfaite dans laquelle elles souhaitaient se fondre au cours de leur vie terrestre en cherchant la voie, sans se douter que…

Je remue impatiemment les orteils pour lui cacher la nervosité irrépressible qui m'envahit chaque fois que j'entends une expression absconse, déjà sur la terre où demeurent mes chers lecteurs je faisais de même, alors ici dans l'au-delà où je suis venu chercher la Lumière!

— Pardonnez-moi de vous interrompre, cher ami, mais… qui ou qu'est-ce que je dois entendre par votre expression « entité parfaite »?

— Qui d'autre que la Lumière Supérieure par la grâce de laquelle nous avons pu nous élever jusqu'ici pour que, ayant fusionné avec sa Clarté, nous la bénissions dans les siècles des siècles d'avoir dans son omnipotence créé notre âme immortelle…

— Pardon, pardon, pas trop vite… je ne comprends pas un traître mot… s'agit-il de l'omnipotence de notre âme immortelle… ou bien de l'omnipotence qui est immortelle mais qui a créé l'âme impuissante… Et dans la mesure où tu faisais allusion à cette dernière, où est-ce que j'ai une chance de la rencontrer…

Il baisse la tête.

— Elle ne se déclare qu'en un tout, son représentant ici, c'est moi.

J'approuve de la tête. Alors je comprends.

— Ah bon, c'est ça… En fait, cher ami, c'est toi, investi de droits dictatoriaux, qui détiens en dépôt, pourrait-on dire, la constitution de la Ville. C'est différent. C'est toi, en personne, qui représentes les susdits Bonheur, Perfection, Omnipotence, Entité Unique, seulement par délégation naturellement mais détenteur d'un pouvoir non moins grand pour autant. Ainsi la grande Harmonie que j'ai eu la chance d'éprouver devient une évidence, elle aussi. En tout cas, toutes mes félicitations pour ce poste superbe, mais comme je suis un ressortissant étranger dans ton pays, je réclame le droit de bénéficier de la clause qui permet aux étrangers, s'ils ne le souhaitent pas, d'être dispensés d'allégeance aux lois et aux décrets de la Constitution sous réserve bien sûr de ne pas entraver le respect de ces lois par la population du pays, et de ne pas l'inciter à la révolte. Je réclame ce droit pour moi et pour mon compagnon de voyage.

— Qui est-ce ?

— Un certain Denis Diderot.

— Diderot… Diderot… attends voir…

Je rafraîchis sa mémoire avec un peu d'impatience. Les lacunes de sa culture m'énervaient déjà lors de nos rencontres dans l'en-deçà.

— Philosophe français du dix-huitième siècle.

Visiblement il s'assombrit.

— Ah… oui… ça me revient… mais qu'est-ce qu'il fait ici celui-là ? C'était un incroyant que je sache, il niait la Glorification par la Purification Intérieure dans l'au-delà. Au cas où il aurait déjà quitté les rangs des vivants, il doit flotter quelque part, très très bas, à proximité de la vallée des larmes terrestres.

Je hausse les épaules.

— Selon mes informations et les documents, concernant sa citoyenneté, il appartient au septième cercle.

L'effet est surprenant. Son excellence monsieur le gouverneur (je suis obligé de le qualifier en ces termes depuis que je connais sa position) se relève légèrement et, les bras croisés sur la poitrine, salue humblement de la tête à trois reprises. Puis sur un tout autre ton, avec un grand respect, comme il se doit à l'égard de l'ami d'un personnage aussi puissant, il me fait sentir que dans ces conditions, naturellement, il se fait un devoir de se mettre à notre disposition.

— Oh... le septième cercle... je vous prie d'excuser mon erreur... je me souviens mieux maintenant... il s'agit du cardinal Diderot.

— Non, non, cher... euh... mon cher... Votre Excellence... ta mémoire fonctionne remarquablement bien, en effet, de son vivant il a nié l'importance de certaines formalités... ou plutôt de certaines définitions qu'il prétendait sans valeur... c'est pour cette raison justement que certains cardinaux l'ont qualifié d'esprit fort... et lui, sans accepter cette qualification l'a toutefois tolérée.

— Mais alors... je ne comprends vraiment pas... comment est-il possible dans ce cas... qu'il ait accédé un cercle plus haut que nous, âmes indéfectibles et pieuses, qui croyions en l'au-delà... un cercle plus haut, un cercle plus près de ce qu'il a constamment nié...

— Tout d'abord, je l'ai rappelé, il ne l'a pas nié, il a seulement jugé imparfaite, pour ainsi dire bâclée, la terminologie qui a désigné la Chose chez nous, de l'autre côté... n'oublions pas que c'était un styliste d'un goût extrêmement raffiné... Deuxièmement : qu'il me soit permis de citer la pensée d'un excellent théologien. Il nous enseigne que celui qui cherche vraiment une chose avec une ferme résolution, la trouve, à condition que la chose existe. Il la trouvera probablement plus vite, même s'il doute de son existence, que celui qui pense savoir que la chose se trouve à un certain endroit, et qui donc ne la cherche pas plus loin. Comment mon excellent guide est-il parvenu, par l'échelle de la foi ou alors par celle du doute, un cercle plus haut, plus près de ce que dans ce pays on sait déjà, c'est une autre question ; le fait est qu'il est là où il est, par conséquent c'est à juste raison qu'il peut réclamer l'autorisation de séjourner ici.

Le professeur se lève. Je sens bien dans sa courtoisie que mes arguments ne l'ont pas du tout convaincu, il s'incline néanmoins devant l'autorité diplomatique du septième cercle.

— Naturellement je vais faire le nécessaire immédiatement. Je ferai convoquer monsieur Diderot par voie de médium. Votre visite, messieurs, est un grand honneur pour moi, je ferai en sorte que les milieux officiels placés sous mon autorité vous aident dans vos déplacements, et je vous souhaite un agréable séjour. Au revoir, Mister Oldtime, je vous prie de transmettre mes cordiales salutations au rédacteur du *New History*.

L'audience a pris fin, le médium est en train de se réveiller. La pièce s'assombrit lentement : quelque chose s'élève et s'abaisse autour de moi, puis se met à tourner. À ma grande joie je me trouve dans une sorte de charmante auberge qui semble faire saillie comme une terrasse au centième étage d'un immeuble. La terrasse est soutenue par des piliers faits d'une pâte semblable au matériau des nuages, les chaises et les tables sont également faits de la même matière. Par une bouche d'aération de la tenture de nuage on peut voir dans la profondeur et je découvre sous nos pieds avec une franche satisfaction, parmi de nombreuses autres boules, notre Terre tournant tristement et lentement sur elle-même dans le sens des aiguilles d'une montre avec une petite inclinaison à peine perceptible.

C'est en zeppelin que je me suis senti autant chez moi.

3

RÉGIME POLITIQUE, ADMINISTRATION, VIE SOCIALE

Je n'ai même pas le temps de regarder autour de moi, mon cher guide s'approche de ma table. Il me fait des signes amicaux.

— Merci beaucoup Merlin… Je vous félicite, vous êtes un excellent diplomate, cette fois vous avez joué mon rôle, c'est vous qui m'avez pistonné… Il ne doit pas y avoir une autre personne chez vous aussi capable de retomber sur ses pieds à l'étranger… Ce n'est pas pour rien que vous êtes un grand journaliste… Vous permettez?

— Je vous en prie. Qu'en dites-vous, n'est-ce pas un pays merveilleux?

— Un enchantement. Une fois je suis déjà passé par ici, le temps de traverser… Un ordre, un confort vraiment exemplaires. J'ai reçu l'autorisation il y a une demi-heure à peine, et depuis ils sont tous à ma disposition pour me conduire ici. Savez-vous que toute la ville ne parle que de vous, ils savent précisément où vous séjournez… La *Gazette* vous a rendu populaire…

— Si cela me réjouit c'est parce que cela me permettra de me tenir informé. Pardon…

Un serveur s'approche de notre table, le visage souriant, il porte une longue blouse blanche comme les médecins chez nous. De ses épaules deux superbes ailes refermées retombent presque jusqu'au sol, elles touchent même le plancher de nuages.

— Ces messieurs désirent? demande-t-il de ce ton mélodieux qui fait du langage de cette population locale un véritable enchantement musical.

— Que peut-on avoir?

— Du nectar frais à la pression.

— D'accord, pour nous deux. Euh… dites-moi… j'aimerais rendre quelques visites après le repas… auriez-vous une carte, un plan ou un annuaire qui me permettrait…

— Naturellement… Tout de suite…

Bruissement. Le garçon écarte ses ailes, il s'élève, il disparaît un court instant derrière la tenture… Le voici de retour, il replie ses ailes, il pose deux volumes gigantesques sur la table à côté des tasses discrètement déposées devant nous par enchantement, embaumant la pièce d'une odeur suave.

— Voici un indicateur de domiciles et d'adresses ainsi qu'un plan précis muni de la légende nécessaire.

En le feuilletant nous remarquons que la liste d'adresses contient plusieurs milliards de noms, par conséquent la carte reproduit la surface immense qui peut loger toutes ces âmes. Cela m'étonne un peu.

Mon guide se penche plus près.

— Qu'est-ce que vous ne comprenez pas?

— Cette multitude de noms... On dirait que les âmes se multiplient ici...

— Mais oui. Plus il en meurt en bas, plus nombreux nous serons ici en haut. Un petit calcul et vous auriez découvert que depuis Adam et Ève à peu près autant d'hommes ont vécu sur terre, donc nécessairement autant sont parvenus ici...

— Comment? Ils sont tous ici?

— Bien entendu.

— Mais... Vous m'avez appris, et je l'ai moi-même constaté dans le cinquième cercle, que les neuf cercles sont remplies d'âmes... J'ai cru comprendre que les âmes, après leur parcours dans la vie terrestre, sont réparties dans ces neuf cercles... C'est très curieux ce que vous dites...

Il secoue la tête avec réprobation.

— C'est la première fois que je vous surprend à être superficiel, Merlin... Vous ne comprenez donc toujours pas la Physique des Dimensions que je vous ai pourtant maintes fois expliquée depuis notre rencontre?... Puisque je vous ai dit clairement que le passage d'un cercle dans l'autre est une question de conscience et n'implique en aucune façon un changement de lieu ou de temps... Il en découle par conséquent que dans chacun des cercles nous trouvons tout ceux qui ont figuré à un moment ou à l'autre dans notre conscience...

— En même temps et au même moment?

— En même temps et au même moment, ou si vous préférez (du point de vue de vos lecteurs), chacun en autant d'exemplaires qu'il y a de cercles... J'ajoute de plus que, comme vous allez le constater, dans ce sixième cercle il existe autant de milliards de spécimens de paradis qu'existent d'âmes, le sixième cercle étant le cercle des *ego-mondes*, avec l'existence au même moment et au même lieu d'autant d'Univers Concentriques que vous trouvez d'*egos* dans cet annuaire…

— Attendez un peu… Vous voulez dire que Napoléon par exemple, ou Christophe Colomb, ou Thomas l'incrédule, que j'ai rencontrés dans le cinquième cercle, existent aussi ici?

— C'est évident, ouvrez l'annuaire, vous les retrouverez. À condition toutefois qu'ils figurent également dans la conscience supérieure ou inférieure de sa majesté Schrenck-Notzing, l'univers où nous sommes étant un avatar du sixième cercle qui représente l'univers de la conscience de monsieur Schrenck-Notzing.

— Ah bon… Très intéressant. Je commence à saisir les tenants et les aboutissants. Ce qui m'étonne là-dedans c'est de voir combien ce monde ressemble à l'idée que s'en font de nombreux lecteurs vieux jeu.

— Cela ne fait que prouver que le bonheur parfait selon le géniteur et créateur de ce monde, monsieur Schrenck-Notzing, vous vous en faites un peu la même image que les gens d'ici, au moins pour votre usage personnel.

— Son géniteur et son créateur… un médiocre auteur spiritiste?

— Laissons cela… Le bonheur est une affaire personnelle, et il reste une affaire personnelle même s'il remplit tout un cosmos, il a ses propres lois. Dans la dimension des cercles concentriques où en un et même point cent millions d'infinités sont possibles au même moment, et où en un et même instant cent millions d'événements peuvent se produire en même temps, il ne faut vraiment envier à personne de vouloir aménager à son goût le monde qui lui est imparti.

— D'accord, mais quelle information nouvelle puis-je rapporter d'ici à mes lecteurs? Tout cela n'a l'air que d'un livre d'images de Noël en couleurs, illustré pour enfants des écoles maternelles ne sachant ni lire ni écrire. On va me dire : nous savions déjà tout cela sur l'au-delà, et pour ce qui est du beau langage de monsieur Merlin Oldtime, dans lequel il emballe cette image d'Épinal, les œuvres des peintres médiévaux couvrent parfaitement nos besoins en la matière.

— Vous rassurerez vos lecteurs en leur expliquant que cette image évolue et s'enrichit considérablement dans la mesure où nous nous posons devant les yeux de toujours nouvelles lentilles de visions du bonheur et d'objectifs du désir. Pour le moment vous les informez de ce que vous voyez ici (il y en aura certains à qui cela plaira), et après le déjeuner nous irons faire un tour. Je ne doute pas que vous découvrirez des sujets à raconter.

Je donne raison à mon guide.

Je communique donc au lecteur, en quelques phrases, tout ce que j'ai appris sur le régime politique, l'administration et la vie publique du Paradis selon Schrenck-Notzing, ou si vous préférez celui des livres scolaires.

Ce paradis est une très grande ville bâtie en un matériau nuageux, dont la superficie croît continuellement avec l'accroissement du nombre des âmes, étant donné que tous ceux qui un jour ont vécu sur la Terre, parviennent ici après leur mort, sous forme d'âme, après les contrôles et vérifications d'usage.

L'agrandissement de la ville ne se réalise pas au moyen de nouvelles constructions, vu que la construction en tant que travail est une notion corporelle, mais puisque le matériau nuageux est élastique, il s'étend au fur et à mesure des besoins.

Les âmes elles-mêmes sont faites de cette gomme cotonneuse élastique, comme le lecteur a pu l'observer sur les photographies de séances de spiritisme, sur la scène de drames shakespeariens, dans des films mystiques et sur les peintures célèbres des grands musées du monde rapportant des légendes antiques ou contemporaines.

Le régime politique peut le mieux être défini par les termes de «monarchie démocratique», en remarquant qu'en réalité il n'est pas vraiment besoin d'État au sens terrestre, car la préoccupation essentielle de toute institution de ce type, prendre soin de la descendance, est ici sans objet : j'ai déjà mentionné que la reproduction se fait sur la Terre et que le décès n'existe pas puisque l'âme est naturellement immortelle.

En conséquence la solution complète des problèmes d'intendance est également toute trouvée, c'est-à-dire que tout problème économique est évacué. Grâce au Pouvoir Suprême tout le monde a droit au gîte et au couvert, il n'y a plus de lutte pour la vie et sa place est occupée par…

Ce qui prend sa place, j'ai un peu de peine à l'expliquer.

Puisqu'il n'y a plus de lutte, il n'y a plus de besoins insatisfaits, il n'y a plus de mécontentement, et il n'y a plus d'aspiration à la liberté, et surtout il n'y a plus de peur de la mort ; ces deux dernières passions n'ayant plus d'objet pour les habitants de ce pays, les notions de droits et de devoirs se confondent, se soudent indissolublement ensemble, il n'y a même plus de mots séparés pour les distinguer.

Tout sujet n'a plus qu'un seul droit et en même temps un seul devoir : être heureux.

Pour moi qui observe ce pays avec des yeux terrestres, et aussi qui essaye de l'observer par les yeux du citoyen lecteur, d'un certain point de vue cette loi est à double tranchant et la façon de s'y soumettre est incompréhensible ; or les indigènes m'assurent que c'est seulement ma courte vue qui m'empêche de ressentir la perfection de l'harmonie qui règne.

Je ne peux donc parler que de ce que je vois.

Les gens, ou plutôt les âmes, ou plus exactement les anges (presque tous ont des ailes mais ils ne s'en servent que rarement, et même plutôt pour jouer que dans le but de se déplacer) affichent effectivement une figure très amène quand ils flottent, sautillent et se reposent aux balcons de nuages, défilent, glissent dans les avenues de nuages, et leur expression je pourrais la qualifier de glorieuse si je ne trouvais pas ce genre d'expression trop emphatique. Ils sont le plus souvent blonds et tout a un caractère un peu germanique.

Généralement ils lèvent le regard, en le tournant légèrement sur le côté, dans une certaine direction : en observateur expérimenté, j'ai rapidement remarqué que cette direction désigne une certaine fenêtre d'une certaine maison, celle sur laquelle à mon arrivée j'ai découvert la plaque de la firme du Grand Évocateur.

Ils reconnaissent eux-mêmes que leur adoration pour Lui, leur admiration, leur affection remplissent entièrement leurs pensées et leurs sentiments, rien d'autre ne leur traverse l'esprit, ils n'ont jamais d'autre désir, d'autres idées ou d'autres volontés, et de cette façon ils ne s'ennuient jamais comme serait pourtant enclin à le supposer un visiteur extérieur, partant de l'hypothèse fausse que lui-même en serait vite saturé, alors pour l'éternité…

Ils sont convaincus que Lui est un être parfait, le savoir à proximité, en contact avec eux, les remplit d'une quiétude infinie car, comme ils le disent : « Il est toujours parmi nous. » Personne n'a pu m'expliquer la raison pour laquelle ils regardent tous toujours dans une même direction, celle de Son Être.

Pas plus que m'expliquer pourquoi Lui, qui de son propre aveu considère comme l'unique sens et objectif de son existence l'amour qu'il nourrit pour toute la population et le don de sa Personne, n'a pas souhaité malgré cela offrir un autre contenu et un autre sens à leur existence que de L'aimer et de L'admirer, lui.

C'est un peu comme cela se passe en général entre les amoureux.

Les deux parties n'existent que pour aimer l'autre.

Vraisemblablement, c'est ce qu'ils appellent félicité, ce que mon esprit limité n'arrive pas à appréhender.

C'est peut-être parce que je suis étranger ici.

Il doit me manquer un organe qui me permettrait de sentir le goût de ce bonheur spécifique et au-delà de tout, que l'on ne peut comparer à rien.

Je me rappelle avec quelle indifférence, avec même quel ennui, un aveugle de naissance a écouté un jour une conférence enthousiaste et passionnée que j'ai faite sur les couleurs et les lumières : bien qu'il ne me l'ait pas dit en face, j'ai bien senti qu'il l'a trouvée hautement exagérée. Aussi bien mon enthousiasme que l'objet de mon enthousiasme.

À la fin, j'ai moi-même été pris de doute, est-ce que la vue est vraiment une chose si grandiose et si formidable ?

Mais les gens d'ici, eux, ne doutent jamais, c'est leur chance.

Leur vie sociale les satisfait pleinement, à mes yeux une activité en milieu fermé, monotone et répétitive.

Ils ne la ressentent pas comme absence de variété ou, disons simplement, de loisir, puisque ni souffrance, ni amour terrestre, ni basse jouissance terrestre ne figurant *parmi leurs besoins* (puisqu'à propos de ces derniers une âme respectable de ce pays, Schopenhauer, a déjà démontré qu'en réalité ils n'existent pas : nous avons seulement appelé ainsi une interruption de la souffrance), ils peuvent pleinement s'adonner aux sentiments rassurants de leur félicité permanente.

Ils se promènent dans la rue en longs groupements se gratifiant les uns les autres de sourires béats.

Si deux d'entre eux se croisent par hasard, ils se saluent le bras levé, ou plus exactement, ils le saluent, Lui.

Quelquefois ils chantent.

Ces chants sont très mélodieux, particulièrement beaux dans certains fragments, et ils rappellent Bach et Mendelssohn. Après une relativement longue écoute ils fatiguent le profane. Eux-mêmes ils ne s'en lassent jamais.

Mon séjour dans ce paradis selon Schrenck-Notzing a duré au total deux jours, exprimé en unités de temps. Je me suis entretenu avec Bach, Bismarck, Hegel ; ils ne m'ont pratiquement rien dit qui mériterait d'être rapporté à titre de nouveauté, ces messieurs n'ont pas modifié leurs positions.

Vers le soir j'ai avoué à mon guide que j'étais aussi fatigué que si j'avais passé dix ans en Allemagne d'un seul tenant.

SIXIÈME COMMUNICATION

QUELQUES *SNAPSHOTS* (INSTANTANÉS) DES CERCLES CONCENTRIQUES DE LA FÉLICITÉ

1
MON GUIDE M'AIDE À SURMONTER LES DIFFICULTÉS

Cela se passe le soir (pour autant qu'il soit possible de parler de soir au Royaume de la Lumière Éternelle) sur un nuage rond à bordure dentelée sur lequel nous nous sommes donné rendez-vous avec mon guide. Il m'attendait déjà, les jambes pendantes au bord du nuage, sous la forme d'un corps translucide animé conforme à la mode du pays. Je m'assieds près de lui, je ne cèle même pas ma mauvaise humeur.

— Je suis incapable de faire la moindre prise de vue correcte, il n'y a pas d'ombre, il ne reste guère de trace sur la plaque. Pas un bon sujet pour un journaliste cette Éternelle Sérénité. Vous pensez, nos journaux regorgent de faits divers. La *Gazette Céleste*, elle, n'est du début à la fin qu'une avalanche de beau et de sublime, son matériau ne me suffirait pas pour remplir un entrefilet.

— D'où venez-vous?

— J'étais chez Nietzsche, au millième étage de la Tour. Il a été très gentil mais il ne m'a rien appris d'intéressant. Il parle en symboles, je n'ai pas pu le persuader d'appeler ses sentiments par leur nom.

Lorsqu'enfin perdant patience, je l'ai invité tout de go à s'ouvrir de ce qu'il ressent, il a éclaté de rire, sur un ton d'ailleurs un peu forcé, et il m'a enfin assuré qu'il était la Danse Fusante de l'Heureux Éclat de Rire. Mais j'ai déjà vu des danses plus gracieuses, je vous assure, que cela reste entre nous. Je lui ai demandé s'il se voyait avec Zarathoustra, ô surprise, il ne s'en souvenait même pas.

— Mon cher Merlin, le bonheur assouvi n'est pas toujours drôle vu de l'extérieur.

— Je sais, mon cher Denis, sous plusieurs aspects je donne raison à G. B. Shaw qui envoie tout simplement au diable ceux qui veulent être heureux.

— C'est exagéré. Ce n'est pas une question de volonté. Au cinquième cercle, vous avez vous-même trouvé insupportable le désir permanent, et c'est dans l'assouvissement des désirs que vous cherchiez cette haute sphère où nous nous trouvons. Ne vous rappelez-vous pas les fantômes misérables du Passé, qui se tenant sur le seuil ne peuvent ni retourner en arrière, ni se projeter en avant, ni s'éloigner d'un seul iota de la porte?

Brusquement je pointe vers sa poitrine le revolver des privautés.

— Et vous? Si vous voyez l'état final dans la félicité, pourquoi n'êtes-vous pas resté ici? Pourquoi êtes-vous allé dans l'autre cercle où je ne suis pas encore parvenu? Ainsi j'ignore si je verrai quelque chose de plus, quelque chose de supérieur si je parviens à passer sa frontière.

Il sourit, reste légèrement pensif. Puis il dit prudemment :

— Vous confondez objectif et direction, ce sont deux choses différentes car les yeux de l'âme, agneau bigle comme vous le verrez, ne regardent pas là où le corps les dirige. Vous, Merlin, ne pourrez jamais comprendre ce que cela signifie, parce que vous êtes journaliste, vous êtes propulsé par la curiosité de connaître, vous voulez savoir de quoi il retourne. Chez le poète une autre agitation se manifeste aussi : savoir comment les choses pourraient être autrement... L'un cherche la réalité, l'autre cherche la vérité. Il se pourrait que j'appartienne à ces derniers, toujours est-il que le bonheur en soi ne m'a jamais satisfait, le bonheur en soi n'est autre qu'un Fait nu, or il doit y avoir un grain de vérité caché au fond de ce fait.

Il me regarde allégrement.

— La chose est très simple. Qui ne cherche que la vérité dans le bonheur y renonce très volontiers s'il a d'autres moyens plus directs d'y parvenir.

— Vous voulez dire... que là-bas... au septième cercle...

— N'en parlons pas, de toute façon cela n'aurait pas de sens, ce que je pourrais en dire ici... et si vous décidez de venir nous rendre visite, alors vous avez le temps... La route à suivre, je vous l'ai déjà indiquée : vous êtes parti de la ville de la Pensée, vous avez traversé le pays de l'Action avant d'arriver ici, je ne peux vous dévoiler rien d'autre que ceci : il vous reste deux autres stations avant de parvenir au neuvième cercle.

— Comment les appelez-vous?

— La première des deux a pour nom officiel : Création.

— Cela sonne comme si c'était l'ultime station supérieure. Y en a-t-il encore une autre plus loin?

— Oui. J'en ai connaissance. Je n'y suis jamais allé moi-même, jamais.

— Vous ne connaissez pas son nom?

— Je le devine. Je ne le prononce pas. Ici il n'a aucun sens. Peut-être, si j'ai de la chance, chez nous.

Il détourne son regard. Et comme dans l'immédiat je ne trouve rien à dire, il reprend le sujet sur un ton léger.

— Pour le moment nous sommes ici, et de votre point de vue c'est tout de même l'instant présent qui procure le seul sens à l'existence; par ailleurs je commence à me dire que pour l'observateur le bonheur n'est pas distinct du fait d'être présent : cela découle de la nature du Moi. Mais, de quoi parlions-nous? Vous ne trouvez pas cette forme du bonheur suffisamment variée? Eh bien, rien n'est plus simple que d'y remédier. En tant que citoyens étrangers, nous ne sommes pas tenus de respecter les lois du Moi Évocateur Principal du pays, en d'autres termes, nous pouvons librement circuler, au même titre, dans l'imagination de tout citoyen, puisqu'au temps de leur existence terrestre, ces diverses imaginations avaient créé leur propre paradis alors qu'elles n'étaient pas encore soumises à la suprématie d'une autre imagination toute puissante. Chacun de ces différents paradis sont naturellement tout aussi valides que celui-ci et tout aussi existants dans ce sixième cercle que l'imagination du spiritiste dont vous bénéficiez des bienfaits en ce moment même, et si vous le souhaitez, vous pouvez même papillonner de l'un à l'autre à votre guise, mais pour le faire, bien sûr, vous devez renoncer à votre propre imagination, faute de quoi l'interférence des diverses imaginations risquerait d'obscurcir l'image.

— Pardonnez-moi… c'est un peu…

— Compliqué, je comprends. Je peux m'exprimer plus simplement : il s'agit de se rendre compte que toute opinion et toute imagination que nous en tant qu'*egos* nous formons les uns des autres, et chacun séparément de l'ensemble des autres, comporte déjà la nature et le caractère des deux parties. Nous nous rêvons l'un l'autre, mon cher Merlin, chacun de nous forme, modifie et ajuste le véritable être de l'autre à son image, nous tous donc, pour découvrir plus nettement et plus réellement le rêve de notre âme sœur, il nous faut suspendre momentanément le nôtre, c'est comme si…

— Comme quand j'éteins les lumières dans ma voiture pour mieux voir l'autre voiture qui s'approche.

— Très juste, ou comme quand l'astronome fait l'obscurité dans son observatoire pour mieux voir les étoiles.

— Dites-moi comment je dois m'y prendre.

— Ne vous inquiétez pas, je vous aiderai… Il se trouve que je connais un calcul qui me permet de transposer aisément les formules de l'*ego* sur la projection de l'autre ; ce n'est pas à votre portée, pour le comprendre

vous devriez savoir qu'à chaque *ego* correspond une formule mathématique. Vous n'aurez rien d'autre à faire
que de fermer les yeux, vous concentrer fortement, et
cesser autant que possible pendant ce temps de créer
toute image sur vous même, vous devez oublier dans la
mesure du possible tout désir qui vous faisait envisager
le bonheur sous la forme que vous lui connaissiez ; au
fur et à mesure que vous y réussirez, le monde s'assom-
brira pour céder la place au bout d'un certain temps à
une nouvelle image d'*ego* ; vous devez savoir que le désir
du bonheur suit la loi des gaz parfaits et remplit tout
l'espace disponible, par conséquent dès qu'il trouve un
tel vide dans une âme étrangère il occupe aussitôt la
place… C'est d'abord un visage qui apparaîtra, celui de
l'âme qui par hasard flottera à proximité, telle que vous
vous voyez vous-même… si vous la reconnaissez, faites-
moi signe, je vous projetterai dans le paradis en question.

— Bien, j'essaierai, mais je crains la même mésaven-
ture que l'alchimiste : si je n'ai pas le droit de penser à
moi-même…

— Ça marchera. Allez-y, essayez.

Je ferme les yeux.

Je tente de stopper le martèlement de la machine à
penser et à sentir, prenant simplement garde de ne pas
laisser sombrer ma conscience.

Apparemment j'ai réussi à trouver la juste mesure et
à tout stabiliser au point mort.

Je ressens un court instant la merveilleuse réalité de
l'impersonnalité : j'ai la ferme conscience que je ne suis

pas, mais que la vie existe, les fidèles du Nirvāna doivent rêver quelque chose de semblable.

Le tout ne dure heureusement qu'un moment car déjà je me trouve au-delà, quelque part ailleurs. Dans une imagination étrangère. À vrai dire je m'attendais à Gautama Bouddha (peut-être à cause de l'association d'idées), mais ce n'est pas lui.

Un singulier et pâle visage se dessine dans la pénombre : d'abord je ne vois que son nez fin et frémissant, puis deux yeux étrangement luisants percent le brouillard.

Enfin, pour l'encadrer, une chevelure poudrée.

Qu'est-ce que c'est?… C'est impossible!… Pourtant si… Je crie.

— Marquis de Sade !

2

FLAMMES ROUGES, SOUFRE, GÉHENNE

Dans l'obscurité j'entends encore la voix familière dire :

— De Sade?… ça y est, j'y suis… Quatre-vingt-dix-septième projection… Moteur… Attention… On tourne !

Puis cette voix faiblit, un bruissement prend sa place, chuchotant, bouillonnant, comme des machines qui peinent, grinçantes… puis l'accompagnement musical fait place à un mugissement étouffé.

Je m'efforce d'ouvrir les yeux.

Je vois déjà du rouge à travers mes paupières... j'essaie de le chasser, je ne comprends pas cette couleur, dans ce brouillard je me suis habitué aux nuances du bleu et du doré. Les yeux enfin ouverts je crois encore me trouver derrière un voile.

Un voile ou des lunettes rouges?

Mes yeux seraient-ils couverts de sang?

Je me tiens dans une clairière, des pins sont érigés devant moi, derrière la pinède une chaîne de montagnes sur plusieurs plans, des lignes obliques qui s'entrecoupent. Derrière la chaîne de montagnes un sommet de basalte bondissant jusqu'aux nuages; au sommet trois formes se détachent, noires, nettes, dures...

Trois croix. Celle du milieu dépasse, les deux latérales sont un peu moins hautes...

Derrière elles courent des nuages rouges.

Toute cette vue est rouge, rouge, rouge...

Je démarre péniblement, je serre les paumes de mes mains contre mes oreilles pour au moins ne plus entendre ce mugissement... J'ai du mal à avancer dans les hautes herbes, quelque chose s'enroule constamment autour de mes mollets.

Je n'ose même pas regarder tellement c'est élastique et lourd.

Quelque chose bruisse. Un petit ruisseau serpente dans l'herbe. Je regarde autour de moi, désemparé, pourquoi personne ne me vient-il en aide, je me résouds à traverser... Je suis déjà en train de grimper sur l'autre rive quand une odeur brute et suffocante attire mon regard : je détourne les yeux avec dégoût.

Mes deux jambes, éclaboussées presque jusqu'au hanches, sont trempées de la souillure rouge du ruisseau.

Du sang !

J'ai marché dans du sang, mes jambes, mes bras, mes vêtements, tout est trempé.

L'écœurement me fait pousser des cris d'horreur… Et à ma voix, comme si j'avais donné un signal, ici et là, de partout, retentissent cris de douleur, hurlements à la mort, hoquets et râles, hourvari varié des chambres de torture… Quel est ce monde maudit dans lequel j'ai été propulsé, est-ce une vision de l'inquisition ou est-ce une salle d'opération à la puissance mille ?

Je me cabre, la réponse se trouve devant moi.

Les arbres s'entrouvrent. Devant mes yeux effarés s'offre sur une pente douce le spectacle d'une des niches d'horreur du panoptique de l'au-delà.

Quatre piquets pointus plantés dans le sol. Le corps nu d'une femme attaché par les poignets et les chevilles, écartelé à la manière d'une fantastique figure géométrique, par des cordes tendues à rompre fixées autour des piquets.

Elle hurle à en perdre l'esprit, ses yeux ensanglantés tournoient, exorbités.

Sous son corps, à peine un empan plus bas, des braises grésillent dans un chaudron à trois pieds… Le brasier lance des flammèches par moments, quand le corps rôti à petit feu fait suinter de la graisse mélangée à du sang…

Je me détourne, pris de nausée. Alors, non loin de la suppliciée, j'aperçois un canapé de couleur pourpre sur un podium de verdure... Sur ce canapé, drapé de rouge, un homme barbu... ses lèvres rouges demi - ouvertes sont agitées de convulsions dans la barbe, comme le calice concupiscent des plantes carnivores... demi-assis, il se penche en avant, enivré de jouissance... Il donne un signal : des esclaves noirs, nus et ricanant surgissent parmi les arbres... Ils courent vers la torturée, un couteau brille entre leurs mains... La femme émet des sons invraisemblables, elle fait sortir le contre-ut de la souffrance... Les couteaux chauffés à blanc tracent sur son corps toutes sortes de courbes tortueuses.

Je continue ma course en tâtonnant, je trébuche, je m'affale, je me relève.

En vain.

Partout, entre les arbres entrouverts, d'autres niches d'horreur, des programmes variés. Hommes pendus la tête en bas, enfants ligotés, mourants empalés, corps martyrisés au plomb fondu. Hurlements, râles, odeur de chair grillée, sang, intestins éventrés... épouvante et abomination. Et chaque fois, dans l'arrière plan, illuminant l'image infernale de la lanterne de ses yeux de chat brillants d'une couleur verdâtre, les lèvres tremblantes, haletant de plaisir, le tortionnaire...

Où ai-je donc débarqué, âme malheureuse, rebroussons chemin à travers le soufre, retournons dans la vie terrestre, et de là plus loin même, le plus profond possible... alors, il y a quand même un enfer ? Et un seul faux pas, un seul mot maladroit, la glissade sur la pierre d'une seule pensée distraite... j'y ai d'un coup sombré comme ce Méphistophélès dont parle la légende ? Si c'est comme cela on peut comprendre que je me retrouve au fond de la géhenne ; plus tu tombes de haut, plus bas tu tomberas : le chemin est plus court du paradis à l'enfer que de n'importe lequel des deux au niveau médian de l'existence terrestre, au niveau de la mer, altitude zéro de cette cloison si facile à franchir.

Il me semble entendre la voix de mon guide au loin.

— Que se passe-t-il, Merlin ? Vous paraissez un peu troublé, on dirait... Avez-vous donc oublié à qui appartient ce paradis ? Retournez voir le Barbu et demandez-le lui...

Je me ressaisis, je me redresse. Il me revient qu'en réalité je ne suis pas ici pour mon propre plaisir. J'obéis à la voix. Je retourne à la première niche que j'avais aperçue.

La victime écartelée hurle sans interruption. L'Homme Barbu se penche en avant, des borborygmes jaillissent de sa gorge.

Réunissant mes dernières forces, je franchis le ruisseau de sang et de feu, j'accède par le côté au bord du canapé. Je me racle la gorge.

D'abord doucement, enfin un peu plus fort, je m'adresse à lui ; il ne remarque pas tout de suite ma présence tellement il concentre son attention sur le spectacle de la torture.

— Pardon, lui dis-je, à haute voix maintenant, en touchant même son épaule, je suis Merlin Oldtime de la revue *New History*... ainsi de suite, *et cætera*.

Il se retourne lentement dans sa lourde ivresse. Il lui faut plusieurs minutes pour m'apercevoir.

À travers le brouillard rougeoyant j'accueille son regard d'abord avec répulsion puis avec une curiosité croissante.

Dans ce regard luit le bonheur transcendé de l'au-delà, pour ainsi dire béatifié… à ma grande stupéfaction le bonheur parfait, j'irais presque jusqu'à dire : la foi innocente et extatique.

Mon cœur bat la chamade. J'articule péniblement :

— Je dois vous parler. Je vous ai déjà vu, je ne me rappelle pas qui vous êtes mais cela ne m'intéresse pas… Dites-moi plutôt où je suis, si vous êtes capable de parler le langage des âmes, car il me semble aussi reconnaître cet endroit… au moins par une description… mais j'ai de bonnes raisons de douter si je l'ai bien reconnu…

Je recule involontairement quand je vois ses lèvres remuer… il veut parler… Quelle voix animale, inarticulée va jaillir de cette gorge diabolique, quel soufre, quelle flamme méphitique ?…

Et il se met à parler, et sa voix est pure et mélodieuse bien que légèrement étouffée par la volupté vibrante.

Et surpris, il me retourne la question et ses yeux m'inondent presque d'une tendre affection, caressante comme le velours.

— Où pensez-vous donc être ? Où pourrions-nous être ? Ne le sentez-vous pas ? Au septième paradis !

— Blasphémateur ! criéje. Blasphémateur ! Je ne suis pas orgueilleux, je ne suis pas un tartufe non plus, je ne me prends pas non plus pour une référence morale, mais comment oses-tu dire une chose pareille ? Un paradis ça, où devant tes yeux éhontés souffrent de toutes les tortures accumulées du fond du neuvième enfer des centaines d'âmes et parmi elles celle-ci qui se tortille écartelée entre les mains de tes diablotins?

Il ne cesse pas de sourire, illuminé, et là de manière inattendue je lis dans son regard de la compassion, de la compassion à mon égard.

— Souffrir? Tu es seul à souffrir ici, étranger, toi qui n'es ni torturé ni tortionnaire, qui ne fais qu'assister à la souffrance et à la jouissance, sans pouvoir y prendre ta part. Prends la peine de te rassurer : approche-toi de Ma Bien-aimée et demande lui comment elle se sent.

— Ta bien-aimée... Qui est-ce?

— Celle que tu vois là-bas, écartelée entre les piquets.

Je titube, pris de vertige, dans la direction du corps supplicié.

Je me penche au dessus du visage.

Je la regarde dans les yeux.

Et dans ses yeux...

Dans ses yeux brille le bonheur transcendé, glorifié de l'au-delà. Je lui chuchote, à peine audible :

— Que ressens-tu?

— La grâce du salut!... râle la bouche souriante, suante et ensanglantée. Merci pour ta question... Cet instant... l'instant de ma mort... c'est l'éternité... du septième paradis... Le bonheur... Toi, ange de la mort, dis à mon bien-aimé qui est assis-là sur ce canapé... que je le remercie... que je lui exprime toute ma grati- tude... parce que l'Instant de la Parfaite Unification est arrivé...

Elle pousse un soupir, elle ferme les yeux. Sur sa face se déploient la Beauté et la Paix, comme dans le rêve des plus grands artistes.

Je me mets à hurler d'une voix inarticulée, à appeler à l'aide, pour qu'on me réveille.

3

BLEU ET ARGENT

Voix rassurante, celle qui cherche à apaiser un enfant en proie au cauchemar.

Je halète encore, terrorisé.

— Qu'y a-t-il? Pourquoi un tel émoi?

Je me lamente plaintivement.

— C'est ce qu'ils appellent le paradis? Alors qu'est-ce que l'Enfer de Dante?

Sourire.

— Si je me rappelle bien, c'est un des chapitres d'une comédie divine. D'ailleurs cette sensiblerie superficielle m'étonne de votre part, c'est leur bonheur qui était censé vous intéresser, pas le vôtre. Avez-vous rencontré un malheureux parmi eux?

— Ils hurlaient de douleur.

— Et qu'ont-ils répondu à votre question?

— Vous avez raison, c'est effrayant! Les deux parties se prétendaient heureuses, le tortionnaire et le supplicié!

— Alors n'est-ce seulement qu'à première vue que cette villégiature singulière ressemble à l'enfer... Peut-être qu'il a finalement tort, le vieux Lear, avec son insane formule : «L'homme n'appartient à Dieu que jusqu'à la ceinture…»

— Pour l'observateur c'est terrifiant… Le sang versé par les martyrs ne fait pas pâlir la méchanceté de frayeur : celle-ci s'en trouverait plutôt enhardie, et pourtant la Bonté ne l'affrontera pas, elle continuera d'assumer la souffrance… Ainsi toutes deux, la souffrance et la méchanceté, se renforcent… où donc est l'harmonie, ce que l'âme nomme ainsi ?

Rire.

— Si je me souviens bien, vos dictionnaires traduisent l'harmonie par anéantissement. À côté du mot *bonheur* j'ai trouvé cet autre : *amour.*

— Amour ? Cette glorification de l'égoïsme méchant et cruel ?

— C'est cette lumière rouge qui vous a fait voir la chose aussi tranchée… Simple question d'éclairage… Voulez-vous voir la même chose en bleu et argent ? Cela vous fera du bien, au moins comme sédatif, dans l'état où vous êtes… Allons-y, mettons les lunettes… Calmez-vous, gardez le silence et pendant quelques temps ne pensez à rien d'autre qu'aux couleurs bleu et argent… Et ensuite commencez à marcher, mais prudemment…

Bleu et argent…

Quel paysage enchanteur !

La forêt, la clairière, les contours des montagnes en arrière-plan ressemblent étrangement au paysage précédent… serait-ce le même ? Mais en quoi l'image s'est-elle dissoute, et le cœur de cris des plaintes et de râles des lamentations, qu'est-il devenu ? La mélodie, à

condition de bien me concentrer, pourrait être la
même… mais alors les *staccatos* perçants et tranchants
ont fondu sous la plume de l'artiste en un legato mélodieux. Une musique embaumée flotte au-dessus de ce
paysage.

Imaginez un pays, sous un éternel clair de lune.

C'est de nuances de bleu et d'argent qu'est composée toute cette mystérieuse image, c'est de bleu et d'argent que clapote doucement le miroir de l'eau, bleue et
argent est l'ombre, et l'oiseau passager est une éphémère tache bleue au-dessus du bassin argent.

Mes pas fondent moelleusement dans l'herbe, et déjà
je reconnais aussi le rivage, d'où tantôt j'ai frayé mon
chemin pour passer le ruisseau de sang. Ce même ruisseau sautille cette fois en gazouillant, et lorsque je me
baisse près de sa surface, c'est comme si mon visage
était frappé par une respiration de larmes de bonheur.

À la place de la niche d'horreurs un bosquet de
saules. De son sein un babillage chuchoté :

— Tu m'aimes ?

— Je suis tout à toi, Schéhérazade.

Les branches s'entrouvrent d'elles-mêmes quand j'y
porte mon regard. Elles dévoilent le couple précédent
dans une étreinte langoureuse : l'Arabe barbu et la fée
nue. Mes yeux éblouis revoient un instant le banc de
torture, les flammes et les couteaux, et c'est comme si ces
deux figures tissées de rayons de lune s'étaient déver-
sées du corps meurtri des deux âmes combattantes.

Ici tout va donc pour le mieux, rasséréné ; je poursuis
ma promenade.

Dans les autres bosquets aussi des couples d'amoureux : du haut des feuilles qui se balancent, des fées
veillent sur eux. Quelques visages connus, bien qu'ils ne
soient pas faciles à identifier dans la lumière douteuse,
Béatrice et Laure, Chloé, Virginie et leurs «fiancés».

C'est bien beau tout cela, mais moi je devrais tout
de même y voir enfin un peu plus clair dans ce qui se
passe ici.

Je m'adresse à un berger paissant ses brebis et jouant
du flageolet : y aurait-il par ici une sorte de mairie,
bureau de tourisme, commissariat de police ou tout au
moins un hôtel ? Un étranger doit-il s'y faire enregistrer ?

Il ne comprend pas bien ce que je veux, et pour comprendre sa réponse je dois me concentrer intensément
car il récite un sonnet; par la suite je m'habituerai à ce
que dans ce pays le langage officiel exige une forme
poétique – ils ne parlent qu'en poésie et ils ne me comprennent pas autrement non plus. La langue dans
laquelle je converse avec eux n'a aucune importance, ils
acceptent les mots de toutes les langues, et ils répondent d'ailleurs dans la même, mais si dans ce que je dis
il manque le rythme ou la rime, ils me fixent sans comprendre et secouent la tête. Une autre difficulté vient
aussi du fait que j'ai beau nommer la chose dont il s'agit
ou que je veux savoir, pour eux ne comptent que comparaison, métaphore, trope ou image abstraite en relation avec la chose, c'est cela bizarrement qui leur permet
de réaliser ce que je désire. Ceci ne signifie nullement
que leur vocabulaire serait trop pauvre ou trop riche,
cela indiquerait plutôt que les mots ne jouent pas la

même fonction. Ainsi par exemple, quand je dis cerise, par ce terme il faut toujours entendre des lèvres féminines, tandis que le fruit véritable se dit bouche de femme, et tout à l'avenant. C'est assez semblable à ce qui se passe chez nous quand on trouve meilleur goût au beurre en prétendant qu'il a un goût de noisette, et à la noisette quand on affirme qu'elle se laisse manger comme du beurre. Un objet désigné par son nom, à supposer que quelqu'un ait malgré tout compris à quoi j'ai fait allusion, passe pour la pire des indécences, et un vrai citoyen peut même s'exposer à être expulsé pour avoir utilisé le sens premier des notions. Il paraît que la langue chinoise dénote quelques similitudes avec ces tournures, tout comme la poésie des scaldes celtes anciens.

J'évoque tout ceci en guise d'excuse, au cas où vous trouveriez des lacunes dans mon compte rendu sur la constitution de l'Empire de la Lune. Apprendre même le peu que j'ai fini par en savoir a été un véritable supplice. Après leur avoir fait à peu près comprendre mon souhait de me présenter au commissaire de police, par un piètre et médiocre petit poème dans lequel je faisais allusion au désir languissant pour ma lointaine égérie rêvant au clair de lune, ils m'ont fait monter dans un bateau à voile halé par des cygnes blancs ; puis un monsieur passablement corpulent, appelé «Mélancolique Vent d'Automne» – j'ai cru reconnaître mon ami le poète hollandais – s'est assis au gouvernail, penché au-dessus du miroir du lac étincelant aux rayons de la lune. Au passage il attirait mon attention sur des oiseaux et des poissons qui plongeaient devant nous ou pointaient la tête hors de l'eau : il s'agissait chaque fois de l'âme d'un poète ; de ceux qui de leur vivant avaient déjà exprimé le vœu fervent de vivre au pinacle du bonheur dans des soupirs du genre de «Mon Dieu, mon Dieu, que ne m'as-tu donné des ailes ? » ou encore «J'aimerais tellement devenir poisson rouge ».

Au bout d'une croisière de plusieurs heures, une île romantique surgit à la surface du lac, au milieu de l'île, une ruine dissimulée derrière des cyprès. De plus près un écriteau m'apprend que nous nous approchons du palais central du «Ministère National pour la Protection des Illusions » : cette institution s'avéra par la suite des plus importantes et des plus puissantes. Ayant à peine abordé dans l'île, deux colombes géantes vinrent à notre rencontre, elles saisirent le canot dans leur bec par les deux côtés, à la manière d'une lettre scellée, elles le hissèrent en l'air et par de lents coups d'aile pondérés elles pénétrèrent par une fenêtre à ogive gothique. Dedans se trouvait une table d'argent sur laquelle les deux colombes nous posèrent avec notre canot, avant de repartir silencieusement.

En face, près du mur, sur un trône également gothique, un jouvenceau aux yeux bleus joue de la harpe : je reconnais Bertran de Born, prince sans couronne des troubadours.

Je le salue comme gouverneur de ce pays, mais lui, il écarte cet honneur en toute modestie et en quelques vers aux rimes assez compliquées, accompagnés à la harpe, il me renseigne sur le régime politique de ce pays, en précisant que lui-même n'y fait que diriger le ministère que voici.

Selon ses dires, à la tête de l'Empire de la Lune les pouvoirs (législatif et exécutif) sont détenus non par une mais par deux personnes, il est vrai que selon la logique de possession particulière des amants, ces deux ne font en réalité qu'un : ce couple d'amants à deux corps mais une seule âme gouverne le peuple de l'Empire de la Lune tel un monarque oint et sacré « jusqu'à la tombe » (ici donc : pour l'éternité).

Les affaires courantes sont expédiées par le « Ministère de la Protection des Illusions » ; sa mission consiste à veiller à ce que les *instincts et passions ataviques* (il me semble que l'on appelle ainsi certaines réminiscences de la vie terrestre) ne puissent troubler la population dans l'exercice de son objectif unique et vital, méditation et rêverie. Il existe aussi une assemblée législative et même une juridiction, la première serait plutôt une sorte d'académie des sciences à la recherche des *secrets du cœur* pour y conformer tout le reste, et la seconde s'efforce de prévenir l'exécution d'actes interdits tels que tout travail ou en général toute analyse. En effet, dans l'Empire de la Lune règne une sévère interdiction de tout travail, tout comme ne saurait être tolérée l'analyse d'un sentiment ou d'un emportement en ses composantes élémentaires.

En outre j'aurai bientôt l'occasion de contempler la cour et les autres membres du gouvernement en grand apparat.

Pendant notre conversation (qui progresse péniblement car je ne suis que peu exercé en versification) on dirait que les murs du local, de toute façon obscurément éclairé, commencent à s'éloigner. Je m'en rend compte lorsque la lumière se ravive un peu (ce sont peut-être les tentures des nuages argentés qui s'entrouvrent sous la Lune) et dans l'arrière-plan on dirait des cascades qui s'écoulent en perles d'eau.

La table d'argent au bord de laquelle je laisse pendre mes jambes débouche sur un abîme qui s'assombrit : tout en bas je vois un attroupement, sans doute un orchestre qui se prépare à jouer de la musique, un homme de grande taille lève sa baguette de chef.

En quelques instants tout est installé pour la fête.

Sous mon nez jaillit une fontaine au milieu d'un large bassin, le jet d'eau s'élève, puis il retombe en une couronne de rayons irisés (évidemment limités aux nuances de bleu et d'argent). La margelle du bassin est envahie de nixes habillées d'écailles et de naïades, des ondins et des ondines y pataugent de leurs nageoires.

Derrière la fontaine quelque chose monte.

Un faisceau de lumière éclaire l'endroit.

Une coquille d'argent.

Jubilation musicale d'une marche nuptiale. Quelqu'un me donne un coup de coude pour que je me lève : en fait c'est l'hymne officiel du pays.

À ce moment je découvre sa majesté au milieu de la coquille perlière.

Couple d'amoureux. Ils se tiennent enlacés. Des voiles bleus recouvrent mystérieusement leur silhouette unie.

En bas, à leurs pieds, la foule déferlant du fond vers le devant se scinde en eux. C'est le début du défilé des hommages.

En première ligne, au pas d'une danse rythmique, avance l'état major de la Direction des Illusions de l'Élevage des Souvenirs et de la Culture des Espérances : chacun tient à la main un symbole, une mèche de cheveux, un ruban, un petit paquet ficelé, une lettre retrouvée, autant de balises sur la route de l'amour.

Ensuite la délégation de l'Éducation publique.

Autant que je puisse le déchiffrer dans les strophes coralliennes qu'elle présente officiellement à sa majesté, il s'agit de la consécration du projet de roman-loi prévu pour réformer les programmes éducatifs de l'Éducation publique, il convient en effet d'enseigner les bonnes manières : tolérer, souffrir, aimer sans espoir la blonde et la brune.

C'est ainsi que défilent les ministères en groupes variés, tenues diverses, accompagnés d'éclairages et de musiques appropriées, selon la mise en scène d'un unique maître de ballet.

Au bout d'un certain temps un bouquet final se forme, les groupes composent une image homogène, la musique unifie tous les motifs.

Toute cette ambiance doit m'évoquer quelque chose car je pense deviner que sa majesté va maintenant prendre la parole, elle se joindra à la fête, elle achèvera le poème, elle consacrera les projets de roman-loi adoptés, puis la synthèse de la fête s'épanouira en un point d'orgue musical.

La musique s'estompe en effet, elle approche du point mort. Dans la coquille de nacre s'élevant lentement et brillant de plus en plus bleue et de plus en plus argentée le couple d'amoureux se dresse, sourit, il me semble entendre qu'ils se raclent la gorge et se préparent au duo.

À cet instant comme frappé par l'éclair, le souvenir me revient !

Mais ce n'est rien d'autre qu'un vulgaire opéra italien du dix-huitième siècle, du genre de ceux qui ont révolutionné Paris et qui exercent leur influence jusqu'à nos jours. Par-delà Mozart, et même Verdi, jusqu'aux sirupeuses opérettes.

L'auteur, l'auteur !

Je me retourne péniblement, je me mets à applaudir et à crier très fort.

L'Auteur ! L'Auteur ! Lumière ! Éclairez la salle !

Immense consternation, j'avais oublié que je me trouvais sur la Scène !... Trépignements, tremblement de terre, écroulement des plafonds, jugement dernier, univers qui s'entrechoquent.

Une planète de feu surgit à l'horizon. Je ne me laisse pas démonter, je sais que c'est le Soleil ; mais eux, ceux de l'Univers Lunaire, n'ont jamais vu une chose pareille.

En un clin d'œil tout ce qui comptait ici pour vivant s'effondre de tous côtés, aveugle, grillé, braise et cendre, se transforme en vapeur, en nuée, je me retrouve seul au milieu de l'espace libre, des volutes de fumée bleue montent de ma cigarette.

4
CHUTE DES ÂMES

J'attends l'anéantissement de tout puis je hèle mon guide, les mains en porte-voix.

— Ohé!...

Au loin, depuis une distance formidable, la voix :

— Alors, comment ça va? Vous en avez assez?

— Assez!... Ceux d'ici édifient leur monde selon les Visions de l'Imaginaire... Paradis artificiel, fausses formules... loques de l'âme... Aucun n'existerait s'il ne provenait de la vie terrestre... c'est là-dedans qu'ils ont puisé, dans les déchets de leur vécu, ce ramassis de cailloux, matériau du mirifique château en Espagne de leur bonheur... Montrez-moi une âme nue... une âme qui a oublié la vie... ou qui n'a pas eu le temps de la connaître... alors je croirai qu'elle sait ce qu'elle désire...

Rire moqueur.

— Ici, dans le sixième cercle?... Ce serait un peu difficile... Pour parler le langage du septième cercle, ce que vous voulez c'est parvenir au royaume d'une âme pour laquelle le passé et l'avenir, le souvenir et l'espérance, ne sont pas exprimés dans l'espace et encore moins dans le temps... Vous voulez que votre vie se fixe en un unique point d'un unique instant, par rapport à toute autre existence qui vous entoure... Attendez. Je vais essayer de vous transposer... Ce n'est pas facile, il faut pour cela concentrer la projection des plans du

Temps et de l'Espace en des lignes, et celles des lignes en des points, dans une coupe vue de dessus…

— Ça y est ! Par hasard cela a réussi !

Le Champ bifurque sous mes pieds dans deux directions opposées.

Je tombe.

Je ne peux rien en dire de plus : je tombe.

Des lumières fulgurantes tout autour, des sillages d'étincelles qui se catapultent, je ne saisis aucun sens là-dedans.

Je me mets à hurler désespérément tel un loup tombé dans un piège.

— Arrêtez ! Je n'en peux plus !

La Voix au loin (d'en haut ? Ou plutôt d'en bas ? Je l'ignore) :

— Tiens ! Je vous l'ai bien dit ! Ce n'est pas une partie de plaisir ! Si vous voulez ressentir toute l'infinitude de la vie en un seul instant et au même point, il ne peut pas en être autrement : dans sa relativité, l'univers défile à côté de nous à une vitesse effarante, nous n'en saisissons rien. Et oui ! Pour nous comprendre nous-mêmes nous devons aussi comprendre le monde, et plus précisément notre petit monde à nous, dans son essence, ce que le vieil Aristote appelle la Nature.

Je geins en haletant :

— Plutôt retourner à la Nature.

— Le Paradis de la nature ?… ironise la Voix.

— Commandez, je suis à votre service… Mais attention… là où il n'y a que la nature et rien d'autre… il me manquera quelque chose… Tant pis… que les angles s'écartent... que les lignes convergentes divergent en hyperboles... Je vous en prie, servez-vous !

5

ÉLYSÉE

Le jardin d'Agricola !

Non, non, seulement à première vue, puisque les promeneurs sur la colline ne sont pas des êtres vivants, ce ne sont que leur symbole...

C'est juste, je les reconnais.

Des éclairs s'échappent du mont fumant qu'à première vue j'ai pris pour un volcan... Le vieux Zeus, assis sur son trône de nuées, laisse pendre ses jambes au dessus du cratère.

Aujourd'hui nous en savons davantage que les Grecs anciens : c'est lui le Dieu de l'Électricité, le maître de la radio, le seigneur de la physique.

De charmantes figures reposent non loin de là, sur des troncs d'arbre. Quelque chose fait frissonner leur robe éthérée... L'une de ces figures est vraiment jolie, je m'adresse à elle.

— Vous permettez ?... J'aimerais m'asseoir, je suis fatigué.

Elle me regarde avec coquetterie.

— Nous sommes là pour cela... Tu ne me reconnais pas ? Je suis la Forêt. Calme-toi un peu, Zéphyr, un Jeune Homme s'est approché de moi, laisse-moi le caresser.

J'aperçois enfin la brise qui tourbillonnait parmi les anglaises de la charmante petite fée transparente, elle s'évapore, troublée, en sifflotant.

Sylvana se blottit flatteusement contre moi, elle se penche sur mon visage.

— Place ta tête sur mon giron, je tisserai de l'ombre avec mes cheveux pendant qu'Apollon fait caracoler son char de feu au-dessus de nous !

Très mignonne la gamine, décidément. Je place ma tête sur ses cuisses, et je la reluque paresseusement : dans la transparence de sa chevelure verte déployée, dans l'espace bleu, j'aperçois le superbe jeune Phœbus qui de sa badine fait tourner son cerceau de feu comme les enfants du square.

Holà, c'est vraiment un endroit charmant. Je vais rester ici pour déjeuner : j'irai chercher Pomone qui se fera un plaisir de m'inviter si je me présente. Le vieux Silène sera enchanté, il apprendra que j'étais un des plus véhéments opposants de la prohibition en Amérique, et que j'ai aussi joué un modeste rôle dans l'élection de Roosevelt. Je ferai aussi la connaissance de Niobé, j'aime l'eau fraîche des sources.

Mais faisons d'abord un petit somme sur le giron de cette charmante petite…

Bien sûr, si c'était possible.

Je ferme à peine les yeux que le monde autour de moi commence à froufrouter, mugir, glousser et grommeler.

Les arbres se mettent à parler, l'herbe bavarde, l'eau caquette, le vent y met son grain de sel, un énorme charivari s'élève, tout le monde donne son avis en même temps.

Et le plus grave c'est que je commence à comprendre certains mots.

C'est sur moi que gloussent et jacassent tous ces petits dieux, ces petites fées, ces ondines et ces naïades, c'est à moi qu'ils en ont, c'est à mon propos que quelque chose leur déplaît.

C'est le vieux chêne qui commence.

— Qui est-ce ? Tu as une idée ?

L'arbuste hausse les épaules.

— Une sorte de satyre. Mais il a de drôles de pattes, et il a dû oublier ses cornes quelque part. Il doit être malade.

Zéphir aussi revient jalousement.

— Que dites-vous de cette insolence, il a le culot de s'étaler sur les cuisses de Sylvana. Sylvana a eu tort de lui adresser la parole, je connais ce genre, je me demande même si ce n'est pas lui qui a volé la braise sous l'enclume d'Héphaïstos qui la cherche encore, vous verrez, il finira par embraser la chevelure de Sylvana avec ça... Moi ensuite je ne serais pas de force avec elle... on devrait prévenir Poséidon...

Brusquement et à ma grande inquiétude, c'est le vieux Globe barbu lui-même qui coupe court à cette chamaillerie en grognant.

— Assez jacassé ! C'est à lui de parler !

Il me donne un coup de coude, je saute sur pieds, effrayé.

Et j'entends sa voix brutale qui résonne dans la profondeur.

— Qui es-tu ? Que veux-tu ?

Légèrement effrayé, j'essaye de le flatter.

— Ne me reconnais-tu pas, petit père ? Je suis un de tes fils... tu te souviens ? Je suis ta descendance comme les autres... On m'appelle : homme.

Il maugrée, hostile.

— Homme !... Homme !... Je ne me souviens pas d'un enfant de ce nom... J'ai engendré des plantes, des animaux et des dieux... Auxquels appartiens-tu ?

Je me casse la tête pour trouver des références.

— Veuillez vérifier auprès de Zeus... ou l'un de ses fils...

Il se secoue la barbe.

— Je connais toute ma descendance... je n'ai jamais entendu parler de toi... à moins que tu ne sois ce singe voleur dont Prométhée m'a parlé... Mais attends un peu, je vais te mettre à l'épreuve... Que sais-tu faire ?... Que veux-tu ?... Quel est ton métier ?... Voler, ramper, grimper, tuer ?

— Rien de tout cela à la perfection... Mais j'ai l'intention de tout apprendre de toi... grâce à toi... et à tes enfants...

Il entre dans une colère noire.

— Apprendre ? Voler ? Quelque chose que tu n'as ni fabriqué ni découvert toi-même ? Dépouiller le nid comme un maudit coucou ? Hors d'ici avant que je n'envoie sur toi les serpents et la colère des dieux !

J'ai l'impression qu'il vaudrait mieux reculer, dès lors que j'ai commis l'erreur – comme souvent malheureusement – de négliger de me déguiser convenablement pour venir : dans ce monde où même les végétaux jouent costumés, il est apparemment primordial qu'une fois les rôles distribués, on les respecte et on les assume totalement. Comme représentant des lions ou des chameaux ou d'un autre esprit tribal (un totem) et non comme individu (l'individu n'est pas très coté par ici), j'aurais pu éviter de me trouver dans une situation aussi délicate. Mais puisque j'y suis, je vais m'accrocher, faire face, pour mon honneur et pour celui du journal.

— Très honoré Monsieur Esprit de la Terre – je cambre le dos avec une élégance désinvolte – il doit y avoir erreur, pour ne pas parler d'abus de pouvoir. En outre, tout en respectant pleinement votre présence ici au sens matériel du terme, je tiens à vous avertir de ce que la forme de l'existence dans laquelle nous avons eu la chance de nous rencontrer doit son origine non pas à votre substance mais bien plus à ma force d'âme, ma volonté, mon imagination, ma raison (ce n'est pas une question d'expression) et à celles des êtres qui me ressemblent et que l'on appelle des hommes (que vous les reconnaissiez comme vos fils légitimes ou non), et par conséquent, dans la dimension de l'au-delà où nous nous trouvons, je serais en droit de considérer qu'ici c'est vous qui êtes mon hôte et non pas moi le vôtre. Je n'ai nulle envie de me livrer à des débats cosmologiques mais tout écolier sait bien que ce ne sont pas les mythes qui ont fait l'homme mais que ce sont les hommes qui ont créé le mythe : à l'instar des dieux et des demi-dieux du monde entier, le mythe est la création d'un poète ardent ou d'un philosophe visionnaire, appelez le Hésiode, Homère ou Socrate, cela est sans importance, mais je vous avertis que j'ai les moyens d'entrer en contact avec eux, je peux leur téléphoner d'égal à égal, d'âme à âme, et eux, Autorité Supérieure, Vous rappelleront comment il convient que l'esprit mortel de la Matière accueille la Matière de l'Esprit Immortel !

Et pour l'effrayer, je crie :

— Allô ! Allô !... Ici l'âme de Merlin Oldtime ! Homère, Socrate, Platon, âmes sœurs, où êtes-vous ?

Pas de réponse.

Seule la forêt crisse et rit, d'abord doucement puis à gorge déployée.

Et même le ventre gros et gras de la terre est secoué de rire.

Et j'entends qu'ils se poussent mutuellement au rire :

— Quel imbécile... âme immortelle !...

J'essaye de protester, je ne pourrais pas dire que la moquerie me blesse moins que la menace. Alors à ce moment une branche d'aubépine qui se balance effleure comme par hasard mon oreille ; je veux l'écarter quand j'entends qu'elle susurre quelque chose.

Très doucement, avec l'évidente intention que les autres n'y prennent garde.

Je tends l'oreille. L'aubépine chuchote :

— Écoute-moi, Merlin, laisse-les parler. J'ai bien entendu ton appel, je ne voulais pas répondre à haute voix pourtant je me tenais ici, près de toi, depuis le début… tu ne m'as pas reconnue, n'est-ce pas ? En quoi est-ce que cela les regarde, n'est-il pas vrai ? Je ne le dis qu'à toi en toute intimité : Socrate était mon nom au temps de ma vie humaine. Tu vois, je subsiste, même si ce n'est plus sous ma fière allure d'autrefois… Crois-moi, il n'y avait pas d'autre issue, et encore je dois me réjouir d'avoir pu me dissimuler sous une forme relativement correcte : tu te souviens peut-être que j'ai bu toute une coupe de ciguë, si bien que j'ai été à deux doigts d'être moi-même ciguë. Je t'informe aussi que Homère est devenu grive dorée, et Platon, lui, chardon à foulon, une sorte de buisson ; aucun des deux n'ose se plaindre… Nous avons compris après coup, vois-tu, que ce que nous appelions âme est une chose bien trop aléatoire et changeante et mortelle par rapport à la chose toujours uniformément renaissante que ceux-ci appellent corps et matière. Moi, par exemple qui, du temps où j'étais homme, défendais mes convictions avec constance, force m'est de reconnaître que ma *manière de voir* (que j'appelais thèse), je l'ai changée en soixante ans un plus grand nombre de fois que cette fourmi rouge qui grimpe justement sur ma branche, n'a changé son comportement envers la nature en soixante mille ans. C'est tout ce que j'avais à te dire, et maintenant, adieu… on nous regarde !

6

LE SEIN D'ABRAHAM

— Où suis-je?

J'entends toujours la Voix.

— À l'intérieur du Corps. Impossible de s'en échapper, mon cher Merlin, vous êtes encore au sixième cercle; essayez donc de pénétrer davantage.

Je regarde tout autour.

L'horizon est infini, tel une gigantesque cloche brillante et écarlate. Comme des draperies d'aurore boréale, ou comme les Anneaux au-dessus d'un fantastique paysage saturnien... une grille blanche se déverse du zénith depuis un centre invisible.

L'anatomiste diplômé que je suis, reconnaît la Forme: c'est une gigantesque cage thoracique, de dimensions cosmiques.

Au milieu une planète géante, rouge, palpite, aussi grande que le Soleil : un Cœur énorme tournoie dans le ciel.

J'identifie même les contours des Poumons, ils s'étalent comme des nuages.

Et de plus loin, au-delà du ciel, comme si cela venait d'un autre univers, résonnent les Verbes de l'Écriture :

— Merlin, tu es au sein d'Abraham!

Oui, indubitablement.

C'est ainsi qu'on l'appelle, littéralement, je n'ai aucune raison d'en douter. Je flotte, molécule, atome, électron d'une des cellules, dans le monde d'un immense Corps Humain englobant l'univers. Je remplis très certainement une importante fonction du point de vue de ce monde, mais n'oublions pas que j'ai aussi des affaires personnelles à régler. Je suis en mission, je dois collecter des données, je dois déchiffrer le secret, je dois entrer en relation avec les milieux dirigeants, je dois informer mes lecteurs, je ne peux pas m'octroyer de repos, je ne peux pas me fondre allégrement dans l'harmonie d'un Tout plus élevé.

Une hématie me dépasse en courant, je vois les molécules qui tourbillonnent à l'intérieur. Autour des noyaux atomiques des électrons poursuivent une danse effrénée.

Je recule, je prends mon élan, et je leur rentre dedans.

J'en heurte un. Ça a marché ! Je suis rentré en plein milieu d'un noyau d'hélium, le noyau s'est envolé, j'ai occupé sa place.

Je cours dans les vaisseaux sanguins. J'observe les bifurcations. Depuis les artères plus larges je tente de gagner les capillaires. L'objectif se dessine devant moi très clairement : par un des capillaires je dois remonter jusqu'au Cerveau.

Au Cerveau, au centre du monde matériel vivant, dans sa Raison et dans sa Volonté, afin de prendre part moi-même, partie de l'Intention Suprême, à la Création et à la Destruction.

Je dois en venir à bout, je dois découvrir, je dois toucher du doigt ce qui se trouve au delà de l'univers du Corps.

Les galeries sont de plus en plus étroites. Mes connaissances en dissection me sont d'un grand secours : c'est bien la bonne direction, cette constellation blanchâtre, cette nébuleuse lointaine dans le ciel, ce sont déjà les substances gélatineuses du Système Nerveux Central : la Cervelle. Ce n'est pour le moment qu'une masse intérieure, le monde de la vie végétative ; mais à cette vitesse-là je parviendrai bientôt dans le cortex cérébral où siègent la Conscience et la Volonté.

Foncez avec moi, mon train et mon abri planétaire, foncez dans cet océan d'étoiles... fonce, hématie !

7

LE PARADIS DU SUICIDÉ

Cortex cérébral.

Ces noyaux qui filent, tout autour de moi, ce ne sont presque plus des particules matérielles : ce sont quasiment des particules de pensée, d'intention, de souvenir, de jugement, de décision.

Des étincelles électriques sautillent de l'une à l'autre. Une étincelle me heurte, elle me bouscule, mais sans me renverser. Un quantum, me dis-je, souvenir de ma conversation avec monsieur le professeur Planck.

J'entends parler, bourdonner, s'affairer autour de moi tous ces noyaux d'atomes, mes semblables – ils sont déjà reliés électriquement entre eux – ce sont des portions d'*engrammes*, *les sentiers battus* de la Pensée Humaine.

Cela m'enfièvre de le reconnaître. En cet instant je suis une Pensée, par conséquent localisé moi-même dans un cerveau humain; je peux participer au conciliabule, je peux voter, juger, je peux provoquer des changements qui ne seraient pas provoqués par les lois immuables de la mécanique mais décidés par un être sensé.

Je vais maintenant exécuter une expérience!

J'entends près de moi:

— Le bras allongé s'élève! Où le mettre, que lui conseiller? Quoi attraper? Pensées, mes sœurs, il faut décider, il faut décider sinon c'est la Force Extérieure qui s'imposera, la gravitation, et la main retombera sans force, entraînée par son poids! Décidez-donc, quelqu'un a-t-il une idée neuve, originale?

C'est le moment.

J'interviens, j'acquiesce.

— Prenez une arme!... Le canon d'un pistolet, n'importe quoi! Tournez le en direction du crâne! Tirez!

(Oui, car c'est la grande question, l'essence même de l'expérience. Je pense aux paroles d'Adam dans la *Tragédie de l'Homme* de Madách: «Si c'est ma volonté, je n'irai pas plus loin.» Y a-t-il une vie au-delà de la matière, le Corps peut-il s'autodétruire? Si oui, peut-il renaître, sous une autre forme, et sinon, que vienne le silence!)

Qu'est-ce que c'est?...

On dirait... on dirait... que ma suggestion a été suivie d'effet...

Boum effroyable...

Plus fort que ce que j'attendais... Peut-être parce que c'est nous qui résonnons à l'intérieur du crâne...

Le grand Silence devrait suivre maintenant... celui de l'anéantissement du Corps, de la Matière...

Au lieu de cela c'est la foudre qui retentit.

La foudre, comme si cent mille canons se mettaient à tonner, ou si un entrepôt de munitions sautait.

C'est d'abord réverbéré par la paroi du crâne.

Puis le fracas s'élargit.

Désormais c'est tout le ciel qui gronde, qui tonne, qui éclate. L'explosion tonitruante et obscure embrasse l'horizon à la manière d'un éventail, elle atteint le Soleil.

L'instant suivant le Soleil explose en une détonation monstrueuse. Il fait nuit, nuit noire, mais une nuit tourmentée.

Dans le noir de l'espace les astres lointains, les galaxies éloignées, explosent les uns après les autres, dans le fracas, un fracas de plus en plus monstrueux, la sphère de l'éventail se dilate, et comme une série sans fin de fusées inflammables et explosives, l'Univers tout entier s'assombrissant amplifie et amplifie encore, de plus en plus fort, l'écho de la détonation des armes, dans un vacarme inouï... et ce bruit n'a pas l'air de vouloir cesser... Plus loin, encore plus loin, de partout, de toutes parts, intensément, de plus en plus intensément, explosent des galaxies, des univers, des nébuleuses, des sphères impensables, des mondes dont leur propre créateur ignorait l'existence... et ce grondement est de plus en plus terrible et général et odieux et il est désormais évident que l'univers s'écroulant continuera à tonner durant l'éternité... durant une éternité il vociférera et tonnera et s'écroulera, et l'Ordre Insulté, insulté par une pensée hurlera de douleur et de colère…

Et comme si la Voix répondait au mot de la fin !

— Une pensée, oui… une Pensée imbécile et lâche qui n'a pas été capable de comprendre une vérité pourtant toute simple : ce qui a été créé en un temps infini, ne peut périr qu'en un temps infini, appelle cela comme tu voudras, corps, âme, matière ou force… Vois-tu, enfant d'homme, c'était une expérience folle… mais Abraham te pardonne et sourit au-dessus de toi dans sa barbe blanche… et il te libère… Alors, n'aurais-tu pas envie de faire un tour au septième cercle où tu ne seras plus inquiété par ces misérables petits problèmes?

Je pousse un soupir énorme et lourd.

— Denis, c'est vous?

— Oui, c'est moi. Attendez-moi, Merlin, je vais vous cherchez à la frontière. Ne craignez rien, vous serez mon hôte. Dans ce cercle-là je suis chez moi.

SEPTIÈME COMMUNICATION, INTERROMPUE

1

CERCLE DE LA SEPTIÈME DIMENSION : LA LIBERTÉ

Et me revoici assis dans un train…

Et en reprenant mes esprits petit à petit, je sais déjà ce qu'était le train dans les cercles inférieurs, je me rappelle que je le nommais train quand sa vibration quasi immobile était métamorphosée en véritable course folle par la logique du rêve.

Il file en effet, mais où sont les villes et où sont les maisons ?

Quelle molécule de mon imagination onirique, quelle infiniment petite vibration d'une molécule égarée de mes synapses, a projeté ces Villes-là à l'infini ?

Au lecteur, au rêveur auquel je m'adresse, au fantôme de moi-même qui tournoie en ce moment là-bas quelque part dans un des cercles inférieurs des couches plus profondes de mon être inconscient, dans cet état de conscience qui me paraît vie instinctive, avec lequel même en ce moment il s'acharne à vouloir maintenir le contact ; à tous ces sentiments obscurs j'envoie d'ici, du Monde de la septième dimension le message suivant : vous devez me pardonner, à partir d'ici j'ai du mal à trouver une comparaison convenable pour traduire en votre langue la Réalité telle qu'elle est et telle que nous devrions, si nous en avions l'occasion, la reconnaître au moment de notre réveil.

C'est encore la comparaison entre l'Espace et la Distribution de la Matière qui l'approche le mieux (faute de mieux je garde cette image) : parmi mes souvenirs de rêve, c'est la comparaison la plus proche.

Oui, je me rappelle parfaitement le mirage du Ciel Étoilé ; là-bas déjà, j'ai ressenti dans la solitude des nuits estivales que c'est plus qu'un spectacle, que cette image n'a pas été engendrée dans mon cerveau : elle est venue de l'extérieur au sens premier du terme, comme je m'en étais douté un certain nombre de fois à propos de la musique, je pensais bien qu'en elle tambourinait un bruit d'outre rêve ; entre deux amas d'étoiles je vois au-delà de moi-même.

Imaginez donc mon train filant dans l'espace à la vitesse des étoiles géantes – c'est à peu près ceci que signifierait pour vous mon éveil dans le cercle de la septième dimension.

Les points lumineux de la Ville se sont dispersés et entre ces points lumineux l'espace est rempli par une obscurité aveugle. C'est le passager d'un vaisseau dirigé vers la Voie lactée qui vivrait quelque chose de similaire, lorsque les astres et les systèmes solaires, les différents éléments de la masse concentrée en une tache blanche, se séparent puis s'éloignent rapidement les uns des autres, au fur et à mesure que l'observateur s'en approche.

Nous dépassons des tourbillons étincelants, des volutes de nuées. De temps en temps l'un ou l'autre des points lumineux se met soudainement à grossir. Il grossit à une vitesse impensable ; là, il est déjà une boule de feu grésillante, tournoyante, un million de fois plus grande que le Soleil, elle recouvre un huitième, puis un quart, une moitié de l'horizon, pendant de longues minutes on croit y pénétrer incessamment, le monde entier n'est qu'une mer de flammes et de feu, puis elle commence à se contracter, elle redevient un point lumineux parmi d'autres point lumineux, elle disparaît, nous poursuivons notre course.

C'est donc l'Espace libéré à l'attention de ma conscience.

— Ou le temps – c'est une voix connue qui se fait entendre.

Le point lumineux, source de la voix, s'allume, grandit, s'approche. Je reconnais mon guide. C'est comme si je le voyais pour la première fois, pourtant il m'est beaucoup plus familier qu'il ne l'a jamais été, je trouve presque comique d'avoir identifié à lui les personnages changeants, tournoyants tels que je les ai évoqués dans des cercles inférieurs. Il ne tarde pas à me fournir des explications :

— C'est parce que c'est la première fois que je me rend visible dans ma propre maison. Auparavant, c'est moi qui devais me déguiser, me transformer pour franchir les couches de votre conscience ou, comme vous le dites, pour apparaître dans vos rêves. En tout cas, ici c'est plus confortable, tout au moins pour moi. Quoi de neuf, Merlin, comment vous sentez-vous ?

— Cela fait un peu peur au premier instant.

— Vous m'avez déjà dit la même chose à la frontière du sixième cercle. Vous devez vous y habituer. Je vous assure que votre *ego* ne subira plus une impression aussi intense que celle-ci : l'endroit où nous nous trouvons est la Plénitude de l'Existence dans le miroir de l'*ego*. Ici le miroir est parfait, il a pris la forme d'une sphère. Il n'existe rien de plus que ce que vous pouvez appréhender ici, pas même dans la réalité. J'en avais besoin. Moi qui vis pour la réalité ; c'est la raison pour laquelle je me suis efforcé de parvenir jusqu'ici et je n'en bougerai plus, sinon pour aller vers les cercles inférieurs à la rencontre d'un très cher hôte tel que vous.

— Et que signifie tout cela pour le Moi des miroirs, rien que des miroirs, aussi parfaits soient-ils ?

Il hausse les épaules.

Ici aussi vous pouvez faire avec les êtres ce que vous jugez bon. Pourquoi aurais-je appelé autrement mon pays la Catégorie de l'Action et de la Liberté ? D'ailleurs vous pourrez rapidement vous en convaincre. Avec qui aimeriez-vous vous entretenir parmi nos connaissances ?

— Je peux m'entretenir avec eux, ici aussi ?

— Naturellement, quand vous voudrez.

— Mais comment ?

— Rien de plus simple… Voulez-vous essayer ?… Ici l'action est sans limite, et le fait de rencontrer quelqu'un compte pour une action… Alors, qui souhaitez-vous voir ?

Au hasard je prononce le nom de Napoléon.

Dans le lointain une des plus pâles des centaines de quadrillions d'étoiles (dans l'autre monde, je dirais à une distance de billions de fois des quadrillions de kilomètres) s'éclaire. Je ne sens pas ma propre course, mais ce Corps-là fuse à toute vitesse dans ma direction. Il grandit, il dépasse les autres, il atteint l'horizon… l'horizon disparaît.

Maintenant il est tout seul. Il est ici. Je le reconnais. Le même jeune homme que j'ai rencontré au cinquième cercle, mais où est donc passée la résolution acerbe et obstinée de son visage? Ce visage est si pur et si souriant, si doux et si rêveur, comme la félicité que présentent les images pieuses.

Troublé, je bégaie.

— Sire, je ne sais pas si vous vous souvenez de moi… Au café de la Régence… Danton et…

Il s'étonne.

— Je ne pense pas avoir eu l'honneur… Mais pourquoi m'appelez-vous Sire? Je ne connais pas ce mot.

— C'est l'intitulé dévolu jadis à l'empereur du monde…

— Empereur? Qu'est-ce que c'est?

Cette fois c'est moi qui suis démonté.

— Vous ne vous rappelez pas avoir été empereur, idole et maître des foules, seigneur de la vie et de la mort?

Il se mord les lèvres pour retenir son rire.

— Foule… la vie… la mort… de quoi parlez-vous?

— Du temps où je vous connaissais, tout cela était très important pour vous…

— Possible. Je ne sais pas dans quel point minuscule de l'espace infini nos chemins se sont croisés, quelque

part dans la profondeur de mes milliards d'idées...
Croyez-moi, ce n'est pas la peine de chercher... Mais
ces mots que vous avez prononcés, sont irrésistiblement
comiques... Où les avez-vous ramassés ? Qu'est-ce que
c'est comme langue ?

Décidément, je me sens vexé.

— Excusez-moi, il est possible que vous ayez bien
changé, mais cette transformation, en général et du
point de vue de mes lecteurs, (pardonnez-moi le mot)
passe pour un manque de caractère.

Cette fois il éclate de rire : ce rire surgit en cascades
protubérantes.

— Caractère... caractère... redites-le donc encore
une fois !

— Vous avez beau rire, au cas où vous l'ignoreriez,
on entend par caractère le fait d'être conséquent, fidèle
à sa personnalité, aussi bien en pensées qu'en actions.

— En pensées et en actions ? Autrement dit, penser
toujours la même chose, agir toujours de la même
façon, parmi les infinies possibilités de la liberté de la
pensée et de l'action ? De quelle prison vous êtes-vous
libéré, frère astral ? Reprenez vous, puis nous pourrons
poursuivre la conversation, moi je dois partir... je souhaite rencontrer Pierre.

Je veux parler, mais il n'y a plus d'interlocuteur.
L'horizon nommé Napoléon se contracte, s'agglomère
en une boule, il diminue, il disparaît.

Des armées d'étoiles clignent de l'œil tout autour.

Ce nom sonne encore à mon oreille... Pierre... l'idée,
la curiosité étonnée, me traverse encore : s'agirait-il de

cet autre Pierre, du fondateur de notre église que la légende populaire connaît comme le Gardien de l'Au-delà? Mais cela signifierait (puisque nous ne nous sommes encore jamais rencontrés) que personnellement je me trouve en deçà de cette porte... impossible... au septième cercle...

Je me tourne vers mon guide, mais l'instant suivant...

L'instant suivant, l'horizon...

Ou plutôt, l'espace...

Plus correctement, la pensée...

Disons comme cela : l'intention...

Il vaudrait mieux dire : événement...

Événement... autrement dit, volonté...

Non... non... qu'est-ce que c'est?... Comment appeler ça?... Comment s'exprimer?... Comment communiquer... Comment dites-vous... vous...

J'ai... ou... bli...

....

....

(Suivent quelques mots, adressés à Jushni Jubashat, accolés plus tard, par hasard, à la fin de la dernière communication interrompue, et qui par conséquent, selon les fidèles de Merlin, doivent être considérés comme apocryphes.)

« Cher Jubashat, je dois brutalement interrompre ma communication du jour : ces quelques mots Vous sont personnellement destinés, à Vous et en aucun cas au public du *New History*. Je pourrais peut-être reprendre demain, mais ce n'est pas sûr. Il m'est arrivé quelque chose d'étrange. Au début, une sorte de surprise, à la

manière des premiers vols stratosphériques quand la
réserve d'air s'épuise à haute altitude. Les moyens de
communication (le vocabulaire du langage humain), ce
milieu familier, s'est dérobé sous mes pieds, je ne
retrouvais plus un seul mot qui aurait une parenté, ne
serait-ce que comparative et lointaine, avec la Chose
que j'ai observée au septième cercle. Sentiment étouf-
fant. En tant que journaliste, je rougis de constater que
c'est précisément ma science qui m'a trahi, science
dans laquelle, sans fausse modestie j'ai acquis pas mal
d'expérience afin d'être en mesure de communiquer
une chose que j'ai vécue à l'intention de ceux qui ne
l'ont pas vécue. Cela ne signifie aucunement que je
renonce à mon entreprise. Pour le moment j'essaie de
me ressaisir, ensuite, si possible, je continuerai... Je
vous annonce que je veux interviewer Hélène, je me
suis déjà fait annoncer. À tout hasard, au cas où il m'ar-
riverait tout de même un pépin qui rendrait impossible
la poursuite de mes communications. Je vous prierais
d'annoncer à la rédaction qu'en ce qui concerne mon
retour et le futur achèvement de ma série d'articles,
j'aurai besoin de quelques jours supplémentaires dans
les conditions convenues. »

CHAPITRE TERMINAL

Épilogue de Jushni Jubashat

1

Mon dernier contact direct
avec la personne de Merlin

Pour répondre à l'invitation du *New History*, j'ai l'honneur de rapporter comme suit sur la base de mes notes sténographiées la dernière manifestation personnelle de Merlin Oldtime, auteur du « Reportage céleste ».

Bien que le message fut expressément et strictement adressé à moi, secrétaire du *sahib* Merlin Oldtime, en précisant que je ne devais pas le considérer comme une suite du Reportage, mais comme une information privée, le texte qui a suivi ne provenait plus de la plume de Merlin mais il le concernait. Je me suis convaincu que n'ayant plus d'espoir de suite ultérieure, ce que j'avais de mieux à faire c'était de transmettre au lecteur, à titre de communication terminale du Reportage, le rapport dont j'ai été le destinataire ; car ce n'est pas simplement l'intérêt mais le droit du lecteur d'apprendre tout ce que l'on peut apprendre, sinon par Merlin, au moins sur Merlin.

Je n'assume rien d'autre que le rôle d'intermédiaire. Je me vois donc dans l'obligation de refouler les curieux, qui dès à présent m'envahissent de questions concernant la période antérieure de mes relations avec le *sahib*, de même que les problèmes de procédé technique de nos contacts durant son séjour dans l'au-delà. Je n'ai pas été autorisé par mon patron à faire des déclarations sur ces questions, et si aucune instruction claire sur ce sujet ne me parvient, je n'aurai rien à dire, ni aux savants, ni aux spiritistes, ni aux amateurs et aux curieux, ni verbalement, ni par écrit, ni même par testament au cas où ladite instruction ne me parviendrait pas avant ma mort corporelle.

Après avoir encore ajouté que s'agissant d'entretiens confidentiels, recopier mes notes et les transposer dans un langage conceptuel humain s'est heurté, par la nature de la tâche, à certaines difficultés (avant son départ Merlin Oldtime et moi-même nous étions accordés pour user d'un langage qui, d'une part, pouvait lui faciliter le contact, d'autre part – à la manière d'un argot entre complices dont la clé n'est détenue que par deux personnes – a exclu pour moi l'incertitude et le risque constant qu'un fantôme vagabond et fureteur fasse des plaisanteries et des farces en son nom), je crois justifier de ce fait mon retard de deux jours : je passe donc la parole à Merlin Oldtime qui avant-hier, jeudi, s'est manifesté à l'appareil radiophonique à l'heure habituelle et par le signal convenu, et a dit ce qui suit (après quelques mots d'introduction soulignant le caractère confidentiel déjà évoqué de sa communication) :

« Cher Jubashat, je vais être bref. Je ne peux former que des phrases courtes. Je halète très péniblement chaque mot. Je dois constamment m'arrêter. J'étouffe. Je demande toute votre attention.

Je crois que je suis parvenu plus haut. Ce qui me le fait penser c'est que j'ai brusquement quitté le septième cercle. Sans même l'annoncer à mon guide. En revanche, pour de bonnes raisons, je ne suis pas retombé. Vous allez comprendre pourquoi. J'en termine d'abord avec le septième.

Avançons dans l'ordre. Il me semble que la dernière fois je vous ai déjà parlé de l'horizon que nous avons appelé Napoléon.

C'est là qu'est survenue la fracture. Moment critique : toute mon entreprise en danger. Si près du but par dessus le marché. Imaginez une fusée dont le passager, à supposer qu'il puisse quitter les étoiles et revenir sur terre, n'est pas beaucoup avancé car il oublie tout. L'unique véhicule de l'information est sa radio, depuis la fusée. Et bien, c'est son appareil émetteur qui est défectueux.

Deux choses me troublent. La première : cette malheureuse question de caractère. Si ce que N. m'a appris est vrai : le caractère, autrement dit la personnalité, n'existe pas dans la réalité. Les Êtres libres (les âmes, si vous tenez à ce mot) ne sont pas déterminés dans leur être. Ils changent à volonté. Ce qui compte chez eux (contrairement à chez nous), ce n'est pas comment ils sont mais ce qu'ils veulent être. D'un autre côté, s'il en est ainsi, ma mission à moi, ma tâche, mon engagement, deviennent sans objet. Et aussi impossibles. En tant que journaliste, je me suis engagé à décrire, à représenter les choses et surtout les êtres tels qu'ils sont. Dans un monde où les caractères ne sont pas permanents ou constants et où ils ne sont pas liés à la substance, je suis impuissant. Imaginez que je commence à dessiner une tour et quand je suis au milieu de mon travail la tour se transforme en porc-épic. Comme cela on ne peut pas travailler. Même pas avec une caméra de cinéma. On le pouvait encore au sixième cercle, là-bas c'était l'*ego* qui formait le monde à son image ; tandis qu'ici aucune des composantes n'est stable.

La deuxième : l'évocation de Pierre. Comme si toute ma fatigue avait été vaine. Si c'est ici que je découvre la porte de la légende, c'est-à-dire du dehors, j'ai beau être arrivé aussi loin, du point de vue du lecteur je n'ai qu'à reprendre tout à zéro.

Mais c'est la peur de perdre ma personnalité qui m'inquiète le plus. J'ai une raison particulière pour cela, je ne peux pas en parler, même à vous. Pour la même raison, je ne peux pas expliquer non plus pourquoi c'est justement à Hélène que j'ai pensé comme ultime planche de salut. Mais c'est pour des raisons différentes que Gœthe y a pensé lui aussi (cela m'est revenu plus tard) dans la deuxième partie de Faust où, apparemment il a fantasmé sur des cercles et des dimensions.

Bref, en deux mots : j'ai sollicité une audience auprès d'Hélène. Elle me reçoit sans tarder.

Si cela vous intéresse, je vous fais savoir qu'Hélène – selon les canons de l'au-delà – est effectivement très belle. Selon les notions d'ici cela signifie plutôt : vraie. Ou plutôt encore : bonne. Belle et charmante et vraie (esthétique, éthique, mérite – la triple exigence – sont

ici simplement une et même chose, une unité triple).
Pour faire court : belle.

La conversation débute de mon côté par une grande
inquiétude. Non sans fondement, on le verra.

Après quelques circonlocutions je passe à l'essentiel.
Je veux dire à ce qui pour moi est l'essentiel dans l'état
d'âme critique qui est le mien.

J'apprends vite que (tout comme Napoléon) elle ne
se souvient de rien sur sa *vie*. À l'évocation de Ménélas,
de Priam, de la guerre de Troie, elle reste bouche bée,
elle secoue la tête. À la légère, comme en passant, mais
non sans angoisse intérieure, je lance le nom de Pâris à
propos de la pomme. Aucun effet.

Sauf peut-être que cela stimule sa curiosité. Elle me
demande de lui raconter ce à quoi j'ai fait allusion. Je
lui raconte donc sa vie et tout le mythe lié à sa personne
dans l'histoire de la philosophie et des arts.

— J'ignore tout de cette histoire, me répond-elle. Je
n'ai pas la moindre idée de ce que je peux avoir de commun avec cela, pourquoi c'est précisément à moi que
sont attachées ces idées et ces sentiments. Ton charabia
n'a ni queue ni tête mais il est délicieusement drôle. J'ai
repéré un mot qui me paraît particulièrement plaisant
bien que pur amas de sons incompréhensibles pour
moi. Dis-moi : que veut dire le mot amour dans ton discours ?

Je me sens blêmir, mes mains et mes pieds sont fri-
gorifiés de terreur, tout mon sang me reflue au cœur.
Vous ne pouvez pas comprendre cela, Jubashat, je ne

peux pas l'exprimer. Je perds la respiration, j'ai du mal
à articuler.

— Hélène, toi, tu ne sais pas ce qu'est l'amour ?

— J'attends de toi que tu me l'expliques. Car toutes
ces balivernes que tu as gazouillées – se fondre l'un
dans l'autre, ivresse, bonheur, adoration, beauté –
n'existent nulle part au monde, n'expriment rien.

— Hélène… tu dis cela… en tant que Femme ?

— Femme ? Qu'est-ce que c'est ?

— Qu'est-ce que c'est ? – je hurle et je réalise que
tout s'effondre autour de moi – qu'est-ce que c'est ? Le
seul, le dernier Soir, le commencement et la Fin…
Pucelle et Femme… Désir et Accomplissement… le Fils
et la Mère… Mère… *Mater*… Matière… génératrice de
tout…

— Cela me répugne de t'entendre hurler comme ça,
objecte-t-elle fraîchement, et j'ai l'impression qu'elle
tente de s'éloigner. Je lui crie à bout de forces :

— Attends, Hélène, un instant ! Car si tu disparais…
Hélène… unique étoile, mesure de toutes les autres
pour s'y retrouver… Étoile de l'Amour… Étoile du
Bonheur… avoue seulement : y a-t-il une vie au-delà de
toi dans le Temps et dans l'Espace ?

De loin, en la voyant rapetisser et pâlir, comme si j'entendais encore sa voix. C'est une voix pleine d'ironie,
elle siffle comme une comète qui fuit.

— Amour ?… Bonheur ?… Retourne au Sixième
Cercle, toi qui n'oses pas voir plus loin…

Je fixe sa trace, anéanti.

Ses dernières paroles m'ont blessé au cœur.

Pourquoi suis-je donc ici si ce n'est pas pour essayer au moins d'atteindre, au delà de moi-même, la plus grande élévation où Observateur et Expérimentateur sont encore assimilables à l'Observation et à l'Expérimentation, avant de bifurquer et de parcourir les deux courbes de l'hyperbole ?

Retourner maintenant au sixième cercle, alors que devant, au-dessus, existe peut-être Quelque Chose, peut-être une huitième Expansion ? Une huitième d'où… où…

Je veux appeler mon guide au secours, je veux attraper sa main, mais je réalise qu'il ne peut rien faire pour moi ici : quand je montais vers sa patrie il a pu venir m'accueillir, mais il ne peut pas m'accompagner plus haut que le niveau qu'il a atteint lui-même.

Ce dernier effort, avant d'accepter l'échec de mon entreprise, je dois le tenter tout seul, moi-même.

Réveille-toi, Merlin, éveille-toi à un éveil supérieur, au delà de toi-même il n'y a plus personne pour te réveiller à l'extérieur. Dans la Réalité Finale, il n'y a pas de sonnerie, pas de main pour te secouer, c'est de l'intérieur que tu dois briser l'épais brouillard du sommeil… accroche-toi à la terreur du Cauchemar…

Et je m'y accroche, longuement, absurdement, muet, je me mets à sangloter et à tournoyer, à pirouetter de plus en plus vite, toupie de feu fouettée par des forces terribles, tourbillon de plus en plus strident…

Un moment le sifflement devient si violent qu'il est impossible de l'endurer à l'intérieur… il faut absolument le pousser vers l'extérieur pour que je le comprenne… j'attrape l'extrémité du fouet qui entraîne la toupie… je m'en sers pour m'élancer, laissant en chute libre derrière moi, cette boule fuyante dans la profondeur…

Et il n'y a rien que je pourrais dire maintenant, sinon deux certitudes, l'une c'est : ici, l'autre c'est : je suis.

Je suis ici.

Jubashat, je crois que c'est le huitième cercle.

Et j'ajoute : ce n'est pas la pensée qui me l'a révélé. Ni la poussée des Idéaux. Ni la chaleur incandescente, capable de fusionner deux fantasmes en un seul, deux jugements, deux reconnaissances. Si l'impossible est devenu possible, c'est plutôt que tout cela s'est arrêté brutalement et violemment, juste un instant. À ce moment-là une étincelle a fusé de l'univers tournoyant et fuyant et elle m'a réveillé.

Mais je crains que ce ne soit éphémère.

Écoutez bien, Jubashat, notez vite. L'instant de l'éveil complet est maintenant ici, il va incessamment prendre fin, je vais retomber, cela ne se sait pas, cela se remarque seulement, j'ai réussi à parvenir ici mais impossible d'y demeurer.

Quand quelque chose me passe par la tête, je vous le communique en vitesse en l'état, ne cherchez aucune cohérence.

Ici il n'y a ni matière ni force ni espace ni temps, ni cause ni effet.

Il n'y a pas d'êtres non plus au sens où…

Il y a des thèses et des lois, indépendamment du reste.

Et pourtant, aussi étonnant que cela paraisse, je retrouve autour de moi des connaissances de ma vie terrestre.

Chacune d'elles est une de ces thèses en liberté.

Maintenant, sur ces thèses il reste un examen à passer.

L'existence préalable à tout ce qui existe prépare à cette interrogation.

Parce que ce qui s'élabore ici, n'est ni pensée ni action. C'est plus ! La Création. L'Œuvre.

Les Thèses créent. Elles créent matière, force, espace, temps, qui ensuite descendent d'ici vers les cercles inférieurs, pour donner place à l'action et à la pensée, au mouvement et à l'état des choses.

Ce que j'appelais jouissance, bonheur, assouvissement, a ici un sens : la création du Monde.

La parenté spirituelle se révèle authentique.

La Thèse du musicien Beethoven est sœur de celle du mathématicien Farkas Bolyai.

Et puisque l'on parle de ce dernier, je peux vous rapporter un détail intéressant, Jubashat. Ces lignes parallèles, sujet de tant de polémiques, se rencontrent en fait ici, directement à côté de moi. D'où je conclus que je me trouve à l'Infini. Mais entre temps, pendant que je vous explique cela, une Thèse nommée Edison est accourue et les a séparées. La solution est très simple. Kant me fait savoir que ces lignes, angles, catégories géométriques et mathématiques, ne sont que pures conventions, ils ont été créés, construits par la raison humaine, à sa convenance, si je le veux les parallèles se rencontrent, si je ne le veux pas, elles ne se rencontrent pas.

Sur ces deux lignes séparées, comme sur les deux rails de mon train, je vais maintenant courir, je tente d'accéder à la frontière du huitième cercle.

J'y suis presque…

Maintenant…

Une Voix…

Elle semble crier : eh là-bas, où vas-tu ? Je râle :

— Qui es-tu ?…

— Qui es-tu toi-même ?

— Je suis un être…

— Il n'existe pas d'autre être… Le seul Être, c'est moi.

Mes forces sont encore suffisantes pour trois autres questions.

— Quel est ton nom ?

— Je m'appelle Courage. Je te fais peur ? Alors tu n'existes pas car moi seul j'existe et il n'y a pas de peur en moi. J'ai aussi un autre nom : Responsabilité. Responsabilité de tout ce qui est créé. Si tu ne l'assumes pas, alors tu n'existes pas car moi seul j'existe et moi j'assume la responsabilité de tout.

— Qui suis-je alors ?

— Un de mes rêves en nombre infini.

— Tout ce qui est arrivé et tout ce qui existe, moi compris ?

— Le moindre mouvement, le plus petit commencement est une infime particule sur la route qui conduit du Néant à l'Unique. Mais où en est encore l'Existence après ce Un où je prendrai en charge l'Existence pour la conduire du un à l'infini ? Ce qui est arrivé jusqu'à présent n'a été qu'un vibrant frémissement du Néant, du cri d'allégresse du Courage… la peur fait continuellement secouer et trembler… c'est la débâcle du Néant, la Chose que jusqu'à présent j'ai rêvé, moi qui suis le Tout.

....

....

Jubashat… vous entendez toujours?

Au nom de tous les Cercles et de tous les Espaces…

Je tombe…

Ça ne va plus…

Plus haut ça ne va pas… plus bas je ne veux pas…

Les deux sont terrifiants…

Jubashat… je vous en supplie… juste pour dire… je vous ai trompé… j'avais une mission supérieure, de l'autre côté… au *New History*… Je vous en parlerai…

Je vous en supplie… essayez… contact – l'esprit… de Diderot… aidez moi… venez me voir…

Aïe… pas en arrière… »

2

RETOUR, À TRAVERS NEUF CONSCIENCES

« Je tombe…

Mais j'arrive encore à me concentrer. J'arrive encore à voir ce que je regarde, et qui plus est, ce que j'ai vu j'arrive à l'exprimer par des mots, pour moi-même. Pour les autres aussi? Je n'en ai pas la moindre idée en ce moment, voyez-vous. Mais, écoutez ceci, cher Jubashat.

Un jour j'ai interviewé un parachutiste. Il s'est jeté de l'avion à dix mille mètres. Ce monsieur m'a raconté quelque chose de semblable. Comme parachutiste chevronné il m'a dit qu'au moment du saut il n'a pas ouvert son parachute car il savait par expérience que d'une telle altitude cela peut durer longtemps, des heures même, pour toucher terre, si le parachute est ouvert. Il a préféré tomber d'abord sur sept mille mètres, sans jamais cesser d'observer l'altimètre attaché à son poignet.

Il est d'abord tombé la tête en bas, à neuf mille mètres il s'est retourné, il a fait quelques culbutes. À ce moment-là le ciel était encore si bleu au-dessus de lui qu'il a pu clairement distinguer quelques étoiles – j'ajoute que le soir tombait. Il a piqué du nez à travers quelques légers cumulus.

À l'altitude de sept mille mètres le soleil était éblouissant.

À cinq mille mètres il s'est trouvé au milieu d'épais nuages d'orage. Les éclairs zébraient le ciel, le tonnerre grondait, le vent le secouait.

Ensuite le beau temps est revenu, puis un brouillard blanc. Apparemment il a traversé trois couches nuageuses dans sa chute.

Enfin, à trois mille mètres il a ouvert son parachute. Et il a glissé doucement à vitesse régulière jusqu'au sol.

Comment vous faire comprendre cette comparaison?

Il se passe la même chose que quand nous nous mettons à voler ou à planer en rêve, mais à l'envers.

Je tombe à travers les couches des consciences successives. En un rapide enchaînement, en ordre inversé. Depuis la plus grande, la plus réelle, vers celle que vous rêvez, la plus profonde, dans la direction de la vie.

Ce processus se déroule dans le temps (à partir d'ici le temps existe de nouveau, à l'envers). Le point spatial reste identique à lui-même.

Compartiment d'un wagon de chemin de fer.

Oui bien sûr, mais autre. C'est bien le même compartiment, mais il comporte chaque fois un détail différent, qui fait que je réalise que je ne suis toujours pas chez moi. Tandis qu'en venant je me réveillais toujours, cette fois, en reconnaissant ces détails, chaque fois je retombe dans un sommeil plus profond.

De prime abord, en regardant dehors, j'aperçois le neuvième cercle récemment apparu; des planètes et des soleils courent çà et là, deviennent petits ou grands, s'éloignent, s'approchent.

Je m'efforce de reconnaître mon compartiment. Au-dessus de ma tête il doit y avoir un filet à bagages, me dis-je, et je lève la tête. J'y vois en effet une sorte de filet, mais ma valise qui y était, je m'en souviens très bien, a maintenant une autre forme et elle a perdu sa poignée. Mais le pire c'est que je suis absolument certain de m'être réveillé sous un éclairage électrique, or voilà que c'est une lampe à pétrole qui vacille au plafond. Ce n'est donc tout de même pas la réalité, je ne suis pas éveillé, je rêve. C'est d'autant moins la réalité que le violon que j'ai dans les bras était encore l'instant précédent une comète que je brandissais: Se poursuit ma route vers des sommeils plus profonds.

Ne vous est-il jamais arrivé de vous demander en rêve : est-ce seulement un rêve ? Un rêve, je suis couché dans mon lit, dans le même lit dans lequel je dormais, et pourtant je ne suis pas loin de me figurer que je suis en effet éveillé. Alors je découvre que sur la table de chevet, près du cendrier, c'est un éléphant en chair et en os qui balance sa trompe – en chair et en os, mais très petit, pas plus grand qu'un verre. Par-dessus le marché, il chante, donc je ne suis tout de même pas éveillé. Il faut se forcer, crier.

C'est un peu comme cela qu'il faut imaginer ce qui m'arrive, mais comme je le disais, à l'envers. Le compartiment est toujours là, mais les détails sont différents, je suis encore éveillé, dormons, débranchons les tentatives de la raison. Quelquefois, très rarement, nous souhaitons nous évanouir, nous nous anesthésions par autosuggestion, afin de diminuer notre souffrance.

Je me trouve maintenant à plus grande profondeur.

Le compartiment est le même, mais au lieu d'un violon je serre dans ma main la lame d'une épée. Dehors un paysage familier. Le sixième cercle, la grande ville avec ses rues tentaculaires. C'est ici que j'ai rencontré le rêve du grand zélateur du spiritisme et c'est également ici que j'ai vu l'empire et l'au-delà des autres : le paradis du bonheur et l'enfer des supplices. Je n'en peux plus, il faut aussi éteindre cette conscience-là.

Au fur et à mesure que passent les couches, la musique change aussi. Et puis dans la torpeur la musique

des sphères (je ne trouve pas d'autre terme) bruit doucement depuis la neuvième réalité – mais la composition
beethovénienne l'a déjà percée (la Neuvième sympho-
nie). En ce moment une mélodie sentimentale ondule
justement autour de moi, très familière, du Cherubini
ou du Chopin.

Je n'ai pas le temps de l'identifier. Je suis apparemment à l'intérieur de la cinquième dimension.

Oui, c'est encore le même compartiment, mais à la
place de ma valise, dans le filet, se trouve un gigantesque
appareil de photo. Et la lame de l'épée s'est transfor-
mée entre mes mains : je presse une montre de gousset
et j'observe laborieusement le lent mouvement des
aiguilles.

Bien sûr voyons, c'est la Ville du passé, je me promène ici, vers le quatorzième siècle, Venise est déjà à
peu près telle que je la connais. Le Rialto existe déjà,
mais pour le moment dépourvu de ses boutiques, les
étudiants et les commerçants, toque pointue sur la tête,
s'arrêtent, fixent l'eau des yeux. Le train file en trépi-
dant à travers le paysage, de toute évidence c'est un
rêve : que ferait un train dans la Venise du quatorzième
siècle ?

Maintenant… maintenant…

Tout devient de plus en plus familier, au-dehors comme
dans mon âme.

Ce n'est plus de la musique classique. Qu'est-ce que
c'est, qu'est-ce qu'ils jouent… une rengaine sirupeuse…

Shine moon, silver moon upon the sky…

Pour un instant m'apparaît le visage familier de Diderot, tel que je l'ai vu la première fois.

Quatrième dimension !

Je vois qu'il veut parler, il me fait signe de l'attendre, mais moi je sursaute.

Non, je n'ai besoin de rien, cela ne m'intéresse pas...

Regardez... j'ai dans la main le dernier numéro du *Popolo d'Italia*... Accident de chemin de fer... et sur la liste... des victimes... la *Signorina* Beata B... essayez de comprendre... je l'ai aimée pendant vingt ans... sans jamais le dévoiler... je ne l'ai rencontrée qu'une seule fois...

C'est elle que je cherchais... De l'autre côté... Dans les neuf dimensions... Les enfers et les paradis... En vain...

Je reste ici... Je n'avance ni ne recule... Je ne veux pas de la Réalité... et je ne veux pas de ce mauvais rêve au cimetière de Chelsea... ici... jusqu'à la fin des temps... »

3

DERNIER TÉMOIN DE LA DISPARITION DE MERLIN
(Rapport de D.D., Intelligence de l'au-delà)

Après les derniers mots que j'ai essayé de reproduire dans leur forme initiale, la liaison a été interrompue. J'ai eu l'impression – surtout si je tiens compte des expressions telles que «je vous ai bien eus» et «mes affaires privées» et de son mode d'interprétation passionnelle – que ces aveux ont été tout embrouillés par un emportement inhabituel chez Merlin : il s'est rendu compte lui-même qu'il avait perdu le fil de l'objectivité, et il a donc préféré couper court brusquement.

Depuis jeudi après-midi (il était précisément six heures cinq minutes quand la lampe de radio s'est éteinte) jusqu'à samedi matin rien n'a bougé, le signe spécial convenu pour cinq heures ne s'est pas produit. J'ai décidé d'attendre jusqu'à dimanche soir, et c'est seulement alors que j'annoncerai à la rédaction ne pas être en mesure de leur fournir de matériau supplémentaire.

Samedi matin vers les sept heures la sonnerie installée près de mon lit a retenti, signalant la génération de courant électrique dans l'appareil.

La lampe brillait normalement. Je me suis immédiatement isolé du monde extérieur, et j'ai établi la liaison.

Le mot de passe habituel a été prononcé, mais malgré la régularité de la clé connue seulement de nous deux, l'inversion de deux sons a éveillé mes soupçons, ce n'était probablement pas Merlin lui-même qui se manifestait.

Par contre la personne qui s'est manifestée ne pouvait le faire qu'en accord avec lui, voire mandatée par lui.

Heureusement la Personne n'a pas cherché une seule seconde à m'induire en erreur.

Elle aurait pu le faire puisque je n'ai pas touché à la membrane du diapason qui est resté depuis la fois précédente accordé à la septième dimension, par conséquent je n'avais pas le moyen de distinguer les lignes de fréquence.

Pourtant elle a immédiatement commencé la communication en son propre nom : ce nom est identique (à peu de choses près) à celui qui dans les reportages de Merlin se cachait derrière la désignation de «mon guide»; je trouve plus correct de ne vous en donner que les initiales, m'accordant ainsi à la convention, habituelle dans mon pays, adoptée lors de la dernière réunion de notre Association d'Interprétation des Phénomènes.

Je vous transmets brièvement le résumé de la communication de D.D.

Après s'être présenté il m'a fait savoir qu'il sait qui est son interlocuteur, en effet, en plus de la clé Merlin lui a donné également mon nom. Bien que Merlin l'ait chargé de me faire simplement savoir l'impossibilité de son retour, il ne lui a pas expressément demandé sa discrétion sur les causes.

Ensuite il a ainsi poursuivi :

«Quand j'ai perdu votre ami des yeux il était en conversation avec une dame nommée Hélène. Cette conversation faisait apparemment un grand effet sur lui. L'entretien a été brutalement interrompu et plus tard la dame en question m'a dit que l'Univers que j'ai présenté (notre ami M.O.) s'est comporté de façon inhabituelle, les forces répulsives se sont mises à y dominer, jusqu'à le faire littéralement exploser, comme le diraient vos astronomes. Pendant un moment cette répulsion a propulsé toute la masse vers le haut, peut-être dans la huitième dimension (c'est une pure spéculation, je n'y ai jamais mis les pieds, ainsi son existence n'est qu'une simple hypothèse de ma part), d'où il a dû nécessairement retomber.

C'est ce qui s'est passé.

Peu après, à la limite inférieure de mon mode d'existence, autrement dit près du sixième cercle (cette limite correspond, selon votre expression, à un état voisin du demi-sommeil comme Merlin me l'a confié), mon protégé disparu m'est apparu pour un bref instant.

Dans cette état de relative torpeur j'étais une fois de plus assis dans le train que M. a si souvent évoqué qu'il a fini par devenir une vision pour moi aussi. Une bizarre lumière bleue et une musique inconnue pour moi et pourtant agaçante a envahi l'ambiance – c'est dans cette ambiance que mon train berçait et filait vers des régions inférieures quand brusquement un fracas lointain m'a réveillé en sursaut. Le bruit d'objets très lourds qui se heurteraient violemment.

J'ai regardé par la fenêtre et à ma très grande surprise (car je n'y aurais pas pensé moi-même) j'ai vu devant moi Venise, la place Saint-Marc et le Rialto dans le silence crépusculaire, à la lueur rose du soleil couchant. Au même moment la porte de mon compartiment solitaire a été arrachée et Merlin Oldtime, bouleversé et enragé, a fait irruption. Il brandissait dans sa main une sorte de journal, une page du *Corriere della Sera*. Je lui ai demandé amicalement :

— Alors Merlin, où étiez-vous donc passé ? Et comment avez-vous pu me rencontrer sans vous annoncer au préalable ? Pourquoi ne m'avez-vous pas appelé ? Pourquoi ne pas m'avoir fait signe ?

— Avez-vous entendu? m'a crié Merlin sans répondre à mes questions. Avez-vous entendu ce fracas?

— J'ai en effet entendu quelque chose. Pourquoi?

— Accident de chemin de fer, bégaya-t-il, deux trains se sont télescopés non loin d'ici.

— C'est possible. C'est cela qui vous a bouleversé?

— C'est cela, c'est ce grand bruit d'effondrement en moi; il a répondu à la voix de l'Être Unique, poursuivit Merlin comme un fou délirant, de nouveau sans répondre à ma question. J'en ai eu des frissons dans le dos. J'ai chuchoté avec un pressentiment horrifié :

— Merlin, vous avez vraiment entendu la Voix de l'Être Unique… vous avez été de l'autre côté… dans l'au-delà… à la limite supérieure du huitième cercle?

Pour la première fois il m'a regardé.

— Apparemment, répondit-il, renfrogné.

— Ne voulez-vous pas m'en parler?

— Que pourrais-je en dire? Que nous deux, vous et moi, nous n'existons pas, il n'y a que Lui qui existe? Merci. Je ne veux pas le savoir. Je n'en prends pas la responsabilité.

— Et vos lecteurs… le *New History*?

Il a haussé les épaules avec véhémence et obstination.

— Ils s'en passeront. Ici deux trains se sont télescopés…

Son entêtement m'a surpris.

— De quels trains parlez-vous?

Il m'a saisi le bras, il s'est penché tout près de moi.

— Comprenez-moi enfin – il se mit à débiter avec véhémence des mots à peine cohérent – comprenez ceci et sachez-le… Le *New History*… les lecteurs… toute

ma carrière de journaliste… vous vous rappelez… tout
n'est que masque et rôle… Et la Grande Curiosité… en
laquelle j'ai cru… probablement elle aussi… n'est que
rôle et comédie… pour lui montrer… à la fille du Vent…
tout est pour elle… pour elle… pour qu'elle n'ignore
plus mon existence, pour qu'elle me trouve, pour
qu'elle se manifeste… car nous devions nous rencontrer… je lui en ai fait le serment… elle m'a aussi fait le
serment… derrière Venise… sur la rive de la Brenta…
sous les arbres du bosquet… au crépuscule des arbres
chuchotants et frémissants… quand j'avais seize ans…
quand elle m'est apparue la première fois entre deux
branches écartées… la Fille de la Tempête… et elle a
juré… et j'ai juré… de nous rencontrer… si possible de
notre vivant, sinon au-delà de la vie… Et alors quand…
j'ai trouvé son nom… sur la liste des victimes… je savais
déjà que je ferai ce voyage un jour, non pas pour le *New
History*, non pas pour l'Être Unique, mais pour elle
seule, pour réaliser littéralement les paroles du serment :
«Même si tu meurs, même si je meurs, dans l'infini et
dans le lointain des milliards d'années et des trillions
d'étoiles, il y aura forcément un jour, un instant pour
nous deux, comme quand deux trains se croisent à
grande vitesse et que deux mains fuyantes se font signe
par deux fenêtres : je t'ai reconnu, c'est bien toi, mon
amour, m'aimes-tu encore ? Moi je t'aime toujours ! »

Voilà ce que m'a dit votre ami, et alors en y consa-
crant toute mon attention j'ai compris que ses derniers
mots n'étaient plus adressés à moi. Dans notre direction un autre train face au nôtre, une enfilade de

fenêtres, d'une de ces fenêtres une main fuyante a fait
signe et un visage s'effaçant s'est évanoui.

En même temps la silhouette de Merlin faisant des
signes à la fenêtre commence à pâlir, elle transparaît
à travers la paroi du train, elle la traverse comme une
douce lumière ; dans l'autre train également l'autre
personnage cesse les signes.

Les deux trains se croisent et s'éloignent à vive allure,
pour l'éternité, l'un vers la Réalité, l'autre, le mien, vers
les paysages inconnus de la Vérité.

Eux deux, ils sont restés là, dans le bizarre brouillard
de mon rêve, seuls, se regardant fixement, sans se pré-
occuper de celui qui les a rêvés et qui est sur le point de
se réveiller. »

4

CONCLUSION

Les temps trépidants qui ont suivi la disparition de
Merlin Oldtime n'ont pas été propices à la légende du
Reportage. Lui-même qui à propos du Temps et infli-
geant un démenti à la thèse de Bergson, a constaté une
dimension également dirigée à rebours, affirmait que
les temps tourbillonnent car le poing de Napoléon y a
porté un coup violent. L'époque s'est extravertie et il a
refusé de reconnaître le rôle décisif joué dans l'existence
par l'espèce humaine, le tournant particulier dans l'histoire de la Vie qu'a constitué l'apparition sur la scène
de l'individu substitué à l'espèce et équivalent à celle-
ci comme troisième et déterminante expérience du

Principe Créateur (après la naissance et l'évolution) dans le drame turbulent de l'existence bien qu'il continuât de le considérer et de l'utiliser comme point de départ de sa perspective, plus par habitude que consciemment. En fixant perpétuellement son regard sur l'espèce, il s'est intéressé aux choses extérieures à celle-ci, tandis que, pour ce qui est de l'aventure ou des tentatives de l'âme individuelle, il a prononcé une sentence sommaire et négative, n'admettant pas même les preuves; dans ces conditions il n'a pas été possible de poser la question de savoir s'il y avait oui ou non de la réalité dans la matière du Reportage et si oui combien. Il a été qualifié de fantasque, de «jeu de l'esprit» (com-me si tout vrai voyage n'en était pas un!), et en tant que tel, on a essayé de le classer du seul point de vue de son appartenance au monde de ce genre de jeu. Là il y a un petit hic : selon les matérialistes il est trop spirituel et métaphysique, tandis que selon les croyants et les spiritualistes la chose était suggérée par une *conception* intellectuelle trop matérielle, sophistiquée et cynique, mais personne n'a repéré particulièrement cette contradiction. Les lecteurs eux-mêmes, les abonnés du *New History*, tout en jugeant le sujet intéressant, ont été d'avis que le journal ferait mieux de continuer à traiter des questions sociales et à publier des *reportages terrestres*, partant de la position (somme toute, et probablement selon Merlin également, juste et intelligente) que par les temps difficiles qui courent, survivre, gagner son pain et réussir ici, dans cette existence tridimensionnelle, est une entreprise au moins aussi fantastique et

BIBLIOGRAPHIE

La Ballade des hommes muets, nouvelles, Sagittaire, 1936.(épuisé)

Le Cirque, nouvelles, Éditions Seghers, 1961.
Nouvelle traduction par Peter Diener, Ombres (coll. Petite Bibliothèque Ombres), 1997.

Capillaria, le pays des femmes, roman, traduit par Véronique Charaire, La Différence,1976.
Rééd. La Différence (coll. Latitudes), 1990.

Danse sur la corde, roman, traduit par Françoise Jarcsek-Gál, POF (coll. Littératures d'Étranges Pays), 1985.

Voyage autour de mon crâne, roman, traduit par Françoise Vernan, Viviane Hamy, 1990.
Rééd. Points Seuil, 1993.

Cure d'ennui, collectif, traduit par Sophie Képès, Gallimard (coll. Connaissance de l'Inconscient), 1992.

M'sieur, roman, traduit par Françoise Jarcsek-Gál, In Fine, 1993.

Je dénonce l'humanité, nouvelles, traduit par Judith et Pierre Karinthy, Viviane Hamy, 1996.

TABLE DES MATIÈRES